PREVENIR L'INFARCTUS
ET L'ACCIDENT VASCULAIRE CÉRÉBRAL

Dr Michel de Lorgeril
Cardiologue et chercheur au CNRS

Avec la participation de Patricia Salen

Du même auteur

Un crime sexuel presque parfait : statines contre cholestérol, Editions A4SET, 2011 (ebook)

Cholestérol, mensonges et propagande, Thierry Souccar Editions, 2008

Dites à votre médecin que le cholestérol est innocent il vous soignera sans médicament, Thierry Souccar Editions, 2007

Alcool, vin et santé (avec Patricia Salen), Alpen Editions, 2007

Le pouvoir des oméga-3 (avec Patricia Salen), Alpen Editions, 2004

Le régime oméga-3 (avec Dr Artémis Simopoulos, Jo Robinson et Patricia Salen), EDP Science, 2004

Conception graphique et réalisation : Catherine Julia (Montfrin)
Illustrations : Idée Graphic (Toulouse)
Crédits photo : ©Istockphoto

Dépôt légal : 4ᵉ trimestre 2011
Imprimé par Qualibris / Imprimerie France Quercy à Mercuès (France)

ISBN : 978-2-916878-88-1

N'AYEZ PAS PEUR DU CHOLESTÉROL !

Dr MICHEL de LORGERIL
cardiologue et chercheur au CNRS

Dites à votre médecin que le cholestérol est innocent il vous soignera sans médicament

THIERRY SOUCCAR

ÉDITIONS

LE LIVRE-RÉVÉLATION
QUI VOUS OUVRE LES YEUX

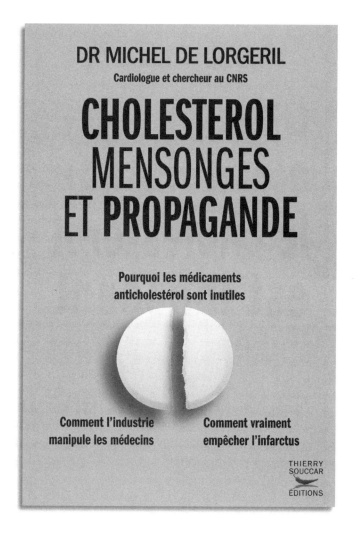

DR MICHEL DE LORGERIL

Cardiologue et chercheur au CNRS

CHOLESTEROL
MENSONGES
ET PROPAGANDE

Pourquoi les médicaments
anticholestérol sont inutiles

Comment l'industrie
manipule les médecins

Comment vraiment
empêcher l'infarctus

THIERRY
SOUCCAR
ÉDITIONS

Michel de Lorgeril est cardiologue et chercheur au CNRS et à la Faculté de médecine de Grenoble. Il a pratiqué dans les services de cardiologie des hôpitaux de Genève, Montréal et Lyon. Responsable des Laboratoires de cardiologie expérimentale de l'Institut de cardiologie de Montréal puis de l'INSERM à Lyon, il a été le principal investigateur de la fameuse Etude de Lyon et le promoteur de concepts scientifiques comme le *French Paradox* et la diète méditerranéenne.

Patricia Salen est diététicienne nutritionniste et assistante de recherche clinique à la Faculté de médecine de Grenoble. Responsable des aspects nutritionnels de l'Etude de Lyon, des programmes de nutrition pour les transplantés cardiaques (Lyon, 1989-1996) et pour les insuffisants cardiaques (Saint-Etienne, 1996-1999). Elle participe à différents programmes européens de recherche en nutrition.

Remerciements

Nous voudrions ici manifester notre reconnaissance et dire nos remerciements à tous nos collaborateurs et collaboratrices d'hier et d'aujourd'hui qui nous ont aidé dans nos travaux et à formuler nos hypothèses et théories.

Plus particulièrement, nos pensées vont à tous nos patients qui, par leur confiance et leur générosité, nous ont beaucoup appris sur les maladies cardiovasculaires et le rôle de la nutrition dans ces maladies.

Tous nos remerciements également aux indispensables relectrices des éditions Thierry Souccar.

SOMMAIRE

AVANT-PROPOS

C e livre a été écrit pour **informer** en toute objectivité et sur la base des connaissances scientifiques et médicales les plus récentes. Il s'adresse aux patients et à leurs familles qui ont déjà été confrontés à l'infarctus ou à l'accident vasculaire cérébral (AVC) afin de les aider à se protéger d'une récidive et aussi à tous ceux qui sont en bonne santé et veulent le rester.

Mais il ne suffit pas de se protéger de l'infarctus et de l'AVC, il faut aussi reculer le moment de bien d'autres maladies et surtout ne pas les favoriser avec des traitements inappropriés.

Les conseils que je donne dans ce livre protègent de l'infarctus et de l'AVC certes, mais aussi de bien d'autres maladies (notamment les cancers, les maladies inflammatoires et les démences). Ils nous font espérer une espérance de vie en bonne santé optimale.

POURQUOI UN NOUVEAU LIVRE ?

Mes deux livres précédents sur le cholestérol étaient polémiques. Je voulais surtout *ouvrir les esprits* et dénoncer les mensonges et la propagande de l'industrie (pharmaceutique et agroalimentaire) et ainsi faire comprendre que le cholestérol est innocent des crimes dont on l'accuse. Le cholestérol ne bouche pas les artères, avoir un cholestérol élevé n'augmente pas le risque d'infarctus et d'AVC et l'abaisser de façon artificielle avec des médicaments est inutile et dangereux. Ce sera difficile à admettre pour beaucoup mais, outre leur inefficacité préventive et leur coût exorbitant pour l'Assurance maladie – un milliard d'euros chaque année – les médicaments anticholestérol provoquent des effets secondaires parfois sévères et même tragiques comme on peut le lire dans les nombreux témoignages postés sur mon blog {michel.delorgeril.info}.

Ce livre-ci est une nouvelle étape. Il vise, en dehors de toute polémique, à donner les bons conseils pour protéger sa santé.

LA STRATÉGIE DE PRÉVENTION DOIT ÊTRE GLOBALE

L'infarctus du myocarde et l'AVC ont des causes et des mécanismes variés et multiples, mais ils ont aussi quelque chose qui s'apparente au crash d'un avion.

De même que les avions sont construits pour ne pas s'écraser au moindre trou d'air, nous sommes faits pour échapper à l'infarctus et à l'AVC ; nous disposons de tous les moyens pour nous protéger. Pour succomber, il faut (comme dans un crash) beaucoup de malchance et une succession de petits événements improbables qui, isolés dans le temps, seraient sans conséquence.

Cette notion est fondamentale pour organiser la prévention. Ce n'est pas en diminuant drastiquement (avec un médicament) un paramètre biologique ou physiologique qu'on prévient efficacement un infarctus ou un AVC. C'est en prenant soin de soi, en adoptant **un mode de vie protecteur**, tout un ensemble de petits riens qui semblent anodins à première vue. Comme il est impossible de contrôler cette multitude de paramètres – certains insignifiants en apparence et certains qui, sans doute, nous sont encore inconnus –, nous avons conçu une stratégie de protection qui englobe cette multitude de facteurs sans les nommer, et même sans y penser.

Prenons l'exemple de la nutrition. Les sciences de la nutrition veulent identifier, selon une procédure pharmacologique, des substances protectrices ou délétères de notre alimentation. Ce n'est pas inutile – c'est l'approche scientifique classique – mais c'est inefficace pour se protéger car il est impossible de couvrir tous les paramètres potentiellement impliqués (des milliers) et leurs interactions. Il faut plutôt adopter un mode alimentaire global et qui a fait ses preuves, scientifiquement. Et celui que nous privilégions, c'est ce que nous appelons **la diète méditerranéenne**.

Ceci dit, le mode alimentaire n'est pas tout ; d'autres aspects de la vie quotidienne viennent interférer avec nos habitudes alimentaires, en premier lieu **notre activité physique** : habitudes alimentaires et activité physique sont indissociables ! Je m'en expliquerai tout au long de ce livre.

Il est aussi impératif d'éviter toutes **les formes d'intoxication** : les évidentes (comme le tabagisme) mais aussi les plus sournoises comme les particules fines libérées dans l'air par les moteurs diesel, les perturbateurs endocriniens présents dans l'alimentation et bien sûr les médicaments.

Enfin, il faut savoir donner **un sens à sa vie**, pas seulement pour nous aider à surmonter le stress et les émotions du quotidien, mais aussi pour globaliser notre mode de vie à long terme dans un sens qui soit favorable à notre santé, à notre accomplissement et finalement à notre bonheur.

Ceci dit, nous sommes tous différents et aucun mode de vie, aucune stratégie préventive, ne peut garantir le risque zéro pour un individu, au cours d'une existence qui en moyenne sera de 80 ans. Mais il est possible de considérablement réduire ce risque.

TOUT À GAGNER ET RIEN À PERDRE

Aujourd'hui, il est bien rare qu'une victime d'infarctus réponde parfaitement au mode de vie protecteur que je décris dans ce livre. Toutes les victimes de crise cardiaque que j'ai traitées pendant mes trente années de pratique médicale (dans trois pays différents) avaient un mode de vie qui augmentait leur risque. Certains pensaient avoir pourtant fait tout ce qu'il fallait. Ils prenaient scrupuleusement tous les médicaments qui leur étaient prescrits, leur cholestérol, leur tension, leur poids, leur glycémie étaient parfaits et ils pensaient que cet infarctus qui les avait frappés était injuste. Mais ils se trompaient : ils avaient été mal conseillés !

En fait, si on suivait **parfaitement, et dès notre plus jeune âge**, les recommandations données dans ce livre, notre risque d'infarctus et d'AVC serait infime ou négligeable comme l'observation de certaines populations au Japon et autour de la Méditerranée l'a clairement montré. Il faut donc bien comprendre que si le risque zéro est impossible – je ne suis pas un illusionniste – un risque

> *Il n'est jamais trop tard pour inverser le pronostic !*

très faible est accessible y compris pour ceux qui ont déjà été frappés une première fois.

Pour chacun d'entre nous, il s'agit donc de faire le mieux possible dès lors que l'on a compris ceci : plus on s'approchera du mode de vie recommandé dans ce livre, plus tôt on fera les changements nécessaires dans son mode de vie et mieux on sera protégé !

Ceci est valable pour l'infarctus. Pour l'accident vasculaire cérébral (AVC), je serais un peu moins optimiste, mais pas pessimiste pour autant.

UNE ÉVOLUTION INQUIÉTANTE DES AVC

L'AVC n'est pas un équivalent de l'infarctus au niveau du cerveau. Contrairement à l'infarctus, l'AVC est une maladie très hétérogène. L'AVC peut avoir comme origine l'obstruction d'une artère mais il peut aussi résulter d'une hémorragie cérébrale.

Pour prévenir l'infarctus, on prescrit des médicaments anticoagulant et antiplaquettaire (anticaillot) qui ont l'inconvénient majeur d'augmenter le risque d'hémorragie, notamment au niveau du cerveau. Et c'est exactement ce à quoi on assiste dans les pays surmédicalisés : la fréquence des AVC hémorragiques augmente de façon inquiétante et cette tendance est probablement en relation – au moins en partie – avec la prescription massive des médicaments anticaillot.

Pour cette raison, il m'a semblé nécessaire de traiter dans ce livre de la prévention de l'infarctus et de l'AVC. A quoi servirait-il de diminuer le risque d'infarctus si, en parallèle, on augmente les AVC hémorragiques ? Les deux problématiques sont liées, et c'est devenu un aspect crucial de la prévention des maladies cardiovasculaires au sens le plus large. Rassurez-vous, il y a des solutions et ce livre a été écrit pour vous les exposer.

DIFFÉRENCE ENTRE TRAITEMENT ET PRÉVENTION

Ce livre explique la prévention de l'infarctus et de l'AVC. Il n'explique pas les traitements de l'infarctus et de l'AVC, c'est-à-dire les traitements indispensables (chirurgie, médicaments) au moment où ces complications surviennent. Ces traitements relèvent d'une médecine spécialisée et ce livre n'est pas un traité de médecine.

Mais parfois traitement et prévention vont de pair, c'est par exemple le cas de la prévention des récidives. Il est important de traiter un infarctus ou un AVC dans leur phase aiguë en s'organisant pour empêcher un nouvel infarctus ou AVC, ce qui pourrait être tragique. Je tiens compte de cet aspect dans ce livre.

NI RECETTES NI PROGRAMME

Certains lecteurs attendent peut-être que j'énumère dans la partie consacrée à la nutrition de ce livre un certain nombre de **recettes**. D'autres attendent que j'énonce une sorte de **programme** nutritionnel, un peu comme les régimes amaigrissants dans les journaux féminins chaque printemps –

comment perdre 20 kilos en 15 jours – avec des menus journaliers : *une biscotte au petit déjeuner avec 20 cl de jus de raisin, une tranche de pain grillé au déjeuner avec 50 g de viande hachée...* Désolé, vous ne trouverez dans ce livre ni recette ni programme !

Il y a une multitude de livres consacrés à la cuisine méditerranéenne (certains magnifiques, voir la bibliographie), un de plus ne servirait à rien. L'essentiel est de comprendre les grands principes des habitudes alimentaires méditerranéennes et ensuite de faire preuve d'un peu de créativité pour adapter ces principes méditerranéens à ses goûts, son

> *Ce livre n'est pas un livre de recettes mais il vous permettra de mieux comprendre les conseils du professionnel diététicien et de les adapter à votre cas personnel.*

mode de vie, son porte-monnaie, sa famille (adultes, enfants, seniors), sa région, ses fournisseurs locaux...

POURQUOI ME CROIRE ET PAS LES AUTRES ?

Ce que vous allez lire dans ce livre ne coïncidera pas toujours avec les recommandations et les traitements de votre médecin. Parfois, ce sera en totale contradiction avec ce que vous aurez pu lire dans les journaux et magazines de la santé, y compris à la télévision.

Dès lors, quel crédit accorder à mes propres recommandations ?

Mon objectif est d'examiner et expliquer ce qui est crédible en **médecine scientifique**. C'est une chose d'appliquer automatiquement et naïvement des traitements ordonnés par des sociétés savantes ou des autorités sanitaires peuplées d'experts rémunérés par l'industrie ; c'en est une autre d'apporter des arguments scientifiques produits par des chercheurs **indépendants** (y compris ses propres équipes) sur plusieurs dizaines d'années et ayant en général subi l'épreuve la plus difficile que les théories scientifiques aient à subir pour être validées : l'épreuve du temps !

Il faut réunir une expertise qui soit à la fois scientifique et médicale. Voilà un métier difficile ! Il faut connaître aussi bien les méthodes scientifiques (les médecins n'y sont pas formés) que la médecine clinique. Rares sont ceux qui possèdent les deux connaissances. Ce n'est d'ailleurs pas une question d'intelligence mais de parcours professionnel.

Ce fut mon choix de jeune médecin que d'essayer de cumuler ces deux compétences de médecin et de scientifique, à travers un parcours que je retrace brièvement dans la première partie du livre.

La Société européenne de cardiologie a publié un *textbook* (un ouvrage faisant référence dans une profession) pour aider les praticiens dans la prévention des maladies cardiovasculaires ; et c'est évidemment dans ce domaine que j'ai le plus d'amis et de collègues cardiologues. Parmi eux, mes idées et principes sont bien acceptés et je suis d'ailleurs l'auteur (invité) du chapitre *Prévention nutritionnelle de l'infarctus*. Je suis aussi l'auteur (invité) du chapitre comparable dans le *textbook* des Facultés de médecine américaines cette fois-ci. Les références de ces deux ouvrages sont données dans la bibliographie. Cela signifie que pour les éditeurs de ces **ouvrages de référence**, aucune critique significative n'a été retenue qui puisse les dissuader de me confier ce travail. Et pourtant je n'ai jamais manqué une occasion de dire ce que je pensais de l'absurde guerre contre le cholestérol. L'auteur de ces lignes n'est donc pas un iconoclaste farfelu, mais un expert reconnu par ses pairs. Le savoir peut aider les lecteurs à accepter sans réticence certains de mes propos qui ne seraient pas un écho exact de ce qu'ils auraient entendu ailleurs.

Bien que tout ce que je dis soit fortement documenté, je m'attends à quelques critiques véhémentes notamment concernant mes positions sur les médicaments – toute position allant à l'encontre d'intérêts mercantiles est immédiatement source de disputes ! Je me dois de les anticiper en donnant tous les arguments nécessaires, ce qui rend mon propos parfois complexe. Je vous demande de m'en excuser mais je ne peux y échapper car il n'y a pas de compromis possible pour la défense de notre santé.

Bonne lecture !

PARTIE 1

COMMENT PREVENIR L'INFARCTUS

INTRODUCTION

BEAUCOUP D'IDÉES FAUSSES CIRCULENT A PROPOS DES MALADIES cardiovasculaires, y compris chez certains médecins et professionnels de santé ; et aussi parmi les chercheurs et les experts ! Pourtant, les choses sont finalement beaucoup plus simples qu'il n'y paraît. C'est d'ailleurs un des paradoxes des maladies cardiovasculaires : difficiles à comprendre, elles sont *relativement* faciles à empêcher. Quand vous aurez terminé ce livre, vous aurez compris tout le sens de cette dernière phrase.

Maladies douloureuses et invalidantes pour les uns, elles entraînent une *belle mort* pour les autres ; ou encore maladies inéluctables (car familiales ou génétiques), voire *méritées* du fait de nos caractéristiques personnelles : trop gros, trop lent, tabac, alcool ! Que d'idées fausses !

Alors que pour certains ce sont des maladies *vaincues* – ayant bénéficié des progrès techniques de l'époque : quelle illusion ! – elles restent pour d'autres des affections épidémiques, résistantes et... incompréhensibles.

Il y a évidemment un petit peu de vrai dans tout ça.

Les maladies cardiovasculaires sont des maladies complexes, et pas seulement *des artères qui se bouchent*. C'est pourquoi on pardonnera à tous les experts et médecins de ne pas être aussi efficaces qu'on pourrait l'espérer ; et on me pardonnera à moi de ne pas en faire une description simpliste.

La clé de toute prévention efficace ? Comprendre la menace !

CHAPITRE 1

C'EST QUOI UNE CRISE CARDIAQUE ?

QUAND ON PARLE DE MALADIES CARDIOVASCULAIRES, LE PLUS souvent, on parle de *crise cardiaque* dans le langage courant. Une crise cardiaque peut arriver à n'importe quel âge, ça concerne presque tout le monde (à partir de 30-40 ans) et pas seulement *les vieux* et pas seulement les hommes. Questions/réponses pour faire connaissance avec ce serial killer.

C'est quoi une crise cardiaque ?

C'est un malaise, généralement dans la poitrine, à prédominance douloureuse, et se terminant par un décès en moins d'une heure dans environ 50 % des cas sans que de quelconques secours (famille, pompiers, SAMU) aient pu intervenir. Dans certaines populations fragilisées par un mode de vie très déraisonnable, la fréquence du décès dans les premiers jours peut atteindre 80 %.

C'est toujours à cause du cœur ?

Quand le malaise est dans la poitrine, dans 95 % des cas, c'est le cœur. Mais il y a des équivalents de ces crises qui concernent d'autres organes, la plus fréquente étant l'attaque cérébrale qui tue moins – il n'y a pas d'*arrêt cérébral* comme il y a des *arrêts cardiaques* – mais qui laisse plus de handicaps (notamment des paralysies) quand on en survit.

Quand on n'en meurt pas tout de suite ou presque, qu'est-ce qui se passe ?

Pour les crises cardiaques, dans un pays urbanisé comme la France, les choses se passent le plus souvent en compagnie des services d'urgence, un progrès médical majeur. Le patient lui-même ou un proche s'alarme des symptômes (douleur dans la poitrine, palpitation, essoufflement, malaise général) et décide d'appeler les secours (SAMU, pompiers) qui se déplacent très vite (domicile, lieu de travail, lieu public). C'est rarement le patient qui se déplace jusqu'à un secours potentiel. Le responsable des secours décide alors – s'il y a suspicion de crise cardiaque – l'hospitalisation immédiate. Parfois, on pratique sur place un électrocardiogramme qui permet d'approcher le diagnostic. Au moment du transport, des premiers soins sont donnés : oxygène au masque, morphine si la douleur est importante, et mise en place d'une perfusion. Rien ne doit retarder le transport vers l'hôpital.

Pourquoi une telle urgence si la crise cardiaque est déjà là ?

Parce que chez les survivants de la première heure, le pronostic ultérieur dépend beaucoup de la précocité du traitement. En schématisant, si au bout de 3-4 heures on est toujours en vie et toujours sans traitement, aucun traitement appliqué à partir de ce moment ne permettra de modifier le pronostic à moyen terme. A partir de la quatrième heure environ, le mal est fait, si on peut dire. Ainsi, plus on intervient vite, meilleur sera le pronostic.

Pourquoi ?

Parce que le but principal de tout traitement pendant les 3 premières heures est de sauver du tissu cardiaque (du muscle) mis en danger par la crise cardiaque. Celle-ci a été provoquée par l'obstruction d'une artère et le tissu cardiaque irrigué par cette artère souffre d'un manque d'oxygène ; plus le manque d'oxygène est intense et durable et plus la masse de tissu détruite est importante ; et évidemment, plus les fonctions du cœur risquent d'être altérées. Au-delà de 4 heures, il n'y a plus rien à sauver.

Il faut donc déboucher l'artère le plus rapidement possible car plus on est loin de la quatrième heure fatidique et plus on a de chance de sauver du tissu cardiaque. Plus on sauve du tissu cardiaque et meilleur sera le pronostic, notamment en termes de complications électriques (les pires) ou mécaniques (amputation de la capacité de travail du cœur).

Comment fait-on pour déboucher une artère en urgence ?

On dispose de deux techniques : soit on perfuse un médicament qui dissout le bouchon artériel, soit on monte un cathéter (un fil métallique) jusqu'au bouchon, que l'on perce, ce qui rétablit un peu de circulation

QUE FAIT-ON EN CAS DE CRISE CÉRÉBRALE ?

On préfère dire *attaque cérébrale* (*stroke* en anglais) ou encore *accident vasculaire cérébral* (AVC). L'AVC n'est pas un équivalent de l'infarctus du myocarde avec l'occlusion d'une artère irriguant le cerveau au lieu d'une artère irriguant le cœur. C'est plus compliqué.

Les symptômes et les mécanismes de l'AVC sont différents de ceux de l'infarctus du myocarde. Il y a certes des AVC qui ressemblent à l'infarctus mais ils représentent moins de 20 % des cas : ils sont dus à l'obstruction d'une grosse ou moyenne artère qui irrigue le cerveau.

Dans ces cas, il faudrait faire la même chose que dans l'infarctus : déboucher l'artère coupable le plus vite possible. Mais pour cela il faudrait pouvoir faire la différence entre ce type d'AVC et les autres. Cela nécessite des techniques d'imagerie moderne qui malheureusement sont encore peu répandues.

Les médecins responsables du traitement des AVC sont donc prudents, faute de capacité diagnostic optimale, et souvent s'abstiennent de toute thérapie agressive. J'ai vécu cette sorte de fatalisme à la fin des années 1970 face aux crises cardiaques. Jusque là, on ne faisait rien nous-aussi cardiologues, on ne débouchait pas l'artère, on calmait la douleur et on essayait de réanimer le patient s'il faisait un arrêt cardiaque.

Pour les AVC dus à l'obstruction d'une grosse artère, deux options de débouchage sont possibles – approche chimique ou mécanique – comme pour les infarctus du myocarde. Cela dépend du plateau technique de l'hôpital. Ceci dit, des difficultés spécifiques à l'AVC peuvent survenir car le cerveau (organe mou) n'est pas le cœur (un muscle puissant et rigide); et les carotides (les artères qui irriguent le cerveau) ne sont pas les coronaires (artères qui irriguent le cœur).

L'épidémie d'AVC prenant de l'ampleur dans nos pays et concernant des patients de plus en plus jeunes, il serait urgent que les pouvoirs publics dotent nos hôpitaux des moyens techniques adéquats – notamment en termes d'imagerie cérébrale – et que les autorités concernées financent des programmes de recherche réalistes plutôt que de se bercer de l'illusion que des médicaments anticholestérol puissent enrayer l'épidémie. On n'a, en effet, jamais autant consommé de médicaments anticholestérol, et on n'a jamais vu autant d'AVC, et ce, chez des victimes de plus en plus jeunes… Quand va-t-on ouvrir les yeux ?

dans l'artère. Dans les deux cas, il faut compléter le débouchage par des traitements qui sont moins urgents puisque de l'oxygène arrive de nouveau au tissu menacé. Ce sera l'objet du chapitre 7 de la partie 4.

Une technique est-elle meilleure que l'autre ?

Cette question reste très discutée. En fait, cela dépend beaucoup des circonstances. Si les conditions techniques sont réunies – un cardiologue présent aux urgences avec un plateau technique à sa disposition –, la deuxième technique, avec le fil mécanique, est probablement plus efficace. Dans un centre urbain, c'est généralement cette technique qui est appliquée. Sinon c'est l'autre technique (dissolution du bouchon) qui est mise en œuvre et elle peut rendre de grands services quand on est très éloigné de l'hôpital.

Au cours des décennies 1980-1990, les cardiologues ont réellement inventé – aucun esprit corporatiste dans ce sincère hommage à ma profession – avec courage et ténacité, ces nouveaux traitements de la crise cardiaque. Peu de spécialités médicales ont accompli aussi vite une telle révolution thérapeutique. Et tous les jours, dans le plus modeste hôpital comme dans les plus prestigieux centres universitaires, des cardiologues accomplissent des prouesses. C'est en partie grâce à ces nouvelles thérapies de l'urgence que nous avons obtenu une diminution significative de la mortalité cardiovasculaire.

LA MORTALITÉ DIMINUE MAIS LA FRÉQUENCE AUGMENTE

Nous sommes aujourd'hui confrontés à un phénomène étonnant dans la majorité des pays développés : d'un côté, **la mortalité** cardiovasculaire diminue – les statistiques de mortalité sont formelles – et de l'autre, **la fréquence** des maladies cardiovasculaires augmente (le nombre d'hospitalisations pour infarctus, le nombre d'échocardiographies, de coronarographies, le nombre d'angioplasties, de pontages… augmentent).

L'argument selon lequel l'augmentation de ces événements et gestes médicaux seraient dues au vieillissement de la population ne tient pas car le phénomène est observé dans chaque tranche d'âge ; dans certaines tranches d'âge autrefois relativement préservées, les femmes d'âge moyen, avant et juste après la ménopause, les augmentations observées sont même très inquiétantes.

Cela signifie soit que les femmes n'ont pas encore pris conscience de la menace et, du fait de cette inconscience, ne profitent pas des progrès de la cardiologie de l'urgence pas plus qu'elles ne profitent des possibilités de prévention ; soit elles ont été engagées dans une voie sans issue, prescription de médicaments anticholestérol par exemple, et cela s'avère totalement inefficace. Jamais autant de femmes n'ont été traitées avec des médicaments anticholestérol, et jamais il n'y a eu autant de crises cardiaques et d'AVC chez les femmes, y compris les jeunes…

Il y a malheureusement un envers de ce beau décor dont il faut aussi parler !

Premier aspect : du fait de l'efficacité des traitements de débouchage urgents des artères, la durée d'hospitalisation après une crise cardiaque a considérablement diminué. Quand j'ai commencé à faire de la cardiologie au milieu des années 1970, un patient restait 2 à 3 semaines à l'hôpital après un infarctus non compliqué. L'avantage de ces longues hospitalisations était qu'on avait le temps d'éduquer ces patients. On démarrait des programmes de réadaptation à l'exercice, des programmes antitabac, ils étaient vus par des diététiciennes, parfois par des psychiatres ou des psychologues avant d'être renvoyés vers leur médecin traitant. Avec l'impératif de réduire les frais d'hospitalisation pour combattre le déficit de l'Assurance maladie, on a réduit la durée d'hospitalisation pour de nombreuses pathologies, y compris la crise cardiaque. Le succès des techniques de débouchage en urgence des artères a encore accéléré le processus et il n'est pas rare de voir des patients sortir de l'hôpital 3 ou 4 jours après un infarctus non compliqué. Inutile de dire qu'ils n'ont vu ni diététicienne ni psychologue, qu'aucun programme de remise ne forme n'a été initié, et qu'ils sont remis à leur famille sans avoir compris ce qui leur était arrivé.

La seule chose qui ne soit pas oubliée, c'est la liste des médicaments à prendre religieusement. Comme les médecins de ville osent rarement contrevenir aux prescriptions des spécialistes de l'hôpital, il n'est pas rare que la liste, notamment chez les seniors, soit interminable…

Telle est la médecine dite systématique – l'ordonnance de l'interne de CHU est généralement une prescription systématique – de notre époque. Mais il y a, bien sûr et heureusement, de formidables exceptions…

Deuxième aspect : les cardiologues sont rarement très disponibles. Quand ils sont aux urgences en train de déboucher des artères – ce service est généralement offert 24 heures sur 24 – ils ne sont pas en train d'étudier la *nutrition préventive*. On ne peut pas demander à des médecins astreints à une cardiologie de l'urgence, souvent acrobatique, d'être aussi des adeptes de la médecine antistress ou de la diète méditerranéenne. Ils peuvent sympathiser avec ces concepts, ils ne peuvent en être des bons pratiquants.

Or, pour modifier le mode de vie d'un individu le médecin doit être soi-même habité d'une véritable conviction. De plus en plus de médecins et de cardiologues ont compris l'importance de la prévention.

Malheureusement, ils en ont souvent une vision médicamenteuse, influencée par l'industrie pharmaceutique. C'est tellement simple de griffonner une ligne supplémentaire d'ordonnance… Expliquer comment il faut se nourrir c'est autre chose !

En dehors de l'AVC et de la crise cardiaque nécessitant un traitement d'urgence, il y a beaucoup d'autres manifestations cliniques fréquentes des maladies cardiovasculaires. Je vais en donner un exemple dans le chapitre suivant.

> *Il est préférable de tout faire pour organiser très tôt dans sa vie la protection de son cœur et de ses artères afin de ne jamais avoir besoin d'un cardiologue.*

Je l'ai choisi parce qu'il illustre la philosophie qui anime ce livre et que je résume encore une fois : si nous avons fait des progrès dans le diagnostic et le traitement des maladies cardiovasculaires, les méthodes actuelles sont sources de complications qui en partie en annulent les bienfaits.

Le fond de ma pensée de médecin est qu'il est préférable de tout faire, pour organiser très tôt dans sa vie la protection de son cœur et de ses artères afin de ne jamais avoir besoin d'un cardiologue ou d'un spécialiste neurovasculaire pour se faire déboucher une artère en urgence.

Mais surtout ne pas croire qu'une approche unique – une diététique miraculeuse ou un entraînement sportif féroce – peut nous protéger, comme certains auteurs américains en vogue le proclament. C'est en adoptant les multiples aspects d'un *mode de vie protecteur* que nous échapperons à la crise cardiaque et à l'AVC !

CHAPITRE 2

CHRONIQUE D'UN INFARCTUS ANNONCÉ

G EORGES EST UN COLLÈGUE CARDIOLOGUE UN PEU PLUS ÂGÉ QUE moi. Il faisait partie de la génération des cardiologues qui ont découvert, et inventé, la cardiologie moderne faite de technologies fabuleuses. Il m'apprit beaucoup à mes débuts en cardiologie. Georges est un pseudonyme.

Georges était en surpoids, sédentaire et fumeur comme beaucoup de cardiologues des années 1970. Mais en parfaite santé, apparemment, jusqu'à sa retraite. Quelques années de tranquillité et, les 60 ans bien passés, apparition d'une leucémie chronique de la personne vieillissante, une de ces formes cliniques que l'on ne traite pas en général, car longtemps bénigne. Un jour, en se rendant à sa consultation d'hématologie, il ressent une douleur dans la poitrine qui l'oblige à s'arrêter et à se reposer quelques minutes. Il avait déjà compris et ne fut pas étonné que l'hématologue l'adresse immédiatement au cardiologue pour un bilan des artères du cœur. On lui fait un électrocardiogramme pendant qu'il fait un exercice, qui montre des anomalies évocatrices de *sténose* sur ses artères du cœur.

UN MOT D'EXPLICATION SUR LA NOTION DE STÉNOSE

On appelle *sténose*, le rétrécissement d'une artère. Quand on a une sténose sur une artère du cœur, elle empêche qu'au moment d'un effort par exemple, le débit sanguin augmente dans cette artère pour assurer les besoins en oxygène du cœur ; il suffit de mesurer son pouls (qui s'accélère) pendant l'exercice pour comprendre le phénomène. On peut détecter indirectement la présence de cette sténose par un exercice physique progressif (sur un vélo ou un tapis roulant). A partir d'un certain niveau d'intensité d'exercice, la sténose ne permet plus d'augmentation du débit dans l'artère sténosée et la partie du cœur irriguée par cette artère souffre d'un manque d'oxygène, ce qui est visible sur l'électrocardiogramme. Il suffit d'arrêter l'exercice pour que la souffrance du cœur cesse et que l'électrocardiogramme se normalise.

Voilà donc Georges avec **une maladie des artères coronaires**. Il consulte un cardiologue spécialisé qui pratique une coronarographie – une technique radiologique qui permet de voir les artères du cœur – observe plusieurs sténoses et décide de les supprimer avec des angioplasties et des *stents* – ce sont de petites prothèses en forme de ressort qui empêchent que l'artère se rebouche. Selon notre spécialiste du « débouchage », Georges était débarrassé de ses sténoses.

Pour autant, était-il guéri ?

Question légitime ! C'est en effet à partir de ce moment que les ennuis vont commencer. Par crainte de voir un des *stents* se boucher – du fait de la formation d'un caillot, car les caillots adorent se former dans les *stents* – Georges se voit prescrire deux médicaments anticaillot, dont l'aspirine. Rapidement, il se plaint de douleurs à l'estomac. Le gastroentérologue confirme les lésions de l'estomac due à l'aspirine et ajoute un médicament qui diminue l'acidité de l'estomac (médicament aujourd'hui connu pour augmenter le risque d'infarctus et d'AVC).

Malheureusement, une autre complication apparaît, les urines de mon ami deviennent rouges témoignant d'un saignement dans les voies urinaires, ce qui n'est pas étonnant chez un patient fortement traité pour empêcher les caillots : plus le traitement anticaillot est lourd, plus le risque d'hémorragie augmente !

Les urologues consultés ne trouvent rien de particulier malgré de nombreux examens pénibles et très couteux pour l'Assurance maladie. On décide donc de diminuer les doses de médicaments anticaillot. Malheureusement, des douleurs dans la poitrine réapparaissent évoquant un nouveau rétrécissement dans un des *stents*, probablement un caillot qui s'est formé…

C'est au même moment que Georges voit sa leucémie bénigne évoluer en leucémie maligne. Les hématologues consultés, pris au dépourvu, décident de démarrer une chimiothérapie anticancéreuse d'abord légère – en espérant retarder l'évolution – puis après quelques semaines, de plus en plus lourde et toxique.

La seule explication qu'ils proposent à cette modification inattendue de la leucémie, c'est la prise de tous ces médicaments cardiologiques. Outre les médicaments anticaillot (dont l'aspirine) – et le médicament pour l'estomac – Georges prend évidemment un médicament anticholestérol, une statine. Parmi ces médicaments, la statine est le seul pour lesquels nous ayons des données suggérant un effet possible sur les cellules cancéreuses. Je pense donc, **mais sans preuve**, que la statine a favorisé le passage en leucémie maligne… Est-ce que diminuer le cholestérol de Georges était utile ? Son principal risque était de voir un caillot se former dans un des *stents* ; or les statines n'ont aucun effet sur le risque de caillot. La statine avait été prescrite de façon systématique, sur la naïve croyance qu'elle diminue le risque cardiovasculaire. C'était une erreur !

Quelques jours plus tard, Georges va avoir une nouvelle crise cardiaque à laquelle il ne survivra que quelques heures. Un ou plusieurs de ses *stents* s'étaient brutalement bouchés.

Pourquoi les *stents* se sont-ils bouchés ? Parce qu'on avait trop diminué les médicaments anticaillot ? A cause de la leucémie ? Qu'est-ce qui a tué Georges ?

On l'avait pourtant débarrassé de ses sténoses… Finalement qu'avons-nous gagné de cette médecine moderne ? Que nous ont apporté toutes ces merveilleuses techniques ? Celles du cardiologue, du gastroentérologue, de l'urologue, de l'hématologue ? Que serait-il arrivé si on n'avait rien fait ? Où est l'erreur ?

Je pense qu'il aurait fallu essayer de modifier son terrain pathologique : modifier l'air qu'il respire, améliorer ses habitudes alimentaires, lui réapprendre à utiliser ses muscles et à entraîner son cœur et ses artères, et enfin l'aider à reconsidérer le *sens de sa vie*, ce qui n'a aucun caractère religieux ou mythologique mais constitue un résumé de ce qui précède. Le mot

> *Pour se protéger de l'infarctus, il faudrait modifier l'air que l'on respire, améliorer ses habitudes alimentaires, entraîner ses muscles, donner un sens à sa vie*

sens est utilisé ici dans sa première signification : où veut-on aller ? Où aurais-je dû entraîner Georges ?

Peut-on parler de programme de prévention ? Un peu, mais pas vraiment. On parle de programme quand on a des objectifs précis avec un agenda bien défini, pour un travail ou un voyage par exemple. Mais quand il s'agit d'une façon de vivre et sur le long terme ?

LA QUALITÉ DE L'AIR

Quand on parle de l'air que l'on respire, il ne s'agit pas seulement de lutte antitabac, c'est aussi avertir chaque individu de la possibilité qu'il respire un air nocif pour sa santé ; et l'aider à user de son droit à respirer un air **propre**. Nous avons suffisamment de données scientifiques concernant la toxicité cardiovasculaire de la pollution atmosphérique sous des formes variées – gaz des voitures, pollution due au chauffage urbain, aux industries et autres – pour encourager nos patients fragiles (et aussi tous ceux qui sont encore en bonne santé) à s'en protéger.

L'expression *sens de la vie* prend ici toute sa signification : où devons-nous aller ? Si on habite un joli appartement donnant sur une voie très fréquentée d'un tissu urbain concentré et fortement pollué, doit-on s'en aller ailleurs respirer le grand air du large, ou des montagnes ?

LES HABITUDES ALIMENTAIRES

Nous aurions dû aussi nous préoccuper de façon plus active des habitudes alimentaires de Georges. Nos habitudes alimentaires constituent le terrain sur lequel une complication cardiovasculaire peut se développer.

Notre organisme, et chacun de nos organes, sont faits des matériaux que nous leur apportons. Si nous construisons un édifice avec des matériaux fragiles, ou de mauvaise qualité, comment va-t-il résister à un tremblement de terre, une inondation ou autre intempérie catastrophique, ou même au temps qui passe ?

Notre existence n'est-elle pas une suite ininterrompue d'événements plus ou moins traumatisants et/ou catastrophiques ? Nous devons donc donner à notre organisme, et en particulier à notre cœur et nos artères, toutes les chances de traverser sains et saufs ces inéluctables événements de la vie. A nouveau avoir un certain *sens de la vie* peut aider.

Ce n'est pas évident de se dire, surtout quand on est jeune, qu'il faut se préparer aux épreuves de la vie ! Cela ne veut pas dire qu'il faut sans cesse penser au pire, cela veut dire très prosaïquement qu'il faut se donner toutes les chances de résister aux épreuves qui viendront inéluctablement ; ou, pour ceux qui voient l'existence de façon plus guerrière, se préparer à la bataille ou se mettre en position de dissuader l'ennemi (la maladie) qui s'approche, selon la formule classique : *si tu veux vivre en paix, prépare la guerre !*

Bien sûr, changer ses habitudes alimentaires pour en adopter de nouvelles n'est pas forcément chose facile. Il faut être guidé et pour cela il est important d'avoir une référence. Parmi les références, il y a peu de choix : si on a une culture de type asiatique, la référence doit être le modèle japonais avec une préférence pour le modèle d'Okinawa.

Si on n'a pas une sensibilité asiatique, ce qui est le cas de la majorité des Occidentaux d'origine européenne, on risque de commettre des erreurs et de ne pas profiter au maximum des bienfaits de ce modèle alimentaire.

C'est pour cette raison que notre préférence va au **modèle nutritionnel méditerranéen**.

Ce modèle a été à la base de toutes les études que j'ai menées avec mon équipe, chez les humains comme chez les animaux, et ensemble nous avons acquis une grande expérience de ces applications possibles. Nous pensons que pour la très grande majorité de nos patients et consultants, **ce modèle est la référence incontournable.**

J'expliquerai plus loin les bases et principes du modèle méditerranéen (partie 6).

Faut-il appliquer ce modèle de façon rigide ?

Tout dépend des circonstances. Si on est jeune, en bonne santé apparente, et appartenant à une famille qui ne connaît pas les maladies cardiovasculaires, une attitude « *libérale* » est compréhensible évidemment. Mais attention, des habitudes alimentaires sont protectrices contre certaines maladies à condition d'être adoptées très tôt dans l'existence. Il faut 20 à 30 ans pour construire une tumeur cancéreuse. Autrement dit, le cancer qu'on nous diagnostiquera à 50 ou 60 ans, est né au moins 30 ans auparavant. Il faut donc commencer tôt à y penser et donc très tôt donner un *sens à sa vie* !

En revanche, pour un patient qui a déjà des manifestations cliniques de maladie cardiovasculaire, il est clair qu'il y a moins de libéralisme possible. Il faut adopter en urgence, et de façon stricte, le modèle alimentaire méditerranéen. Pas de compromis possible !

L'EXERCICE PHYSIQUE

Ce qu'il est important de faire aussi, c'est **réapprendre à utiliser ses muscles** et à entraîner son cœur et ses artères. Il faut le faire prudemment évidemment, en tenant compte de son âge et de l'état de ses artères. Mais il faut le faire. Sans attendre de miracle, bien sûr, car comme pour les habitudes alimentaires et l'air que l'on respire, c'est la totalité du mode de vie qui est importante. Redonner du tonus musculaire, ou remuscler un patient de 70 ans, peut paraître un pari absurde, mais c'est une erreur car les progrès obtenus, même s'ils sont apparemment minimes, donneront des bénéfices proportionnels.

De façon plus générale, on sous-estime considérablement les bienfaits potentiels de l'exercice physique dans la prévention des maladies cardio-vasculaires, y compris chez les patients qui ont déjà eu une crise cardiaque.

Evidemment, il doit être adapté à chacun d'entre nous, inutile de devenir un marathonien ou un champion cycliste ! Mais ce doit être un complément à l'adoption d'habitudes alimentaires méditerranéennes, et certainement pas un substitut.

CHAPITRE 3

LES PREUVES QUE LE MODE DE VIE EST CRUCIAL

UNE DES CURIOSITÉS DE L'ÉPOQUE EST CETTE ÉTRANGE PROPENSION à publier des monceaux de livres – sans parler des autres médias – sur divers sujets, parfois très spécialisés, en médecine notamment. Comment maigrir quand on est (ou pas) en surpoids, comment dormir quand on dort mal, comment grandir quand on est (ou pas) petit, comment soigner son diabète, son cholestérol, son eczéma, son allergie, sa pilosité, etc.

Et des myriades d'experts autodésignés – parfois sur la base d'un ou deux médiocres articles dans des revues non moins médiocres – ne cessent de donner des conseils dont la principale caractéristique est de se contredire les uns les autres ; avec comme conséquence une perte de crédibilité de TOUS les scientifiques !

LE DOMAINE DE LA NUTRITION EST SÉVÈREMENT TOUCHÉ PAR CETTE ÉPIDÉMIE

La science (et notamment les sciences de la vie) traverse aujourd'hui une grave crise. Ce n'est pas le fait qu'il y ait des disputes entre scientifiques qui pose problème, car discussions et controverses font partie du voyage. C'est bien en se critiquant mutuellement que les scientifiques dépassent leurs contradictions et font progresser les savoirs, mais à condition que les débats soient ouverts ! Ce n'est pas le cas.

La conséquence majeure de cette crise des sciences médicales c'est que nous ne savons plus à qui faire confiance, qui croire, quels conseils suivre. Les données scientifiques étaient jusqu'à récemment les standards auxquels se référer et personne n'était plus crédible que l'expert, scientifique ou médecin. Faute de cette référence, que nous reste-t-il pour nous faire une opinion, et surtout pour prendre des décisions ?

Après des années de quête attentive, nous sommes arrivés à la conviction qu'une bonne médecine préventive ne peut reposer que sur la conjonction de **données scientifiques solides** – à identifier dans le magma qui nous est proposé – et **de pratiques médicales conduites prudemment sur le terrain et à l'échelle individuelle.** Comme tout cela reste un peu théorique et abstrait, je vais m'expliquer avec des exemples concrets.

Dans ce but, je vais raconter **trois histoires vécues** pour expliquer comment je suis arrivé aux recommandations de mode de vie et aux conseils nutritionnels que je donne aujourd'hui pour la prévention des maladies cardiovasculaires, et aussi d'autres maladies, notamment les cancers. La première concerne nos recherches sur les transplantés cardiaques, la deuxième sera celle de l'Etude de Lyon, la troisième, celle des insuffisants cardiaques de Saint-Etienne.

A PROPOS DE NUTRITION ET CANCERS

Ce livre n'est pas destiné à décrire un *nouveau* régime anticancer. Mais il se trouve que le mode de vie que je préconise pour la prévention de l'infarctus et de l'AVC protège aussi des cancers. Contrairement aux affirmations de récents rapports officiels – notamment celui de l'ANSES en France en 2011 – je ne crois pas qu'il y ait **8** (pas un de plus s'il-vous-plaît) facteurs nutritionnels à prendre en compte pour la prévention des cancers. Il y faut beaucoup plus : un *mode de vie* incluant un *modèle alimentaire* ! Si vous voulez vous protéger aussi des cancers – et bien que les données scientifiques soient moins solides que pour l'infarctus – suivez le guide et les recommandations inscrites dans ce livre !

NB. En parlant ici de nutrition et de cancers, je ne sors pas de la légitimité scientifique que j'exige des autres puisque j'ai été le premier – avec mon équipe de l'Etude de Lyon dès 1998 dans une grande revue américaine – à montrer que l'adoption d'une diète méditerranéenne traditionnelle permettait de réduire de façon très significative le risque de cancer.

EPIDÉMIE D'INFARCTUS CHEZ LES TRANSPLANTÉS CARDIAQUES

Après avoir travaillé dans des hôpitaux universitaires prestigieux en Suisse et en Amérique du Nord pendant plus de dix ans, j'ai été invité à la fin des années 1980 à rejoindre une équipe de l'INSERM à Lyon pour conduire un essai clinique visant à diminuer le risque de complications cardiovasculaires par une modification des habitudes alimentaires.

Cette étude désormais connue comme la **Lyon Diet Heart Study** (en anglais) ou l'**Etude de Lyon** (en français) reste aujourd'hui l'étude de référence pour tous les cardiologues qui s'intéressent à la nutrition.

Après avoir mis en place (en 1987-1988) et démarré l'Etude de Lyon – que je décrirai dans le chapitre suivant –, un autre problème s'est posé à nous, une sorte d'urgence humanitaire !

En 1989, les chirurgiens lyonnais – l'une des plus grosses équipes de transplantation cardiaque au monde – nous ont appelés à l'aide. Ils étaient confrontés à une épidémie d'infarctus du myocarde parmi leurs greffés du cœur.

On peut imaginer la tragédie vécue par les patients, leurs familles, et les équipes médico-chirurgicales qui se trouvaient impuissantes : ils sauvaient la vie des patients grâce à la transplantation cardiaque et dans les premières années (parfois dans les mois) suivant la transplantation, ces patients détruisaient leur cœur greffé avec des infarctus ; pas tous évidemment, mais dans des proportions inacceptables.

La seule solution, quand le patient greffé survivait à son infarctus, était de pratiquer une nouvelle transplantation, ce qui retardait le moment d'être greffés pour ceux qui attendaient leur tour péniblement sur la liste d'attente. Situation intolérable.

Si les chirurgiens faisaient appel à nous – alors que nous n'avions encore aucun résultat de l'Etude de Lyon et aucune garantie de succès – c'était pour deux raisons : notre argumentaire pour justifier le lancement de l'Etude de Lyon avait impressionné certains d'entre eux ; surtout, nous avions dans le cadre de notre unité INSERM des outils d'investigation qui n'existaient pas dans les hôpitaux universitaires lyonnais.

Nous espérions tous que ces outils permettraient d'expliquer (au moins en partie) l'épidémie d'infarctus chez les greffés cardiaques. Ces outils étaient des techniques d'évaluation du risque de faire des caillots – notamment des tests de réactivité plaquettaire – et des techniques évaluant les acides gras présents dans le sang et les tissus.

Ce que nous avons fait – avec le soutien des professeurs de cardiologie des hôpitaux lyonnais, et malgré la résistance de l'INSERM à Lyon comme à Paris – c'était détourner nos outils de recherche au profit de la médecine. Nous n'avions aucun protocole de recherche pour investiguer ces greffés, et même aucune hypothèse particulière sinon que les mécanismes biologiques conduisant à l'infarctus chez eux devaient ressembler à ceux conduisant à l'infarctus chez les non-greffés, donc à ceux que nous testions en parallèle dans l'Etude de Lyon.

Nous avions en fait sous les yeux **un modèle quasi expérimental d'infarctus du myocarde chez des humains**, une tragédie pour les victimes et leurs familles, mais une source majeure d'informations pour des médecins investigateurs.

Nous voulions rendre service simplement, et pour des raisons humanitaires ; tout en alourdissant considérablement notre charge de travail, et cela bénévolement. Aucun budget ou salaire de technicien ne fut dégagé pour ce travail chez les greffés puisque nous détournions l'activité du laboratoire. Mais, ce furent les patients (et leurs chirurgiens) qui nous rendirent l'immense service de se prêter avec enthousiasme à nos investigations. Car, en termes de recherche scientifique, la moisson fut réellement magique !

En fait, les solutions pour traiter les pathologies de nos greffés se présentèrent de façon si immédiate, et elles étaient tellement efficaces d'emblée, que nous ne pouvions être que dans la vérité, et la réalité des faits. Le nirvana de n'importe quel médecin scientifique !

Notre analyse de départ était que ces greffés présentaient des caractéristiques immunitaires qui devaient endommager les artères du cœur greffé. Leur système immunitaire était stimulé par la présence d'un corps étranger (le cœur greffé) et aussi profondément inhibé par les médicaments immunosuppresseurs qui leur étaient administrés pour leur permettre de tolérer le greffon et empêcher le rejet. Pourtant, ce que nous avons découvert n'avait rien à voir avec les caractéristiques immunitaires des greffés.

Nous avons démontré que c'était en fait leur **mode de vie** qui provoquait l'épidémie d'infarctus chez les greffés lyonnais.

Pourquoi les greffés lyonnais, et pas les parisiens ou les américains ? A l'époque, les principaux centres de transplantation cardiaque étaient (outre un grand centre aux Etats-Unis) Paris et Lyon sous les influences respectives des professeurs Cabrol et Dureau.

Si à Paris et aux Etats-Unis, la stratégie de transplantation était très sélective avec exclusion des patients fumeurs, buveurs, âgés ou en mauvais état général, les transplanteurs lyonnais avaient défini une politique beaucoup plus libérale sans exclusion a priori. Je ne porte aucun jugement car d'un point de vue éthique les deux approches sont défendables. D'un côté (à Paris), on réserve les greffons pour les patients ayant en théorie le meilleur pronostic, de l'autre (à Lyon), on décide qu'aucun critère de sélection n'est recevable pour des familles dans le malheur et on retient comme seul critère de sélection l'ordre d'inscription sur la liste d'attente. Les chirurgiens lyonnais allaient même un peu plus loin dans leur libéralisme en ne donnant presqu'aucune consigne de mode de vie à leurs greffés considérant qu'après les avoir miraculeusement sauvé de la mort – la greffe est souvent vécu par ces patients au bout du rouleau comme une ressuscitation – il était incongru de restreindre leur existence d'une façon ou d'une autre. Profitez de la vie, tel était le message des transplanteurs lyonnais !

De mon point de vue, ils n'avaient pas tort. A l'époque, en effet, toutes les études visant à diminuer le risque cardiovasculaire par des modifications du mode de vie avaient échoué. Les chirurgiens sont des gens pragmatiques : pourquoi diraient-ils des choses non fondées sur des preuves à des patients qui *revenaient* à la vie ?

Comme ces patients recevaient en outre des fortes doses de stéroïdes, médicaments certes immunosuppresseurs mais aussi *euphorisants*, on peut imaginer le résultat : certains d'entre eux, en *revenant* à la vie, menaient effectivement une vie désordonnée : ils en profitaient !

Beaucoup des transplantés lyonnais, nous l'avons rapidement constaté, menaient donc une vie de « patachons » à la française d'un point de vue nutritionnel ! Et même à la lyonnaise pour beaucoup : la fiesta souvent avec beurre, crème, charcuteries, viandes grasses, desserts fastueux, etc. De plus, les ex-fumeurs refumaient, les buveurs du week-end à l'anglo-saxonne (les *binge drinkers*) buvaient à nouveau sans modération, les plus jeunes retravaillaient dans le stress et la précipitation, et l'exercice physique ne faisait pas partie des priorités quotidiennes de la majorité de ces greffés. Qui pourrait le leur reprocher ?

INTERVENTION DE NOTRE ÉQUIPE

Notre intervention, dans ce contexte, fut de simple bon sens. Nos conseils étaient simplissimes : arrêt du tabac, consommation d'alcool modérée et sous forme de vin exclusivement au moment des repas, diète méditerranéenne systématique, exercice physique organisé et programmé.

Après deux années de consultations où nous avons pu voir plusieurs fois la majorité des quelques centaines de transplantés cardiaques lyonnais, l'épidémie était stoppée !

La maladie coronaire accélérée du transplanté n'était certes pas totalement éradiquée, mais la fréquence des complications s'était effondrée, les re-transplantations étaient devenues rares. Les statistiques lyonnaises ressemblaient désormais aux statistiques américaines et parisiennes, peut-être même en mieux !

Le changement de pronostic était survenu de façon tellement rapide que nous n'avons même pas eu le temps d'organiser un essai clinique classique, avec tirage au sort et constitution d'un groupe témoin pour valider l'efficacité thérapeutique de notre intervention. **Nous leur avions simplement donné des conseils de mode de vie !**

C'est ce que nous pouvons appeler de la recherche clinique pragmatique. Nul besoin de protocole compliqué, de recruter des milliers de patients, de faire des calculs statistiques élaborés pour démontrer l'efficacité d'un traitement : parfois, les *faits crèvent les yeux* !

Bien sûr les transplantés ont d'autres problèmes que leur mode de vie. Les altérations de leur système immunitaire jouent certainement un rôle. Nous avons montré, par exemple, que ces patients sont insensibles à l'effet antiplaquettaire (anticaillot) de l'aspirine à faible dose et que chez eux, il faut utiliser d'autres antiplaquettaires que l'aspirine. Mais leur problème principal, vis-à-vis de l'épidémie de complications cardiovasculaires, et par comparaison avec d'autres cohortes de transplantés, était indiscutablement leur mode de vie.

UN AUTRE FACTEUR AURAIT-IL PU ÊTRE EN CAUSE ?

Nous avons essayé d'identifier un facteur particulier du mode de vie (tabac ou sédentarité) ou un facteur biologique (le cholestérol ou une hypertension artérielle) spécifiquement associé à ces complications, mais ce fut un échec.

Nous avons certes noté des anomalies mais aucune n'a paru prédominante, à nous-mêmes ni à d'autres équipes d'ailleurs. En particulier, nous sommes arrivés à la conclusion que le cholestérol n'était pas responsable de cette athérosclérose accélérée !

Il est probable que c'était la conjonction d'une multitude de facteurs qui conduisaient aux catastrophes cliniques et aux re-transplantations. Des travaux supplémentaires auraient été utiles pour mieux évaluer certains facteurs ; et même indispensables pour aller plus loin, mais les recherches sur l'infarctus dans cette cohorte de greffés se sont arrêtées quand nous avons quitté Lyon…

Pour nous, scientifiques psychorigides et médecins travaillant exclusivement selon les principes techniques et éthiques de la recherche clinique, ces quatre années de recherche avec les transplantés furent une magistrale leçon... de modestie !

Une recherche pragmatique, axée sur le bon sens et l'observation, nous avait plus appris sur les maladies cardiovasculaires que des années de recherche conventionnelle avec des dosages biologiques et des protocoles sophistiqués, des techniques couteuses ou des centaines d'animaux. Je ne dis pas qu'il n'aurait pas fallu faire ces recherches car elles nous ont probablement préparés à recevoir ce *cadeau*. Je dis *cadeau* car en recherche médicale, la part de chance ne doit pas être sous-estimée même si la chance sourit surtout aux audacieux...

QUELLES LEÇONS TIRER DE NOTRE TRAVAIL AVEC LES TRANSPLANTÉS ?

Et aussi, quelles leçons en tirer pour les populations non-transplantées ? La principale leçon évidemment c'est que même dans le contexte particulier de la transplantation d'organe – où on se serait attendu à ce que d'autres facteurs, notamment immunitaires, jouent le rôle le plus important – **le mode de vie s'est avéré prépondérant** dans la survenue des complications cardiovasculaires. D'autres facteurs étaient à l'œuvre certainement, mais la vitesse d'apparition et la sévérité des complications étaient dues au mode de vie puisque la correction du mode de vie a stoppé l'épidémie.

Je ne peux pas tout raconter ici évidemment mais d'autres informations importantes nous ont été délivrées durant ces années d'étude sur les transplantés. Outre la découverte que certains sujets pouvaient être résistants aux effets de l'aspirine, les données issues des autopsies des patients que nous avions perdus au cours de ces années nous ont beaucoup appris.

En effet, nous avions pu parallèlement étudier des données d'autopsie des patients non-transplantés et procéder à des comparaisons ; tout ceci grâce à l'extraordinaire coopération des pathologistes de l'Hôpital cardio-vasculaire de Lyon : les professeurs Loire et Tabib, à qui j'adresse mes chaleureux remerciements pour tout ce qu'ils m'ont appris. L'irremplaçable expérience acquise avec ces experts m'a montré que les lésions d'athérosclérose des coronaires (patients greffés ou pas) sont d'une très grande variété (avec une prépondérance considérable de la **fibrose** et des **thromboses**), et que vouloir attribuer un rôle majeur au cholestérol (ou un rôle important au cholestérol par rapport aux autres lipides) est un non-sens.

Mais si j'écris ces lignes aujourd'hui avec quelques certitudes, j'étais beaucoup moins assuré à l'époque. Je restais dans l'interrogation. En effet, il manquait quelque chose au dossier *mode de vie* pour emporter totalement ma conviction.

Je pouvais très bien supposer, en effet, qu'un facteur inconnu (par exemple, un virus) était le vrai responsable de l'épidémie chez les transplantés lyonnais ; et que la fin de cette épidémie n'était pas due à notre action mais à l'extinction naturelle de ce facteur inconnu au moment même où nous intervenions. C'est un peu tiré par les cheveux certes, mais cette éventualité justifie que pour être certain du rôle causal d'un quelconque facteur en médecine, nous devons – en même temps que nous agissons sur ce facteur avec un médicament par exemple au sein d'un groupe de patients – constituer un groupe témoin qui reçoit un placebo (c'est un groupe dit contrôle) sans aucun effet sur le facteur en question. C'est ce qu'on appelle **un essai clinique contrôlé**.

Ainsi, si on observe une différence entre le groupe traité et le groupe contrôle, elle ne peut être due qu'au traitement puisque c'est la seule chose qui varie entre les deux groupes. Rappelons que pour être sûr que les deux groupes sont identiques pour tout autre facteur, ces groupes sont constitués par tirage au sort ; et on sait qu'à partir d'un certain nombre de tirages au sort, il n'y a aucune chance que persiste une différence entre les deux groupes à l'exception de celle imposée par les investigateurs : c'est-à-dire le traitement dans un groupe, le placebo dans l'autre groupe !

La réponse définitive à cette question du rôle causal du mode de vie dans les maladies cardiovasculaires m'a été apportée par l'Etude de Lyon que je vais décrire maintenant.

CHAPITRE 4

LES FORMIDABLES DÉCOUVERTES DE L'ETUDE DE LYON

D
ANS L'ETUDE DE LYON, NOUS AVONS EFFECTIVEMENT PROCÉDÉ à un tirage au sort avec constitution d'un groupe expérimental et d'un groupe témoin.

Nous faisions là de la recherche clinique *conventionnelle* et nous allions pouvoir répondre définitivement à notre question : un mode de vie délétère peut-il être la cause de l'infarctus ?

LES INTERVENANTS DANS L'ETUDE DE LYON

• Dr Michel de Lorgeril, cardiologue et principal investigateur, en charge de la mise en place de l'étude, responsable de tous les aspects éthiques et techniques, du recrutement des patients et des consultations pendant toute l'étude, de coordonner l'ensemble des activités du groupe et de rédiger les rapports intermédiaires et le rapport final.

• Patricia Salen, diététicienne et assistante de recherche clinique, en charge de la supervision pratique de l'essai et de tous les aspects nutritionnels, évaluation des habitudes alimentaires et modifications nutritionnelles dans le groupe expérimental, de l'actualisation de la table de composition des aliments, et de la constitution de la base de données nutritionnelles.

• Serge Renaud, Directeur de l'unité INSERM de Lyon où l'essai a été démarré, initiateur de l'essai et observateur extérieur jusqu'en 1995, date de son départ de Lyon. Il n'était plus membre de l'équipe dans les dernières années de l'étude et au moment de l'analyse et du rapport final en 1999.

• Isabelle Monjaud, secrétaire de l'unité, en charge des aspects bureautiques et de la constitution de la base de données de l'étude.

• M. Petiot, infirmier, C. Thévenon et C. Monez, ingénieur et technicienne de laboratoire en charge des analyses des acides gras et des tests plaquettaires.

• Jean-Louis Martin et Nicolle Mamelle, épidémiologistes et statisticiens de l'INSERM. Indépendants des principaux investigateurs, ils étaient en charge de tous les aspects statistiques, y compris la définition de l'hypothèse primaire, et de leur interprétation. Jean-Louis Martin est aujourd'hui le seul dépositaire des données brutes et des analyses de l'étude.

• Pr Jacques Delaye, chef de service à l'Hôpital Cardiologique de Lyon, membre du comité scientifique de l'Etude de Lyon et représentant du collectif des professeurs de cardiologie et chefs de service qui participèrent à l'étude, par ordre alphabétique : Pr André-Fouet, Pr Beaune, Pr Delahaye, Pr Delaye, Pr Froment, Pr Normand, Pr Touboul.

• Les autres membres du comité scientifique étaient les Pr Epstein (Etats-Unis), Ducimetière (France), Nordoy (Norvège) et Rutishauser (Suisse).

• Le Pr Righetti (Genève) et le Dr Paillard (Rennes) ont été responsables de la validation et de la classification de tous les événements cliniques survenus dans l'essai, de façon totalement aveugle et sur la base des données brutes recueillies dans les hôpitaux lyonnais. Toutes leurs demandes de complément d'enquête ont été satisfaites.

• Les dosages biologiques et biochimiques ont été réalisés tout au long de l'étude dans le Laboratoire de biochimie de l'Hôpital Cardiologique de Lyon, sous la responsabilité du Dr Guidollet, et dans l'unité d'hématologie du même hôpital.

• Aucune autre personne ne peut se prévaloir d'avoir participé à l'étude ; ou d'avoir eu accès aux bases de données constituées au cours de l'étude.

MISE EN PLACE DE L'ETUDE DE LYON

A l'époque où nous avons conçu cette étude (au milieu des années 1980), nous avions un peu le même problème qu'aujourd'hui : la plus grande confusion régnait dans les milieux scientifiques et médicaux à propos du rôle de la nutrition dans les maladies cardiovasculaires. Certains disaient qu'il fallait adopter un régime pauvre en graisses animales et riche en graisses végétales pour diminuer le cholestérol et d'autres disaient qu'aucun essai clinique n'avait jamais montré que ces régimes diminuaient le risque de crise cardiaque.

Tous deux initiateurs de l'Etude de Lyon, Serge Renaud et moi-même, nous sommes rencontrés car nous avions en commun l'idée que, pour diminuer le risque de crise cardiaque, le plus important n'était pas de diminuer le cholestérol mais de **diminuer notre propension à faire des caillots dans les artères**. La seconde idée était que pour diminuer le risque de caillot, il fallait diminuer les fonctions plaquettaires, c'est-à-dire la réactivité des petites cellules, appelées plaquettes – qui sont à l'origine de la formation des caillots. Cette idée n'a aujourd'hui rien d'original, mais à l'époque ça l'était !

Mes premiers programmes de recherche – quand j'étais à l'Hôpital universitaire de Genève (années 1970 et premières années 1980) – portaient sur les plaquettes et la carrière de Serge Renaud avait été consacrée à l'étude du rôle des acides gras de l'alimentation sur la réactivité des plaquettes. Nos expériences respectives nous éclairaient mutuellement. Rien à voir avec le cholestérol !

Comment avons-nous sélectionné les habitudes alimentaires qui nous permettraient de diminuer la réactivité plaquettaire, selon notre hypothèse, et ainsi le risque d'infarctus ?

Des épidémiologistes nous avaient précédé sur ce chemin, mais sans considération aucune pour nos petites amies les plaquettes. Mais ils avaient clairement montré que certaines populations présentaient un risque très faible d'infarctus et d'AVC. Deux populations sortaient du lot : les Méditerranéens et les Japonais ! Et parmi les Méditerranéens, les Grecs semblaient particulièrement protégés.

Notre préférence, sans aucune hésitation, allait au modèle alimentaire méditerranéen. Non pour des raisons ethniques ou culturelles, mais parce que dans la perspective de changer les habitudes alimentaires de patients lyonnais, il fallait un modèle nutritionnel qui soit acceptable par ces patients. Les cardiologues lyonnais étaient très sceptiques quant à la possibilité de changer durablement le mode de vie de leurs patients. C'est un vrai métier que de changer les habitudes alimentaires de patients et ça ne s'improvise pas. D'où l'importance de la diététicienne en charge de cette partie du travail, Patricia Salen.

Encore fallait-il adopter une stratégie globale car il ne s'agit pas seulement de donner des conseils techniques (nutritionnels) et d'expliquer pourquoi c'est profitable médicalement.

Pour les lecteurs intéressés, nos principales sources d'inspiration dans cette optique de changement de mode de vie furent les travaux de Paul Watzlavick (et Milton Erickson) de l'école de Palo Alto dont une référence en français est citée dans la bibliographie.

Sans être de grands spécialistes du psychisme, nous avions compris que les changements de comportement étaient difficiles à obtenir et qu'il fallait un minimum de savoir-faire pour être efficace. A cet égard, l'expérience acquise en parallèle avec les transplantés cardiaques fut extrêmement utile.

Avec les patients (non-transplantés) de l'Etude de Lyon, notre aptitude à obtenir un changement d'alimentation conditionnait totalement le succès de l'étude. Si ces patients et leur famille ne suivaient pas nos conseils, ne changeaient pas leur mode de vie – car changer ses habitudes alimentaires entraîne réellement une modification de multiples aspects du mode de vie – nous ne pouvions tester notre **hypothèse scientifique de base**, c'est-à-dire que l'adoption de la diète méditerranéenne allait changer le pronostic cardiovasculaire de ces patients.

SUCCÈS D'UN CÔTÉ MAIS ÉCHEC DE L'AUTRE

Nous avions initialement deux hypothèses de travail dans l'Etude de Lyon : la première était que l'adoption d'une diète méditerranéenne devait protéger de la crise cardiaque ; la deuxième était que nous devions observer une diminution de la réactivité plaquettaire (un test biologique) chez ces patients devenus *méditerranéens*. Si la diminution du risque de récidive fut plus importante que notre hypothèse la plus optimiste, nous n'eûmes pas d'effet significatif sur les plaquettes. Semaines après semaines, quand nous réalisions les tests de réactivité plaquettaire et que nous constations l'absence de différence entre les deux groupes, nous étions découragés. Certains étaient prêts d'abandonner en se disant qu'on s'était trompé. Pourtant, et également de façon progressive, nous avions l'impression que les deux groupes se différenciaient au regard des complications cardiovasculaires. Il s'agissait d'informations indirectes (rapportées par les familles) et elles ne furent réellement confirmées que plus tard par le comité de cardiologues qui, de façon aveugle – sans savoir à quel groupe le patient appartenait – devaient enregistrer les complications survenues au cours de l'essai.

L'absence d'effet sur les tests plaquettaires signifiait que ces tests n'étaient pas capables de prédire l'efficacité clinique de notre intervention. C'était, *a posteriori*, une leçon de modestie : vis-à-vis d'une maladie aussi compliquée que l'infarctus du myocarde, un test de laboratoire unique – investiguant un aspect très partiel de la biologie des plaquettes – avait peu de chance d'apporter une information cruciale pour le pronostic clinique. C'était un peu comme croire que le dosage du cholestérol puisse nous informer sur le pronostic d'un patient autrement que de façon anecdotique.

Il est temps que les médecins et les scientifiques cessent de se bercer d'illusions quant à l'aptitude des technologies dites modernes à prédire ou prévoir la survenue de pathologies aussi complexes que la crise cardiaque ou le cancer. Il est temps de comprendre que les techniques, biologiques ou d'imagerie, pour *annoncer* ces maladies ne sont réellement efficaces que lorsque la maladie est déjà présente et installée.

Nous avions décidé de mener notre essai chez des patients qui avaient déjà eu un infarctus ; ils savaient donc ce qu'était un infarctus, et notamment cette impression de *mort imminente* qui l'accompagne. Beaucoup connaissaient l'intensité de la douleur thoracique et le soulagement apporté par la morphine. Si on pouvait être assez convaincant pour les amener à croire qu'ils ne vivraient plus ces terribles moments, ils étaient prêts à essayer. Et comme ils se rendirent compte très vite (pour la grande majorité d'entre eux) que ce que nous leur proposions était en fait un gain considérable de qualité de vie, doublé d'une sorte d'assurance sur la vie, cet essai fut un succès. Les patients du groupe expérimental firent même mieux que ce que nous espérions, et je vais dire comment en quelques mots.

L'INTERVENTION NUTRITIONNELLE DANS L'ETUDE DE LYON

S'il fallait aider les patients du groupe expérimental à changer leurs habitudes alimentaires, il ne fallait surtout pas influencer ceux du groupe témoin, dans un sens favorable – cela aurait diminué la différence supposée entre les deux groupes, et aurait été un biais majeur – ou dans un sens défavorable – ce qui était inacceptable sur le plan éthique. Pour cette raison, nous avons respecté dans le groupe témoin les conseils donnés lors du séjour hospitalier ; Patricia Salen ne donnait pas de conseils dans ce groupe. Nous avons aussi scrupuleusement respecté les traitements médicamenteux prescrits par les médecins dans les deux groupes.

Examinons d'abord le protocole de l'étude de façon générale et la question cruciale du groupe témoin. Car en l'absence de bonne gestion du groupe témoin, il ne peut y avoir de bon essai clinique.

Ces patients *témoins* avaient reçu des conseils nutritionnels – car à l'époque la durée d'hospitalisation était suffisamment longue pour permettre une consultation diététique – proches de ce qui se faisait dans les hôpitaux américains. Pour nous, ça n'était pas satisfaisant mais, par rapport à ce que beaucoup de patients lyonnais mangeaient avant leur infarctus (les habitudes alimentaires de la population générale) c'était déjà un progrès.

Ces patients *témoins* devaient diminuer leur consommation de produits animaux et notamment de graisses animales avec la perspective de diminuer leur cholestérol : moins de viandes grasses et de charcuteries, moins de fromages et autres produits laitiers gras, les œufs quasiment bannis, les crustacés, crevettes et poissons gras déconseillés, les noix, amandes, arachides, avocats (et tout autre aliment potentiellement riche en gras) déconseillés, etc.

Dans le même élan anticholestérol, ils devaient consommer les prétendues bonnes huiles végétales de tournesol, maïs, soja et pépin de raisin ; et des margarines faites des mêmes huiles. A l'époque, on n'insistait pas encore sur les fibres et l'index glycémique.

Les consommations d'alcool et de tabac furent à peu près identiques dans les deux groupes au cours de l'étude. Il faut dire que le Comité d'éthique de l'INSERM – dont les membres avaient des opinions très proches des idées américaines – nous avait formellement interdit de conseiller aux patients du groupe expérimental d'augmenter la consommation d'alcool, y compris du vin, pour des raisons éthiques. Nous avons respecté cette interdiction évidemment – sans toutefois les *décourager* de boire modérément – à la grande satisfaction du président du Comité scientifique qui avait fait de cette question de l'alcool un *casus belli*.

Inutile de dire que nos relations avec ce président se refroidirent terriblement après que nous ayons fait émerger le concept de *French paradox* (lire page 349). Sans commentaire !

A posteriori, on peut regretter de ne pas avoir plus encouragé le groupe expérimental à consommer plus de vin (à la façon méditerranéenne évidemment) de façon à les différencier du groupe témoin, car on peut penser, sur la base de nos connaissances actuelles, que cela aurait accentué la différence entre les deux groupes.

UNE ÉTUDE SOUS HAUTE SURVEILLANCE

Un des succès retentissants de l'essai fut d'avoir réussi à changer les habitudes de vie des patients du groupe expérimental, un vrai défi pour les chercheurs. Ces aspects psycho-sociaux impressionneront suffisamment les épidémiologistes de l'INSERM pour qu'ils décident autour de l'année 1992 de mettre en place une étude visant à déceler des biais inattendus que nos consultations auraient pu introduire dans l'essai. Ces biais auraient pu expliquer (indépendamment des changements nutritionnels) l'extraordinaire effet protecteur obtenu dans le groupe expérimental, et que je vais décrire en détails. Ce scepticisme initial de notre environnement scientifique a été par la suite un atout majeur pour publier et crédibiliser les résultats de l'Etude de Lyon. En effet, les épidémiologistes de l'Inserm ne trouvèrent aucun biais susceptible d'expliquer nos résultats ! Leur enquête a été publiée dans le *European Journal of Clinical Nutrition*. C'est un fait quasiment unique que des investigateurs recherchent eux-mêmes des biais dans leur propre travail. De nos jours, les investigateurs s'évertuent plutôt à cacher les défauts de leurs travaux. Autres temps, autres mœurs !

Dans le groupe expérimental, il était demandé aux patients et à leurs familles de se rapprocher le plus possible du modèle nutritionnel méditerranéen traditionnel.

Contrairement à ce qui est parfois écrit, nous n'avons pas cherché à copier le modèle dit **crétois** qui est très riche en graisses (environ 40 % de l'apport énergétique). Nous pensions en effet que cela aurait été trop contradictoire par rapport à ce qui était conseillé dans les hôpitaux après un infarctus. Cette *contradiction* aurait pu dissuader les patients de nous écouter. Inversement, nous ne voulions pas non plus diminuer de façon drastique la consommation de graisses ; notre objectif était d'être en-dessous de 35% du total calorique.

Nous avions décidé d'insister surtout sur la qualité et **le type de graisses alimentaires**. Le choix que nous proposions était restreint : soit l'huile d'olive (la matière grasse alimentaire méditerranéenne par excellence) soit l'huile de colza, pour ceux qui n'aimaient pas l'huile d'olive. Ils pouvaient aussi utiliser les deux huiles à leur convenance, selon les goûts de la famille et les menus quotidiens. Pour aider ces patients à surmonter l'épreuve que constituait l'abandon du beurre et de la crème, nous eûmes l'idée de proposer une sorte de substitut au beurre.

Nous proposions – ce n'était pas une obligation évidemment – gratuitement une margarine de colza pour toute la durée de l'étude. Un sponsor de l'étude (Astra Calvé du groupe Unilever) fournissait la margarine au laboratoire et les familles qui le souhaitaient venaient s'approvisionner directement aux heures ouvrables. Beaucoup de patients la congelaient et venaient en chercher tous les six mois environ. Nul doute que cette offre désintéressée – Astra Calvé n'a jamais commercialisé cette margarine malgré le succès de l'étude et son retentissement médiatique – ait rendu service à de nombreux patients et leurs familles. Ce serait une erreur toutefois de faire de l'Etude de Lyon un essai clinique visant à tester (et faire la promotion) d'une margarine de colza. Ce n'était qu'un outil, on aurait pu s'en passer.

Chaque patient du groupe expérimental, avec ou sans conjoint, avait un entretien prolongé avec la diététicienne à chaque visite au laboratoire. Au-delà des matières grasses, les principaux conseils et recommandations pouvaient se résumer de la façon suivante :
• moins de produits animaux, viandes, charcuteries et produits laitiers gras,
• plus de produits végétaux, fruits et légumes,
• plus de légumineuses : lentilles, pois chiches, haricots, pour faire simple,
• plus de céréales (pain et riz pour faire simple).

C'était bien sûr plus précis que ça et demandait à être affiné avec chaque patient ou chaque famille. La consultation diététique durait environ une heure. Nous reviendrons sur ce que devrait être aujourd'hui une **diète méditerranéenne traditionnelle et modernisée** à la partie 6 page 255.

PRINCIPAUX RÉSULTATS DE L'ETUDE DE LYON

Les premiers résultats concernèrent les effets biologiques de notre intervention nutritionnelle et ils furent décevants, surtout sur la *réactivité plaquettaire* (voir l'encadré page 44).

Mais sur le plan des complications cliniques, nous eûmes très vite l'impression qu'il se passait quelque chose. Pour en être sûrs – et ainsi rassurer ceux qui pensaient que l'essai était un échec sur la base des données de réactivité plaquettaire – il nous fallait procéder à une analyse des données cliniques. Le comité scientifique de l'étude a donc demandé aux cardiologues en charge de valider les données cliniques et aux statisticiens en charge de les analyser de fournir un rapport préliminaire.

Les résultats de l'analyse intermédiaire de l'Etude de Lyon portaient sur **un suivi moyen de 27 mois** par patient alors que nous anticipions dans l'hypothèse a priori que la majorité des patients seraient suivis environ 5 ans, au moins 4 ans. Mais dans la crainte que notre intervention ne soit pas aussi efficace que ce que nous espérions, j'avais pris l'initiative de recruter plus de patients que le nombre requis pour tester l'hypothèse a priori. Cela nous donnait un peu de marge en termes de puissance de l'essai, de capacité à démontrer notre hypothèse !

Je me souviens du jour où j'ai présenté ces résultats préliminaires au comité scientifique de l'Etude de Lyon. Nous avions eu l'habileté (en toute modestie) d'inviter des scientifiques et des médecins d'horizons divers à former ce comité : un épidémiologiste américain et un épidémiologiste français de l'INSERM (très proche de la Direction générale de l'époque), un physiologiste norvégien et un cardiologue suisse. Leur vision des choses étaient variées et équilibrées. Ils avaient tous un certain âge et étaient très expérimentés dans leurs domaines respectifs. Ils étaient ouverts à la discussion et prenaient visiblement beaucoup de plaisir à nous observer, et nous juger. C'était leur rôle. Leurs réactions à ma présentation de l'analyse intermédiaire furent homogènes.

LE PROBLÈME DES ANALYSES INTERMÉDIAIRES
DANS LES ÉTUDES CLINIQUES

Procéder à des analyses intermédiaires – donnant des résultats préliminaires – n'est pas orthodoxe en recherche clinique car, en principe, les analyses statistiques ne doivent être réalisées que lorsque le terme calculé de l'essai a été atteint ou dépassé. Des résultats *préliminaires* ne sont donc pas des résultats *définitifs* ! Un essai clinique est en effet basé sur une **hypothèse a priori** formulée de la façon suivante : *nous prévoyons de réduire de x % le risque de crise cardiaque grâce à notre traitement.*

Cette notion d'hypothèse a priori est fondamentale en recherche : étant donné la population étudiée, et le risque de crise cardiaque dans cette population, on calcule le nombre de patients à recruter et le temps nécessaire pour démontrer cette réduction de risque. Cette hypothèse est donc chiffrée : temps de suivi nécessaire, nombre de patients et pourcentage de réduction du risque. Evidemment, on demande aux statisticiens de calculer une fourchette basse et une fourchette haute sachant que plus l'hypothèse est optimiste – plus la réduction du risque espérée est élevée – et moins on a besoin de patients ou, alternativement, moins le temps de suivi a besoin d'être long.

Cette façon de procéder est la seule qui permette de contrôler l'effet du hasard, le grand ennemi de tous les investigateurs.

L'hypothèse a priori est donc sacrée en recherche clinique et rien ne permet de déroger aux règles de cette sorte de *liturgie*. Sauf une chose, ou plutôt une circonstance : si des effets délétères du traitement sont suspectés, il faut arrêter l'essai.

Lorsqu'un essai est conduit en double aveugle, par exemple quand on teste un médicament contre un placebo, on ne peut pas faire une analyse intermédiaire puisque cela nécessite de désaveugler l'essai, et donc d'introduire un biais dans l'essai ; à moins de l'avoir anticipée, et d'avoir adapté le calcul statistique.

Dans un essai d'intervention nutritionnelle comme l'Etude de Lyon, on n'est pas en double aveugle puisque les patients du groupe expérimental savent qu'ils changent leurs habitudes alimentaires. C'est une faiblesse indiscutable des essais en nutrition mais on ne peut pas faire autrement. L'avantage pour les investigateurs, en revanche, c'est qu'ils peuvent procéder à une analyse intermédiaire (c'est-à-dire avant la fin anticipée et calculée de l'essai) puisque cela ne nécessite pas de « désaveugler » l'essai. Une condition impérative à respecter est que tout se fasse dans la plus grande transparence, et indépendamment des investigateurs et/ou des sponsors s'il y en a. Les cardiologues qui valident les complications enregistrées et les statisticiens travaillent sans relation avec les investigateurs. On peut parler d'une sorte d'**audit externe** où les investigateurs regardent des étrangers évaluer leur travail.

Tout d'abord, ils nous recommandèrent de publier rapidement ces résultats préliminaires. Pourquoi rapidement ? Je n'aimais pas cette précipitation. En effet, s'ils sont préliminaires, ils peuvent être un effet du hasard, le pire ennemi des investigateurs. Oui, répondit le comité, mais la meilleure façon d'éliminer un effet du hasard dans cette étude, c'est de reproduire ces résultats avec une autre population de patients (ailleurs qu'en France) et d'autres investigateurs. Il faut donc en urgence faire connaître cette étude et ses résultats à la communauté scientifique.

Nous étions donc *obligés*, si on peut dire de publier ces résultats. Certains d'entre nous, et aussi certains membres du comité scientifique, pensaient qu'il était en conséquence inutile de continuer l'étude au-delà de ces 27 mois. Je me suis personnellement opposé à cette décision – je ne fus pas le seul – et les discussions furent très animées. Le comité décida finalement de surseoir à l'arrêt de l'étude aussi longtemps que les résultats préliminaires ne seraient pas publics c'est-à-dire publiés dans une grande revue scientifique (ce fut le *Lancet* en 1994) et accepta que nous convoquions une dernière fois tous les patients de l'étude afin de les informer des résultats ; et aussi instruire les patients du groupe témoin de la diète méditerranéenne, une exigence éthique.

Cela revenait à donner aux investigateurs le temps d'aller presque au bout de la durée de suivi nécessaire et calculée dans le cadre de l'hypothèse a priori. Ouf ! La validité scientifique de l'Etude de Lyon était sauvée – nous avions un peu de marge puisque nous avions recruté plus de patients que le nombre requis – et les intérêts des patients étaient respectés ! Nous pouvions continuer. Malheureusement, à partir de ce moment – reflet des difficiles discussions au sein du comité scientifique – l'INSERM se désengagea de l'étude et nous fûmes privés de certaines aides financières. Finir l'étude fut difficile matériellement. Mais avec l'appui des Hospices civils de Lyon, nous eûmes finalement le temps et les moyens d'assurer un suivi moyen d'environ 4 ans par patient. Cette analyse finale (publiée en 1999) eût un retentissement plus important que la précédente car elle était une confirmation de l'analyse intermédiaire ; ce qui pratiquement annulait la possibilité que les résultats de l'analyse intermédiaire aient été dus au hasard.

QU'AVIONS-NOUS DÉMONTRÉ ?

L'Etude de Lyon montre que l'adoption d'une **diète méditerranéenne traditionnelle** par des patients qui ont survécu à un premier infarctus du myocarde **réduit de 50 à 70 % le risque** de faire une nouvelle complication cardiovasculaire. Moins d'infarctus, moins d'AVC, moins d'insuffisance cardiaque, moins d'angor instable, et surtout moins de décès d'origine cardiaque. Jamais aucun traitement n'avait montré – et n'a montré à ce jour – une efficacité préventive comparable ! C'était une découverte majeure !

En plus de la protection cardiovasculaire, nous avons enregistré moins de cancers dans le groupe méditerranéen. Et enfin, l'espérance de vie était augmentée de près de 50 %.

Cette homogénéité des résultats – un gage de haute qualité scientifique – associée à l'absence de biais détectable par les très sourcilleux épidémiologistes de l'INSERM ont fait de l'Etude de Lyon la référence majeure pour la prévention des maladies cardiovasculaires.

Il n'y a d'ailleurs jamais eu de critiques sérieuses de l'étude parmi les milliers de citations médicales et scientifiques dans la base de données scientifiques de référence qu'est *Google Scholar* et surtout, elle a suscité un nombre extraordinaire de travaux scientifiques ce qui constitue la plus belle confirmation de nos propres travaux. Pas de plus belle récompense pour des scientifiques que de servir d'exemple !

RETOMBÉES DE L'ETUDE DE LYON

Elles furent, et elles restent, considérables. L'Etude de Lyon a popularisé le concept de *diète méditerranéenne* qui jusqu'alors était vu par beaucoup d'experts comme du folklore ; pas de la science ni de la médecine.

Elle a aussi extraordinairement stimulé la recherche sur la diète méditerranéenne, bien sûr, et bien au-delà des pays méditerranéens ; mais aussi en nutrition préventive, et pas seulement contre l'infarctus. La **nutrition anticancer** ne serait probablement pas ce qu'elle est aujourd'hui si l'Etude de Lyon n'avait pas lancé le mouvement ! Il suffit de consulter certains sites anglo-saxons sur Internet pour mesurer l'ampleur du mouvement scientifique et culturel (et même gastronomique) suscité par l'émergence du concept de *diète méditerranéenne.*

De leur côté, les épidémiologistes se sont mobilisés et une bonne douzaine d'études épidémiologiques ont été conduites dans divers pays et diverses populations pour vérifier si l'adoption d'habitudes alimentaires méditerranéennes étaient réellement associées à des bénéfices en termes de santé. Les résultats sont sans équivoque. Aucune étude négative ! Et confirmation de **tous** les résultats de l'Etude de Lyon. La plupart des équipes ont aussi retrouvé **moins de cancers** et une **meilleure espérance de vie**.

Certes, les études épidémiologiques n'ont pas la force d'un essai clinique avec tirage au sort ; avec la possibilité de multiples biais – et j'ai assez dit combien il fallait se méfier des données épidémiologiques qui nous ont souvent trompées. Mais les études épidémiologiques ont aussi des avantages et sont même supérieures aux essais cliniques par certains aspects. Par exemple, pour être fiables, les essais cliniques doivent être brefs, pas plus de 4 ou 5 ans sinon d'autres problèmes techniques viennent les perturber. Les études épidémiologiques quant à elles sont plus crédibles si elles sont longues, plus de 10 ans c'est bien. Elles permettent donc d'évaluer l'effet d'un traitement sur le long terme.

Les essais cliniques et les études épidémiologiques sont donc complémentaires, et l'idéal serait que les essais cliniques et les études épidémiologiques soient toujours concordants. Et c'est ce qui se passe avec la diète méditerranéenne qui constitue ainsi **un exemple unique de crédibilité scientifique** en médecine préventive.

RECHERCHE VOLONTAIRES DÉSESPÉRÉMENT

La popularité de la diète méditerranéenne et ses bienfaits démontrés pour la santé ont eu un inconvénient : il s'est avéré impossible de reproduire l'Etude de Lyon dans des conditions scientifiques et techniques acceptables, comme notre comité scientifique l'avait espéré. Plusieurs équipes s'y sont essayées, mais se sont heurtées à une difficulté insurmontable : les patients refusaient de participer à une nouvelle étude visant à étudier la diète méditerranéenne. Pourquoi ? Dès qu'ils avaient des informations sur la diète méditerranéenne, ils voulaient l'adopter et refusaient de s'engager à en suivre une autre pour servir de témoins. Pas de volontaires, pas d'étude possible !

TROP BEAU POUR ÊTRE VRAI ?

C'est ce que certains ont dit au vu des résultats de l'Etude de Lyon. En effet, une réduction de 50 à 70 % du risque est quelque chose d'exceptionnel en médecine préventive. Mais, en fait, on est loin du miracle, car cela signifie qu'un certain nombre de patients du groupe expérimental récidivent quand même et parfois en meurent.

Comment expliquer un taux de récidive aussi élevé si réellement les maladies cardiovasculaires sont des maladies du mode de vie, avec un rôle crucial des habitudes alimentaires ?

D'abord, le mode de vie ne se résume pas aux habitudes alimentaires, même si elles sont importantes. D'autres facteurs (tabac, sédentarité notamment) jouent un rôle important et ces facteurs étaient similaires dans les deux groupes de l'étude.

Ensuite, tous les patients du groupe expérimental n'ont pas adhéré aux conseils diététiques. On retrouvait toute la gamme des réponses d'une population ordinaire face à des conseils de mode de vie : certains adhéraient à 100 %, mais d'autres adhéraient très peu, et nous avions aussi tous les intermédiaires. La réduction de risque exceptionnelle obtenue dans ce contexte confirme l'importance de la nutrition dans le risque cardiovasculaire.

Un autre point important concerne l'état de santé des patients au moment où ils ont été recrutés dans l'Etude de Lyon. Certains étaient très malades et leur pronostic spontané très mauvais. Certains avaient un cœur très abîmé par leur infarctus et montraient des signes de défaillance de la pompe cardiaque, sans encore avoir les signes d'une véritable **insuffisance cardiaque**. Beaucoup de cardiologues pensaient que nous étions vraiment très naïfs d'espérer améliorer le pronostic spontané de ces patients avec une *simple* modification des habitudes alimentaires. Pour eux, le problème était mécanique ou électrique et aucune biologie ne pouvait être réparatrice. Et encore moins une biologie influencée par la nutrition…

Et pourtant ! Les résultats de l'Etude de Lyon ont montré qu'il était possible de considérablement aider ce type de patients déjà très affectés par leur maladie.

Nous savions, à la suite de nos études chez les transplantés cardiaques, que des patients qui pouvaient sembler a priori très dépendants de facteurs biologiques sans rapport avec le mode de vie (le système immunitaire des greffés, par exemple) pouvaient être très sensibles aux facteurs du mode de vie, et à la nutrition.

Ainsi, une autre population, celle des **insuffisants cardiaques**, pouvait (sur la base des résultats de l'Etude de Lyon) profiter elle aussi d'une modification de son mode de vie, et de sa nutrition. C'est ce que je vais vous raconter maintenant.

CHAPITRE 5

LA NUTRITION AU SECOURS DES INSUFFISANTS CARDIAQUES

A LA FIN DE L'ETUDE DE LYON, NOUS AVONS ÉTÉ INVITÉS À REJOINDRE une équipe de physiologistes de la Faculté de médecine de Saint-Etienne. Nous avons accepté d'aller renforcer cette équipe en proposant un programme d'étude clinique et biologique de l'insuffisance cardiaque et du rôle de la nutrition dans cette pathologie.

Trois raisons motivaient notre intérêt pour cette pathologie.

Premièrement, elle constitue le chaînon intermédiaire entre l'infarctus du myocarde (premier événement majeur de l'histoire de la maladie) et la transplantation cardiaque, stade ultime où le cœur doit être changé un peu comme on change le moteur d'une automobile au bout du rouleau. Et nous savions que dans ces deux situations, le mode de vie joue un rôle important dans le pronostic.

Fort de ce savoir, nous pensions que ce pouvait être la même chose en phase intermédiaire quand la pompe cardiaque montre des signes de fatigue sans être encore complètement épuisée.

Or, il n'existait à l'époque (la fin des années 1990) aucune donnée scientifique sur un rôle éventuel du mode de vie et de la nutrition dans l'insuffisance cardiaque.

Une fois encore, nous étions des précurseurs, ce qui est rarement une situation confortable dans les hôpitaux universitaires où l'on prône hardiment l'innovation, mais l'on se réfugie généralement dans le conventionnel. Bref, on commença par nous *laisser faire*, mais on riait dans notre dos…

A l'hôpital, les insuffisants cardiaques étaient suivis par des cardiologues peu intéressés par la biologie en général, et encore moins par la nutrition. Ces derniers agissaient conformément à la médecine enseignée : prompts à donner des médicaments mais peu enclins à susciter des modifications du mode de vie. Pour ces médecins, hors des médicaments, pas d'espoir ! Situation pas très différente de celle d'aujourd'hui, hélas !

Notre deuxième motivation était médicale et teintée de santé publique. A la fin des années 1990, l'insuffisance cardiaque était devenue la première cause d'hospitalisation en Europe et aux Etats-Unis. On mourrait moins d'infarctus, mais les survivants développaient des insuffisances cardiaques progressives, avec des épisodes récurrents de poussées aiguës qui à chaque fois nécessitaient des hospitalisations. Durant les années 2000, le nombre de personnes atteintes d'insuffisance cardiaque en France était d'environ un million avec une mortalité annuelle d'environ 50 000 (des chiffres à prendre avec précaution vue l'absence de statistiques solides).

Une troisième raison nous incitait à démarrer ce programme de recherche. Une équipe anglaise avait montré que le pronostic de l'insuffisance cardiaque – autrement dit le risque d'en mourir à brève échéance – était corrélé au degré de *dénutrition* des patients. Ces chercheurs avaient même décrit un syndrome dit de *cachexie cardiaque* qui selon eux était annonciateur d'un très mauvais pronostic.

Explication : la cachexie cardiaque est un grand amaigrissement survenant chez des patients en insuffisance cardiaque ; elle est due à la perte des muscles. Cette atrophie musculaire est une forme grave de dénutrition. Des facteurs nutritionnels (à identifier) étaient donc susceptibles de jouer un rôle dans le développement de l'insuffisance cardiaque.

Notre projet ? Comprendre le rôle de la nutrition dans les phases précoces de l'insuffisance cardiaque, avant la cachexie : identifier les signes de dénutrition et ralentir l'évolution vers la cachexie, en corrigeant les premiers stigmates de dénutrition. C'était un programme ambitieux. Nous savions qu'il nécessiterait beaucoup de temps, de patience voire d'abnégation.

Nous avons eu trois surprises en conduisant ce programme.

La première fut l'extraordinaire collaboration et la bonne volonté des biologistes des hôpitaux universitaires qui acceptèrent à Saint-Etienne, Grenoble et Lyon de travailler avec nous. Certains laboratoires mirent au point de nouvelles techniques de dosage adaptées à ce programme dédié pour la première fois en France à l'insuffisance cardiaque.

La deuxième surprise vint des multiples anomalies biologiques que nous avons décelées chez nos insuffisants cardiaques. Nous avions mis en place au CHU de Saint-Etienne une consultation *Cœur et Nutrition* totalement dédiée au suivi nutritionnel de patients insuffisants cardiaques. Pour ne pas donner aux médecins traitants (cardiologues et généralistes en ville) l'impression que nous nous substituions à eux (péché mortel en médecine libérale) nous leur faisions parvenir un compte-rendu détaillé de la consultation avec un rapport quantifié sur les habitudes alimentaires de leur patient et un abrégé commenté des multiples dosages biologiques que nous faisions dans nos laboratoires hyperspécialisés. Ces médecins restaient responsables du traitement médicamenteux de leurs patients.

Ces patients avaient effectivement des anomalies nutritionnelles importantes et conformément à nos engagements nous alertions leurs médecins traitants. Comme nous avions besoin de confirmer nos observations, nous convoquions ces patients une seconde et parfois une troisième fois.

Ce fut une erreur sans doute, à l'origine d'une troisième surprise. Alors que les patients se prêtaient avec docilité, et même beaucoup d'intérêt à cette consultation pilote – trop contents qu'on s'occupe d'eux – nous apprîmes que certains médecins de la région se plaignaient de notre intrusion dans leur clientèle. Concurrence déloyale, en somme !

Des critiques parvinrent au CHU par différents canaux et l'on commença à faire pression pour que nous cessions nos activités. Cette consultation prometteuse fut ainsi interrompue !

Nous étions désolés pour les patients et pour les biologistes qui avaient participé à ce programme ; mais nous ne souhaitions pas travailler dans un milieu devenu un peu *hostile* ; et surtout de nouvelles aventures nous attendaient ailleurs. Heureusement, nous eûmes le temps de produire quelques résultats passionnants.

QU'AVONS-NOUS TROUVÉ ?

La grande majorité de ces patients présentaient des anomalies biologiques nutritionnelles : certains avaient leurs bilan d'acides gras perturbés, d'autres leur bilan des acides aminés, d'autres leur bilan des vitamines du groupe B, d'autres de leurs caroténoïdes, d'autres de leurs tocophérols, d'autres de leur vitamine C, et d'autres encore de leurs minéraux ou de leurs oligo-éléments. Pas un patient n'était indemne, et certains présentaient des anomalies multiples, parfois sévères.

Surtout nous avons observé que ces anomalies de la nutrition étaient corrélées non pas à dégradation du cœur lui-même, mais à la sévérité des symptômes de l'insuffisance cardiaque.

En résumé, si on veut des bons muscles qui permettent d'économiser ou de soulager le cœur, il ne faut pas manquer de sélénium et de vitamine C.

LES SYMPTÔMES DE L'INSUFFISANCE CARDIAQUE

Si l'insuffisance cardiaque est évidemment due à une maladie du cœur, avec une altération de la fonction pompe du cœur, la sévérité des symptômes n'est pas proportionnelle à l'altération de la pompe. Autrement dit, certains patients peuvent être très symptomatiques (incapacité de faire un petit effort, essoufflement rapide, et surtout fatigue générale) alors que la pompe est peu altérée tandis que d'autres peuvent avoir une pompe cardiaque très altérée et continuer à avoir une vie presque normale.

Pourquoi cette absence de parallélisme entre l'altération de la pompe cardiaque et la gravité des symptômes ?

Le cœur envoie du sang dans les muscles pour les alimenter en oxygène. Parmi nos organes, les muscles sont nos plus gros consommateurs d'oxygène, à cause de leur masse et aussi de leur activité qui consiste à produire du travail mécanique : bouger, soulever, pousser. Plus les muscles travaillent et plus ils ont besoin d'oxygène ; et plus le travail demandé au cœur pour leur apporter l'oxygène est important.

C'est au moment où on lui demande un travail inhabituel que le cœur révèle ses limites : les premiers symptômes d'insuffisance cardiaque surviennent ainsi lors des efforts. Mais dans ce système *cœur et muscles*, un paramètre majeur est celui du **rendement**. C'est comme un moteur. Un bon moteur peut produire une puissance identique à un moteur médiocre mais en consommant beaucoup moins de carburant. De même, le système *cœur et muscles* est capable de produire une puissance très variable (à pompe cardiaque identique) en fonction de la qualité des muscles. Un muscle entraîné peut en effet produire un travail très supérieur à celui d'un muscle non entraîné – on dit *déconditionné* – tout en exigeant moins d'oxygène et donc moins de travail cardiaque.

Les physiologistes cardiaques savent mesurer la fonction pompe du cœur et aussi la consommation d'oxygène du système *cœur et muscles*. C'est ainsi que nous avons pu montrer l'importance **du sélénium et de la vitamine C** dans le rendement du système *cœur et muscles* des insuffisants cardiaques.

Ce fut une de nos principales découvertes et nous l'avons rapportée dans des revues spécialisées (voir la bibliographie). On pouvait ainsi améliorer des patients par des mesures simples, et sans médicament. Mais quel cardiologue en charge de patients insuffisants cardiaques s'enquiert aujourd'hui de la vitamine C ou du sélénium de ses patients ? Ou de la façon dont ils se nourrissent ?

Depuis l'interruption prématurée de notre programme, je n'ai plus rien vu dans la littérature médicale sur cette question cruciale… jusqu'en ce mois d'août 2011 où une grande équipe internationale d'épidémiologistes décrivaient une forte relation statistique entre la vitamine C et le risque d'insuffisance cardiaque sur une population de plus de 20 000 personnes, confirmant ainsi totalement notre découverte 10 ans plus tôt.

> *En se nourrissant bien, on nourrit bien ses muscles et on protège son cœur.*

Cette sorte de délai entre une découverte et sa confirmation n'est pas rare en médecine. Mais, j'espère que cette fois-ci les cardiologues comprendront : des muscles bien nourris, bien conditionnés pour l'exercice physique, permettent au cœur d'assurer un travail déterminé à un moindre coût pour lui. Ils permettent de le soulager, et retardent le moment où son insuffisance contractile deviendra un handicap.

Mais il y a un autre système qui joue un rôle crucial pour soulager le cœur ou au contraire l'accabler : c'est **notre système artériel**.

Lui aussi, en fonction de la résistance qu'il exerce à l'écoulement du sang peut aider le cœur à propulser le sang vers les organes périphériques. Si les artères se dilatent bien au moment où le cœur doit augmenter son travail pour assurer les besoins en oxygène des muscles, elles le soulagent puisque le sang s'écoule plus facilement dans un gros tuyau que dans un petit tuyau. Or la capacité de nos artères à se dilater correctement dépend de leur endothélium – j'y reviendrai plus longuement dans la partie 2 et aussi à propos de l'hypertension artérielle – et de systèmes biologiques qui sont en grande partie dépendants de notre **nutrition**.

Les gens ou les patients dont les artères ont une mauvaise capacité à se dilater (soit au repos soit au moment d'un effort) sont souvent pris pour des malades par leurs médecins traitants quand ils mesurent leur pression artérielle.

Le docteur dit : *vous faites de l'hypertension* ! Ce qui veut dire que les artères se dilatent mal. Et c'est comme ça qu'on se retrouve avec un médicament (ou deux, parfois trois) pour faire baisser la tension. Alors qu'il suffirait de conseils simples de mode de vie pour se passer de médicament : réadaptation à l'exercice physique et conseils nutritionnels.

Mais il est évidemment plus simple d'écrire une ordonnance…

PARTIE 2

COMPRENDRE L'INFARCTUS ET L'AVC

INTRODUCTION

POUR SE PROTÉGER DE L'INFARCTUS DU MYOCARDE, PREMIER *serial killer* dans nos sociétés, il est absolument indispensable de comprendre ce que c'est.

Dans la première partie, nous avons décrit **les symptômes** de l'infarctus du myocarde, ce qui est vécu par le patient. Mais que se passe-t-il exactement dans le cœur au moment de l'infarctus ? En termes plus médicaux : quelle est la physiopathologie de l'infarctus ?

S'il est important de comprendre ce qui se passe pendant la crise cardiaque pour l'empêcher, il faut aussi comprendre ce qui se passe avant et après, c'est-à-dire comprendre **les complications de l'infarctus**. S'il est important d'empêcher l'infarctus lui-même évidemment, il est encore plus important d'en empêcher les complications car ce sont elles qui tuent, et pas l'infarctus lui-même ! J'y reviendrai.

Enfin, pour se protéger, il faut connaître **les causes de l'infarctus** c'est-à-dire les mécanismes biologiques qui ont conduit à l'infarctus car ce qui est advenu une fois pourra évidemment se reproduire. J'insiste : faites cet effort de compréhension. Vous ne comprendrez peut-être pas tout, mais rassurez-vous, il n'est pas indispensable d'avoir tout compris pour devenir acteur de sa santé ! En comprenant mieux l'infarctus, vous aiderez votre médecin à définir ce qui est réellement le mieux pour vous **personnellement** ; et fort de ces nouvelles connaissances, vous serez davantage motivé pour faire les changements de mode de vie nécessaires et indispensables pour assurer votre protection.

QU'EST-CE QU'UN INFARCTUS DU MYOCARDE ?

Commençons par quelques définitions.

Le myocarde est le muscle cardiaque (voir figure 1). Le cœur est avant tout un muscle, dont la principale fonction dans notre organisme est de pomper le sang (préalablement saturé d'oxygène dans les poumons) vers nos organes afin de les alimenter (au sens propre du terme), en particulier en oxygène. Pour cela, la pompe cardiaque est reliée à un système de canaux sanguins, les artères, dont la première portion (celle qui est directement connectée au cœur) est **l'aorte**. C'est la plus grosse de nos artères – son calibre est si gros qu'elle ne se bouche jamais – et elle se ramifie dans tout l'organisme en des vaisseaux dont la section est de plus en plus petite, ce qui augmente progressivement le risque que ces artères se bouchent. Cette ramification se termine en capillaires dont le diamètre est de l'ordre du micron (millième de millimètre).

Chaque artère irrigue un organe. Si l'artère se bouche, cet organe est privé d'oxygène et au bout d'un moment, ses cellules meurent. Lorsqu'une partie du myocarde manque d'oxygène – sans que des cellules aient été détruites – on parle d'**ischémie myocardique**. A ce stade, la souffrance des cellules est réversible, et on peut encore les sauver à condition de rétablir les apports en oxygène ; et pour cela, il faut rétablir la circulation artérielle. Cette ré-oxygénation peut se faire spontanément (c'est la fibrinolyse, lire page 84) ou grâce à un traitement médicamenteux ou mécanique (lire page 22).

Si la circulation n'est pas rétablie, des cellules vont mourir d'asphyxie et cette destruction cellulaire sera d'autant plus importante que la privation d'oxygène sera plus longue. Cette destruction des cellules à cause du manque d'oxygène s'appelle un infarctus ; **un infarctus du myocarde** quand il s'agit du cœur. Il faut bien comprendre : ischémie et infarctus, ce n'est pas la même chose. L'ischémie est transitoire, l'infarctus est une destruction irréversible des cellules.

L'oxygène est apporté au myocarde par des petites artères qui lui sont propres et naissent de l'aorte juste après la connexion de cette grosse artère avec le cœur. On les appelle **les artères coronaires** car elles forment une sorte de couronne (du latin *corona*) autour du cœur. Plus l'artère coronaire bouchée est large et plus la masse de cellules privées d'oxygène est importante ; et plus l'infarctus est étendu.

Pour le moment, concentrons-nous sur les complications de l'infarctus, je reviendrai plus tard sur les causes de l'infarctus, c'est-à-dire les mécanismes d'occlusion totale de l'artère.

CHAPITRE 1

LES COMPLICATIONS DE L'INFARCTUS

FAIRE UN INFARCTUS DU MYOCARDE EST ÉVIDEMMENT UNE GRAVE maladie, mais en récolter les complications peut s'avérer gravissime et même fatal. La priorité des priorités est d'empêcher la survenue des **complications fatales**. Les deux principales complications de l'infarctus sont :
- la cessation brutale (en une seconde) du travail de pompage du sang,
- l'inefficacité relative du travail de pompage, ce qui revient à peu près au même certes, mais est généralement moins immédiat, donc moins tragique à court terme.

QUAND LE CŒUR S'ARRÊTE DE POMPER INSTANTANÉMENT

Si le cœur cesse d'envoyer de l'oxygène vers le cerveau – on parle d'arrêt cardiaque ou d'arrêt circulatoire – ce dernier cesse de fonctionner lui-même en quelques minutes, ce qui signifie perte de conscience et coma. Si la circulation sanguine n'est pas rétablie, le cerveau est irrémédiablement détruit au bout de quelques dizaines de minutes, ce qui signifie mort cérébrale ; et donc certificat de décès car la mort cérébrale est devenue la définition du décès d'un individu : on est mort quand notre cerveau est lui-même irréversiblement non fonctionnel ! On comprend l'importance du massage cardiaque qu'exécutent les secouristes en urgence pour assurer un minimum de circulation sanguine vers le cerveau en attendant une réanimation plus appropriée.

La cause principale de l'arrêt cardiaque et circulatoire n'est pas un problème mécanique mais **une panne électrique** du cœur. Une sorte de court-circuit ! En effet, le cœur nécessite pour assurer son travail de pompe un parfait synchronisme des cellules du myocarde, un peu comme un orchestre symphonique : toutes les cellules doivent se contracter en même temps, et aussi se reposer en même temps. Le chef d'orchestre est un petit organe du cœur, appelé **nœud sinusal**, qui se fait comprendre non pas visuellement et à l'aide d'une baguette, mais en envoyant des signaux électriques aux cellules du myocarde. En cas de panne électrique, les signaux de synchronisation n'arrivent plus aux cellules, c'est la cacophonie, le myocarde cesse d'avoir une activité synchrone et le cœur arrête de pomper. C'est quasi immédiat !

Cette absence de synchronisme cardiaque, en relation avec un trouble électrique du cœur, s'appelle **fibrillation ventriculaire** et est responsable de 70 % environ de tous les décès cardiaques enregistrés dans les pays développés.

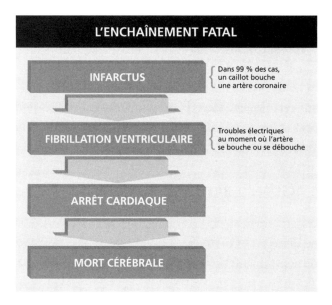

Le seul traitement curatif est le **choc électrique externe**, appliqué à l'aide d'un appareil appelé **défibrillateur électrique**. C'est le seul traitement qui permet de ré-initier l'activité électrique de synchronisation du nœud sinusal. Un peu comme lorsqu'on redémarre un ordinateur pour en reprendre le contrôle – un choc électrique est une remise des pendules à zéro – mais ça ne marche pas dans 100 % des cas, de même que le choc électrique ne sauve pas tous les patients. Et encore faut-il pouvoir prévenir un secouriste en extrême urgence et que celui-ci ait un défibrillateur à sa disposition. Malheureusement, le trouble électrique cardiaque survient parfois si rapidement que les victimes n'ont même pas le temps de donner l'alerte, y compris vers leurs proches. D'où l'importance de **la prévention** !

On ne comprend pas très bien comment surviennent les troubles électriques du cœur, notamment au moment où une artère se bouche ; c'est un enjeu considérable de la recherche en cardiologie. Ils surviennent très rapidement au début de l'infarctus et ils donnent lieu à la description d'un syndrome (une présentation clinique spécifique) appelé le **décès cardiaque subit** ou DCS. Ce syndrome est responsable de la très forte mortalité au cours de l'infarctus. En effet, environ 50 % des personnes qui commencent un infarctus ne survivent pas et l'essentiel de cette tragédie est dû aux troubles électriques et au DCS. Dans certaines populations fragilisées, la mortalité immédiate de l'infarctus atteint près de 80 %…

Bien que nous disposions de traitements efficaces (le défibrillateur), seule la prévention des troubles électriques pourrait réellement améliorer le pronostic du décès cardiaque subit.

Le syndrome de décès cardiaque subit peut aussi survenir en l'absence d'infarctus

Pour comprendre le mécanisme biologique de ce syndrome électrique, il faut avoir recours à l'autopsie des patients. Ces décès sont tellement brutaux et imprévisibles que seule l'autopsie du cœur des victimes peut fournir des informations utiles. Curieusement, dans bon nombre de cas de décès cardiaque subit, on ne trouve pas d'obstruction totale d'une artère coronaire (donc apparemment pas de cause d'infarctus) et même parfois les artères coronaires sont en assez bon état. Dans la majorité des cas encore, on ne trouve pas non plus trace d'une destruction récente de tissu myocardique, c'est-à-dire pas de trace d'un infarctus.

Comment expliquer des complications électriques fatales d'une crise cardiaque sans que l'on trouve des traces anatomiques d'un infarctus ou de l'occlusion artérielle responsable ? Pourrait-on mourir d'un cœur apparemment intact ? Hélas, oui !

L'explication est assez simple. On ne voit pas l'infarctus parce que l'ischémie du myocarde a été trop brève pour tuer les cellules. Il faut environ 6 heures pour que les cellules mortes soient visibles grâce aux techniques du pathologiste qui pratique l'autopsie. Or, le décès cardiaque subit survient moins d'une heure après les premiers symptômes thoraciques. Par ailleurs, nous avons vu que l'obstruction artérielle, est due à un caillot de sang. Celui-ci met un certain temps à se stabiliser et à devenir *indestructible*.

Seul un caillot stabilisé peut provoquer un infarctus. Mais, dans les minutes ou dizaines de minutes qui suivent le début de la crise cardiaque, nous sommes capables de dissoudre le caillot grâce à notre **système fibrinolytique**. Nous pouvons ainsi détruire le caillot par nous-mêmes, faire avorter l'infarctus, et stopper très précocement le processus de destruction du myocarde, qui devient indécelable au moment de l'autopsie. Le myocarde est intact ! Mais alors si l'occlusion par le caillot ne persiste pas, pourquoi meurt-on quand même ?

Parce que les troubles électriques responsables du décès cardiaque subit peuvent aussi survenir au moment où l'artère se débouche en raison de la dissolution spontanée du caillot, c'est-à-dire au moment où le myocarde reçoit à nouveau de l'oxygène. Ce trouble électrique dit de *reperfusion* est surprenant. C'est pourquoi on parle de paradoxe de la reperfusion !

Cette complication est injuste car c'est au moment où le patient se sent mieux – la douleur de l'infarctus diminue puisque l'artère est débouchée – qu'il fait un arrêt cardiaque et décède. Le trouble électrique survenant lors de la reperfusion se guérit aussi avec un choc électrique.

Le syndrome de reperfusion est la principale explication du syndrome de décès cardiaque subit sans obstruction artérielle et sans infarctus (sans destruction cellulaire). Les mécanismes du décès cardiaque subit nous sont inconnus, mais nous connaissons des moyens de nous en protéger.

> *Seules des caractéristiques spécifiques de notre mode de vie peuvent nous protéger du décès cardiaque subit !*

S'il n'y a pas de recette miracle, il est impératif que chacun comprenne bien le décès cardiaque subit, que celui-ci survienne au moment de l'obstruction de l'artère ou au moment de la reperfusion éventuelle.

Il n'y a pas en dehors du choc électrique, de traitement médicamenteux des complications électriques de l'infarctus. Ce fut une des plus mauvaises surprises de la recherche clinique de la fin du siècle passé de constater que les médicaments antiarythmiques – censés traiter les troubles électriques du cœur – n'avaient aucune efficacité contre les troubles électriques de l'infarctus et pouvaient même les favoriser.

J'insiste sur cette question : seul notre mode de vie, et non pas des médicaments, peut réduire le risque de décès cardiaque subit. C'est ce qui explique que la mortalité cardiovasculaire varie tant d'une population ou d'une zone géographique à l'autre : il y avait dans les années 1960, 100 fois plus de décès cardiaques aux Etats-Unis qu'en Grèce ou au Japon !

Il est urgentissime de comprendre ce qui dans le mode de vie de certaines populations est si protecteur ! Je l'explique tout au long de ce livre, mais le concept est déjà assez connu puisqu'il porte un nom : il faut que le myocarde soit **résistant** aux troubles électriques, qu'il ait été préparé à y résister ; certains disent qu'il ait été *préconditionné* !

Vous remarquerez qu'il n'est pas question ici d'artère ou d'obstruction artérielle, mais de **myocarde** ! Et que le cholestérol ne joue aucun rôle dans la résistance du myocarde !

Avant d'expliquer comment notre mode de vie peut considérablement réduire le risque de trouble électrique du cœur et de décès cardiaque subit, abordons la deuxième complication aiguë de l'infarctus car le même mode de vie nous protège aussi de cette deuxième complication.

LA DÉFAILLANCE DE LA POMPE CARDIAQUE

C'est à nouveau une question de muscle, de myocarde, et encore une fois c'est sans relation avec le cholestérol ! Dans ce cas, l'activité électrique du cœur est normale, les cellules du myocarde travaillent de façon synchrone, et le cœur pompe ; mais pas de façon assez efficace.

Cette complication laisse souvent un peu de temps pour agir. Le travail de pompage est insuffisant pour apporter de l'oxygène à **tous** les organes mais il ne s'arrête pas de pomper d'un coup. On ne meurt pas immédiatement car le cerveau (organe privilégié) reste irrigué. En revanche, la majorité des autres organes sont mal oxygénés et à brève échéance vont eux-mêmes cesser de fonctionner normalement, ce qui entraîne rapidement un empoisonnement du sang. En effet, si le rein et le foie – organes qui régulent nos métabolismes – fonctionnent mal, nous accumulons des déchets métaboliques toxiques. Ces déchets métaboliques peuvent eux-mêmes engendrer des troubles électriques du cœur et le décès cardiaque subit.

Ce type de complications mécaniques (défaut de pompage) peut être transitoire et les services de réanimation réussissent parfois à passer ce cap difficile, surtout s'ils peuvent intervenir en urgence pour faire disparaître le caillot responsable de l'infarctus et s'ils parviennent à nettoyer les déchets métaboliques ; mais surtout si ce **myocarde est résistant**, s'il a été **préconditionné** grâce à un mode de vie protecteur.

Pourquoi le myocarde cesse-t-il d'accomplir efficacement son travail de pompe au moment d'un infarctus ?

Plus un infarctus du myocarde est étendu – plus la masse de muscle détruite est importante – et moins le myocarde est apte à pomper. C'est un peu comme pour un moteur. Si, sur les 12 cylindres du moteur, un seul cesse de fonctionner, la voiture continue de rouler, y compris dans les côtes. Si 3 ou 4 cylindres sont atteints, ça devient différent et à la moindre pente, la voiture risque de caler, à moins que les voyageurs descendent et poussent.

Certains myocardes sont fragiles, ou peu **résistants**. Au moment où ils sont privés d'oxygène, leurs cellules meurent vite et le volume de myocarde détruit est important. On dit que *la taille de l'infarctus* est importante. Dans des conditions de manque d'oxygène identiques, certains myocardes résistent mieux et perdent peu de cellules, on dit que la taille de l'infarctus est minime.

Pourquoi certains myocardes sont résistants et d'autres non ?

La réponse est dans notre mode de vie, exactement comme pour les troubles électriques de l'infarctus et le décès cardiaque subit. Concrètement, en cas d'infarctus, plus vite on arrive à l'hôpital, plus vite l'artère est désobstruée (et le cœur ré-oxygéné), plus on sauve du myocarde, et moins on risque d'avoir à faire face à une défaillance de la pompe cardiaque ! D'où l'importance de donner l'alerte rapidement, d'avoir un SAMU efficace et des unités de cardiologie performantes pour déboucher l'artère le plus rapidement possible.

Mais, plus le myocarde est **résistant** (grâce à notre mode de vie) et plus on sauvera du myocarde pour un délai de ré-oxygénation donné.

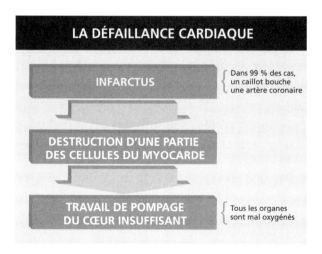

LA RECHERCHE S'ACTIVE DU CÔTÉ DES INDUSTRIELS

La résistance du myocarde à l'ischémie (et à la reperfusion) a fait – et continue de faire – l'objet de recherches intensives dans l'industrie pharmaceutique. La découverte de molécules capables d'augmenter la résistance du myocarde serait une formidable découverte et une source de profits considérables. Jusqu'à présent, aucune molécule brevetable n'a été identifiée. Ces agents de renforcement de la résistance du myocarde sont appelés, à condition qu'ils existent, des agents *préconditionnants*.

Une précision importante : il est très difficile, voire impossible, de démonter qu'un agent quelconque est préconditionnant. On utilise des arguments cliniques indirects et surtout des modèles expérimentaux spécifiques, qui sont décrits dans mes publications de cardiologie expérimentale citées dans la bibliographie

A l'inverse, des stratégies non médicamenteuses – qui augmentent la résistance du myocarde, diminuent le risque de troubles électriques et réduisent la taille de l'infarctus – ont été clairement identifiées. Ironiquement, ces moyens préventifs sont simplissimes (non brevetables) et concernent le mode de vie. Pas de business avec ça, désolé !

COMMENT RENDRE SON CŒUR RÉSISTANT ?

Nous connaissons au moins trois moyens non médicamenteux de rendre le muscle cardiaque plus résistant :
• l'exercice physique modéré,
• la consommation modérée d'alcool,
• la consommation de certains polyphénols présents dans les plantes.

D'autres facteurs non médicamenteux peuvent interférer avec la résistance du myocarde mais ils sont un peu moins bien documentés scientifiquement.

La fumée de **tabac** et la **pollution atmosphérique** diminueraient la résistance du myocarde.

Nous avons aussi quelque évidence – grâce à des travaux conduits dans un laboratoire australien (celui de mon ami Peter MacLennan) et que nous avons en grande partie confirmés dans notre laboratoire à Grenoble – que les **acides gras** de notre alimentation peuvent améliorer la résistance du myocarde. Quels acides gras ?

En résumant, on peut dire que plus on s'éloigne du modèle méditerranéen et moins le myocarde est résistant : si des apports importants en **graisses saturées** sont certainement délétères pour le myocarde, ce n'est pas une bonne idée de les remplacer par des acides gras polyinsaturés **oméga-6**. La meilleure stratégie est donc, outre la diminution des saturés et des oméga-6, d'augmenter les acides gras **oméga-3** d'origine végétale et marine car un myocarde riche en oméga-3 est plus résistant.

Mais il faut appliquer ces recettes **avec modération**. C'est vrai pour la consommation d'alcool, pour l'exercice physique (pas besoin d'être marathonien) et aussi pour la consommation de polyphénols et d'oméga-3.

CHAPITRE 2

AVANT L'INFARCTUS

L'INFARCTUS EST DÛ À L'OBSTRUCTION TOTALE D'UNE ARTÈRE. CETTE obstruction totale est toujours due à un **caillot de sang**. Les biologistes disent **thrombus**. La notion d'obstruction totale est importante car il faut savoir que même un faible flux sanguin à travers une sténose (synonyme de rétrécissement) serrée permet d'apporter suffisamment d'oxygène aux cellules pour leur permettre de survivre, et éviter l'infarctus. D'autre part, le réseau artériel coronaire est très interconnecté et si une artère se bouche progressivement sous l'effet d'une plaque d'**athérosclérose** – nous dirons ce que c'est plus loin – le territoire correspondant sera irrigué à partir d'un **réseau collatéral** naissant, se constituant progressivement à partir d'une artère saine située à proximité de l'artère qui se bouche.

Cette notion de réseau collatéral est fondamentale en cardiologie car elle explique pourquoi on peut avoir des artères malades avec des plaques d'athérosclérose qui diminuent le calibre des artères – et diminuent le débit sanguin dans cette artère – et ne jamais faire d'infarctus.

QUAND L'ARTÈRE SE RÉTRÉCIT : L'ANGINE DE POITRINE

La réduction de débit à cause d'une sténose peut avoir une traduction clinique lorsque nous exigeons de notre cœur un surcroit de travail, par exemple au moment d'un effort physique important : il s'agit de l'**angine de poitrine (ou angor)**.

Dès que l'effort physique (inhabituel pour un sujet donné) cesse, la douleur thoracique cesse aussitôt.

Cette notion de réseau collatéral indique également que la bataille n'est jamais irrémédiablement perdue : on peut avoir des artères malades, et éventuellement avoir déjà fait un infarctus, et conserver toutes ses chances pour l'avenir à condition de prendre les mesures qui s'imposent pour : 1. Eviter l'obstruction totale (due à un caillot) et 2. Stimuler le développement du réseau collatéral.

L'angine de poitrine peut être la première manifestation clinique d'une maladie des artères coronaires. Attention, cette douleur thoracique traduit une souffrance du myocarde due au manque d'oxygène : elle peut être synonyme de danger si le myocarde n'est pas résistant au manque d'oxygène. Le degré de souffrance du myocarde dans ce cas n'a rien à voir avec celui de la souffrance provoquée par une obstruction totale de l'artère, mais sur un myocarde très fragile, cela peut être suffisant pour provoquer des complications électriques et le décès cardiaque subit. Ce n'est pas rare ! Cela explique que certains cardiologues soient très **actifs** (prescription de médicaments, d'angioplasties…) chez des patients qui n'ont pas d'autres symptômes que de l'angine de poitrine.

Il y a beaucoup mieux à faire : adopter un mode de vie qui rend le myocarde résistant !

QUAND L'ARTÈRE SE BOUCHE ET SE DÉBOUCHE ALTERNATIVEMENT : L'ANGOR INSTABLE

Si la gravité d'un infarctus est liée aux conséquences de la privation d'oxygène (l'ischémie myocardique) et éventuellement de la reperfusion précoce, il n'en reste pas moins que le point de départ de la crise cardiaque reste l'obstruction aiguë d'une artère.

Avant d'entrer dans le détail des mécanismes biologiques qui expliquent comment une artère se bouche de façon aiguë, examinons au préalable les processus chroniques de l'obstruction artérielle.

En effet, seule l'occlusion totale et brutale de l'artère (toujours due à un caillot) est réellement dangereuse et provoque des symptômes. Jusqu'à 70-80 % d'obstruction d'une artère, et à condition que cette occlusion soit progressive – un peu comme une tumeur bénigne croît dans un organe – on peut vivre normalement et sans aucun symptôme. Malheureusement les choses se passent rarement comme ça.

Quelques mots d'explication

La survenue d'un caillot qui bouche totalement une artère est le résultat d'un double processus opposant notre tendance à faire des caillots et notre tendance à empêcher, et à dissoudre, les caillots. A l'état normal, les deux tendances s'annulent. Nous ne faisons pas de caillot spontanément et nous ne faisons pas d'hémorragie non plus.

C'est seulement en cas d'effraction de la paroi de l'artère, et donc de risque hémorragique, que notre tendance à faire des caillots prend le dessus ; et heureusement car cela peut permettre d'arrêter l'hémorragie si la blessure artérielle n'est pas trop importante.

Hormis ce cas de figure, en l'absence d'hémorragie, la formation d'un caillot dans une artère est tout à fait **anormale** et constitue **une maladie**.

Si la tendance à faire des caillots se met à fonctionner de façon anormale et conduit à la formation d'un caillot dans l'artère, la tendance à dissoudre les caillots est stimulée et il y a de fortes chances pour que ce caillot n'obstrue pas l'artère totalement ou seulement de façon **provisoire**. Autrement dit, si l'on a des symptômes pouvant faire croire à un infarctus (par exemple, une douleur dans le thorax), il est fréquent qu'ils soient eux aussi transitoires. Ceux qui ont survécu à un infarctus comprendront ce que je décris ici. Il arrive que l'on s'alarme pendant quelques minutes puis, la douleur disparaissant (du fait de la dissolution du caillot), on reprend son activité ou son sommeil si c'était pendant la nuit. Malheureusement, la dissolution du caillot peut ne pas être parfaite – l'obstruction n'est pas totale mais subtotale : 80 ou 90 % de la lumière de l'artère reste bouchée – car la tendance (anormale) à faire le caillot reste active et peut prendre le dessus sur la tendance à dissoudre le caillot qui peut elle-même être anormalement affaiblie, par exemple si notre mode de vie n'est pas protecteur.

Qu'on se rassure, nous avons des solutions pour rééquilibrer ces tendances opposées, et elles sont simples ; elles rejoignent la stratégie qui permet de rendre le myocarde résistant. Notre mode de vie peut influencer l'équilibre entre notre tendance à faire des caillots et notre tendance à les empêcher.

Après une première alarme, la probabilité qu'un nouvel épisode d'obstruction totale survienne est donc assez forte, avec nouveaux symptômes et nouvelle alerte. Celle-ci peut être, comme précédemment, transitoire – car le caillot a été à nouveau dissous – ou bien se transformer définitivement en infarctus si le caillot n'a pas été dissous cette fois-ci et l'obstruction reste totale.

Ces épisodes de formation et de dissolution du caillot peuvent se répéter plusieurs fois avec une fréquence variable et des intervalles de résolution également variables dans la même journée ou pendant une semaine ou plusieurs semaines. Les cardiologues appellent ce syndrome un **angor instable** et sont très vigilants car ils craignent que cela devienne un vrai infarctus.

QUATRE REMARQUES SUR L'ANGOR INSTABLE

• A chaque fois qu'un caillot se forme, sa dissolution peut n'être que partielle. Le caillot restant s'organise alors – on dit qu'il se fibrose – et devient indissoluble. Il est *incorporé* à la paroi artérielle et devient une plaque d'athérosclérose typique, dure et partiellement obstructive. Au moment d'un examen radiologique, les cardiologues quantifient cette obstruction en pourcentage de perte de lumière artérielle. Rien ne distingue cette sténose artérielle des plaques d'athérosclérose *habituelles*. Autrefois – au temps lointain où le cholestérol n'absorbait pas toutes les capacités intellectuelles – de nombreux médecins et chercheurs considéraient ce processus d'incorporation du caillot comme le principal (voire le seul) mécanisme biologique de l'athérosclérose. Le cholestérol ne jouant aucun rôle dans cette progression rapide de la maladie artérielle, ce processus pathologique a été… oublié.

• Quand le système de formation de caillot se met à travailler de façon désordonnée, il peut ainsi former des caillots – qui éventuellement **s'organisent** en sténoses plus ou moins obstructives – dans plusieurs sites de l'arbre artériel coronarien. Le patient fabrique ainsi une maladie disséminée que l'on découvrira un beau jour au cours d'un infarctus ou lors d'un bilan cardiologique sans que, parfois, il n'ait jamais eu aucun symptôme.

• Lors de chaque épisode d'obstruction totale suivie de reperfusion, le patient est en **danger de mort** si son myocarde est peu ou pas résistant, quelle que soit l'intensité des symptômes ressentis. Si l'obstruction totale a été très brève, il arrive même que le patient n'ait pas eu le moindre symptôme.

• Les médecins peuvent être appelés à intervenir chez un patient à n'importe quel stade, silencieux ou bruyant, de cette maladie. Les cardiologues disposent maintenant de moyens diagnostics puissants leur permettant de visualiser l'état des artères coronaires en quelques dizaines de minutes, et ils savent qu'il ne faut pas hésiter (parfois devant des symptômes peu alarmants) à pratiquer ces examens. Ils peuvent découvrir des pathologies artérielles sévères par rapport à l'intensité des symptômes. Parfois, ils trouvent des plaques serrées (quasi-obstruction de l'artère) alors que les symptômes sont peu évocateurs ; enfin parfois ils trouvent des artères quasi normales ou très peu altérées alors que les symptômes ont pu être très inquiétants et faire penser à un infarctus. Cette **absence de parallélisme** entre les symptômes (essentiellement la douleur thoracique) et la sévérité anatomique des lésions artérielles est évocatrice d'une maladie due à des caillots. Cette forme clinique est très fréquente et dangereuse. Le seul traitement efficace est préventif. Il repose sur la correction des facteurs biologiques responsables de la formation des caillots et de notre capacité *affaiblie* à les dissoudre. Mais le **risque vital** se joue surtout au niveau du myocarde, s'il est résistant ou pas.

Si j'insiste sur ces aspects cliniques et biologiques de la crise cardiaque, c'est parce que la majorité des traitements des cardiologues (angioplastie et traitements anticholestérol) sont totalement inefficaces contre ces processus pathologiques qui pourtant **font le pronostic.**

Heureusement, nous avons des médicaments anticaillot très efficaces (nous verrons cela plus en détail dans la partie 4). S'il y a eu des symptômes d'alerte, les médicaments anticaillot peuvent aider à passer un cap difficile, donner le temps de corriger les facteurs biologiques responsables, c'est-à-dire le mode de vie. Mais malheureusement il y a quatre **problèmes** fondamentaux avec ces médicaments :

• De façon proportionnelle à leur efficacité anticaillot, ces médicaments exposent au **risque hémorragique.**

• Ils ne sont que partiellement efficaces et il faut en urgence entamer les modifications de mode de vie indispensables pour compléter la stratégie thérapeutique qui sera dès lors à la fois curative et préventive.

• Beaucoup de patients pensent qu'avec l'abolition des symptômes les plus gênants, ils sont tirés d'affaire ; et ils décident de se contenter de ces médicaments sans entamer une révision de leur mode de vie. J'espère que la lecture de ce chapitre les aidera à comprendre que c'est une erreur.

• Comme tous les médicaments, ceux-ci aussi ont leurs effets indésirables. L'aspirine, par exemple, reste un médicament très toxique, même à petite dose et notamment pour l'estomac.

CHAPITRE 3

COMMENT UNE ARTÈRE SE BOUCHE : LA THROMBOSE

J'AI MONTRÉ L'IMPORTANCE DES CAILLOTS DANS L'INFARCTUS ; IL FAUT dire quelques mots sur la biologie de la **thrombose** c'est-à-dire la formation du caillot ; notamment en relation avec le mode de vie. En effet si le mode de vie est aussi crucial que je le dis pour la prévention de l'infarctus, de ses complications et de l'AVC, alors forcément il doit interférer avec la biologie du caillot.

Un caillot n'est pas un simple bouchon de sang coagulé. Il est le résultat de fantastiques interactions entre des processus biologiques multiples, opposés dans leur finalité, s'activant par paliers successifs et tous d'une incroyable finesse et précision.

Désolé pour les admirateurs de la complexité, je vais rester simple, voire simpliste. On n'est pas à la faculté !

Nous avons une tendance spontanée à coaguler notre sang ce qui nous permet en cas d'urgence (par exemple une plaie vasculaire avec un couteau), d'empêcher que nous nous vidions de notre sang au cours d'une hémorragie. Cette tendance est gouvernée par deux sous-systèmes : les **plaquettes** sanguines et la **coagulation**. Tous deux sont à l'origine de graves maladies quand ils sont altérés sévèrement en raison d'anomalies génétiques ou acquises. Un exemple bien connu est l'hémophilie.

Cette tendance à former des caillots est équilibrée par une tendance opposée qui tend à dissoudre les caillots et que l'on appelle la fibrinolyse. Cette tendance est gouvernée par le **système de la fibrinolyse**, décrit plus loin.

Quel est, d'abord, ce premier système qui gouverne notre tendance à faire des caillots ?

LES PLAQUETTES

Elles sont en très grand nombre dans notre sang et, en cas d'alerte, elles réagissent quasi instantanément. Certains médicaments diminuent la réactivité des plaquettes (aspirine et Plavix) mais certaines substances de notre alimentation peuvent avoir un effet similaire.

Evidemment, ça ne prend jamais l'ampleur des médicaments mais, comme les effets de ces molécules naturelles peuvent s'additionner – ou éventuellement s'annuler – cela peut avoir des effets très significatifs que l'on pourrait qualifier d'effets *proaspirine* ou alternativement d'effets *antiaspirine*.

Ces molécules naturelles sont principalement – il y en a d'autres – les acides gras polyinsaturés oméga-6 et oméga-3.

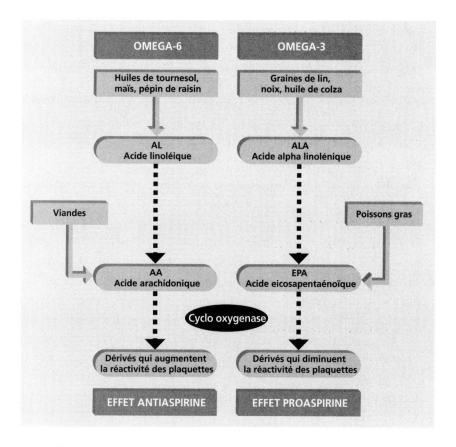

L'effet antiplaquettaire de l'aspirine (si chère aux cardiologues) est dû au blocage d'une enzyme, la cyclo-oxygénase, qui métabolise un acide gras de la série oméga-6, l'acide arachidonique. L'acide arachidonique est un acide gras qui augmente la réactivité des plaquettes. On le trouve essentiellement dans la viande. Son précurseur, l'acide linoléique est le principal acide gras oméga-6 de notre alimentation. Précurseur veut dire qu'à partir de l'acide linoléique, on est capable de synthétiser l'acide arachidonique. On trouve beaucoup d'acide linoléique dans certaines huiles végétales : tournesol, pépin de raisin et maïs, par exemple. Les acides gras de la famille oméga-6 tendent tous à augmenter la réactivité des plaquettes. A l'inverse, les acides gras oméga-3 tendent à diminuer la réactivité des plaquettes.

Un effet proaspirine optimal des acides gras de notre alimentation sera donc obtenu grâce à un ratio oméga-3/oméga-6 également optimal.

Contrairement aux apparences, ça n'est pas si compliqué car ce ratio optimal est justement celui que l'on obtient en adhérant à la **diète méditerranéenne** traditionnelle. Cette dernière a l'immense avantage – outre de nous éviter de devoir mesurer scrupuleusement nos apports en oméga-6 et oméga-3, ce qui serait un vrai casse-tête quotidien – de nous apporter aussi les quantités adéquates d'autres acides gras alimentaires (les saturés et les *trans*) également impliqués dans la thrombose.

LES AVANTAGES DE L'APPROCHE NUTRITIONNELLE

Contrairement à l'approche préventive basée sur les médicaments (certes très utile dans certaines circonstances), une approche nutritionnelle de la prévention des caillots a l'immense avantage de s'allier de façon naturelle à notre physiologie. En effet, il ne s'agit pas d'inhiber violemment une enzyme ou de bloquer plus ou moins totalement un récepteur moléculaire comme le font les médicaments – avec toutes les complications et effets secondaires nocifs et inéluctables que cela comporte – mais de **rétablir des équilibres entre des substances naturelles de notre environnement**.

Il s'agit en fait de ré-harmoniser notre physiologie ; de réconcilier nos apports alimentaires avec nos aptitudes métaboliques qui sont en partie génétiquement déterminées. Nos capacités métaboliques sont, en grande partie, le résultat d'une sélection des gènes qui s'est réalisée progressivement sur les millénaires de l'évolution de l'humanité ; et qui était figée depuis longtemps lorsqu'est survenue la révolution agricole du xxᵉ siècle.

Ce sont principalement les déséquilibres de l'alimentation moderne qui sont à l'origine des épidémies d'infarctus et d'AVC qu'ont connues les populations occidentales au xxᵉ siècle et que connaissent aujourd'hui toutes les populations qui s'occidentalisent, en Asie comme en Afrique.

Les acides gras ne sont pas les seuls composants de nos aliments qui agissent sur les plaquettes ; mais ce sont parmi les plus importants.

Avant d'expliquer un peu comment les plaquettes font les caillots, je rappelle que le cholestérol ne joue aucun rôle dans la biologie des plaquettes (et dans la formation des caillots) contrairement aux autres lipides de l'alimentation énumérés précédemment : oméga-6, oméga-3, saturés, et *trans*. Et évidemment, les médicaments anticholestérol n'ont aucun effet anticaillot, je l'ai déjà dit ailleurs.

Comment les plaquettes participent à la formation du caillot ?

Quand elles sont stimulées, les plaquettes se précipitent sur la zone artérielle où est né le stimulus (une blessure par exemple) et elles s'agrègent les unes aux autres pour former des sortes de pansements (voir figure 3). C'est ainsi que l'on empêche une hémorragie lorsqu'il y a rupture de la paroi artérielle. Si le stimulus est une simple abrasion de la paroi interne de l'artère – résultat d'une agression par une substance absorbée en fumant une cigarette par exemple – les plaquettes forment un agrégat sur la paroi qui permet de démarrer la cicatrisation mais qui peut aussi être le début de la formation d'un caillot pathologique.

Cet amas de plaquettes n'est pas solide. Cette fragilité du caillot plaquettaire – il peut se désagréger en quelques secondes – explique la variabilité des signes cliniques d'une crise cardiaque.

Pour que ce bouchon plaquettaire soit stabilisé et entraîne une obstruction prolongée de l'artère (et donc l'infarctus), il faut que le deuxième sous-système, celui de la coagulation, entre en jeu.

LE SYSTÈME DE LA COAGULATION

C'est un système très compliqué et on est loin de l'avoir compris. Je vais rester simple.

La coagulation est organisée pour aboutir à la formation d'une extraordinaire molécule appelée **fibrine**. C'est un filament collant qui adhère fortement aux plaquettes. Plusieurs filaments de fibrine constituent ainsi une sorte de filet dans lequel les plaquettes sont prises de façon irréversible : et ainsi le caillot plaquettaire devient solide ! D'autres cellules du sang (les globules rouges et les globules blancs) sont prises elles aussi dans le filet de fibrine et participent à la formation d'un gros caillot compact et obstructif dans l'artère (voir figure 4). Dès lors, les signes cliniques deviennent plus sévères, la douleur thoracique ne faiblit plus, on rentre dans la phase quasi irréversible de la crise cardiaque, il est urgent d'appeler le SAMU.

Outre des anomalies génétiques qui induisent des troubles de la coagulation, **le mode de vie**, en particulier la nutrition, l'exercice physique et le tabac influencent la coagulation (lire encadré).

COMMENT LE MODE DE VIE INFLUENCE LA COAGULATION

Il y a de nombreuses étapes dans la coagulation avant la dernière, la formation de fibrine. A chaque étape correspond un facteur de coagulation qui doit être activé et qui est sensible à des facteurs de mode de vie.

Je ne peux détailler ici chacun de ces facteurs, mais la dernière étape, la formation de fibrine illustre comment le système fonctionne de façon générale. Une enzyme appelée thrombine métabolise une molécule appelée fibrinogène ce qui permet la formation de fibrine. Le fibrinogène est le substrat – la molécule que l'enzyme modifie – de l'enzyme-thrombine, qui est aussi un puissant stimulant des plaquettes ; la coagulation est ainsi coordonnée au système des plaquettes. En résumé, la thrombine transforme une grosse molécule unique, le fibrinogène, en de nombreux petits filaments de fibrine qui se collent les uns aux autres.

Plus de fibrinogène disponible entraîne plus de fibrine formée, et finalement des caillots plus solides. C'est très bien quand il s'agit de stopper une hémorragie, ça l'est beaucoup moins en cas d'infarctus ! Or, les concentrations de fibrinogène sont influencées par divers facteurs : rhume, bronchite, abcès dentaire… et aussi par l'exercice physique, le vin et le tabac.

Les fumeurs mais aussi les diabétiques ont un taux de fibrinogène plus élevé que les non-fumeurs et les non-diabétiques. Inversement, l'exercice physique et la consommation modérée de vin sont associés à un taux de fibrinogène abaissé.

Mais, la cigarette favorise les caillots par d'autres voies : par exemple, la nicotine augmente la sécrétion d'adrénaline qui est un puissant stimulus des plaquettes ; et le monoxyde de carbone est un vrai poison de la paroi interne de l'artère, l'**endothélium** (voir figure 2).

C'est quoi l'endothélium ?

L'endothélium est la couche de cellules qui tapissent la paroi interne de l'artère. Il empêche le sang de coaguler sur cette paroi car il produit en permanence des substances antiplaquettaires (lire encadré page 84). Il est donc impératif que cet endothélium fonctionne bien et que notre mode de vie le protège de la naissance jusqu'à nos derniers jours.

Les modes de vie pro-infarctus (et pro-AVC) sont toujours délétères pour l'endothélium. Inversement, avec un endothélium en bonne santé, le risque d'infarctus ou d'AVC est faible.

COMMENT L'ENDOTHÉLIUM EMPÊCHE LES CAILLOTS ?

L'endothélium inhibe les plaquettes et favorise la dissolution des caillots. Les deux principales substances antiplaquettaires produites par l'endothélium sont le monoxyde d'azote (ou NO, traduction du *Nitric Oxide* en anglais) et la prostacycline, dérivée des acides gras oméga-6 et oméga-3.

Chez une personne qui sait préserver la santé de son endothélium – qui ne l'empoisonne pas avec la cigarette, par exemple – nul besoin de médicament pour empêcher les caillots. L'endothélium est en effet capable de faire le travail. D'autant plus qu'il est aussi le principal acteur du système de la fibrinolyse que je vais décrire ci-dessous.

Outre une bonne nutrition, une bonne façon de protéger son endothélium, c'est de l'exercer. L'exercice physique est un formidable protecteur de notre endothélium.

Maintenant que nous avons compris comment les caillots se forment et le rôle de la nutrition, de l'exercice physique et du tabac sur ce processus, examinons à présent le système qui tend à dissoudre les caillots.

LE SYSTÈME DE LA FIBRINOLYSE

Dès qu'un déséquilibre quelconque apparaît dans notre organisme, un système compensateur est activé. C'est une règle en physiologie humaine : on est bien fait ! Ainsi, dès que la fibrine est présente en trop grande quantité quelque part dans nos artères, un système destructeur de fibrine, le système de la fibrinolyse, est stimulé.

Deux choses importantes à retenir.

• Le système de la fibrinolyse est puissant. Quand il n'est pas altéré, il s'équilibre avec la coagulation et les plaquettes ; et ainsi empêche la formation de caillots dangereux.

• Il est géré par l'**endothélium** (encore lui) qui, pour être efficace, doit être protégé. Le système de la fibrinolyse est donc lui aussi très sensible au mode de vie.

Les données biologiques et épidémiologiques concernant le lien entre le mode de vie, l'endothélium et le **système fibrinolytique** (sans parler de la coagulation et des plaquettes) concordent de façon exceptionnelle, ce qui laisse peu de doutes quant à la responsabilité du mode de vie dans le risque de thromboses responsables de l'infarctus et de certains AVC.

> *La thrombose est la cause de l'infarctus. La thrombose n'a rien à voir avec le cholestérol !*

DESCRIPTION DU SYSTÈME DE LA FIBRINOLYSE

Une enzyme appelée plasmine est capable de détruire les filaments de fibrine et ainsi de dissoudre un caillot déjà solide et obstructif.

La plasmine est formée à partir d'un substrat inactif, le **plasminogène**. Sa transformation en plasmine active est possible grâce à des activateurs du plasminogène : l'urokinase et le tPA, eux-mêmes inhibés par des inhibiteurs des activateurs du plasminogène, appelés PAI (pour *plasminogen activator inhibitors*).

On voit donc que le système de la fibrinolyse est un système complexe avec de nombreux acteurs se faisant des « crocs en jambes ».

CHAPITRE 4

COMMENT UNE ARTÈRE SE RÉTRÉCIT, L'EXEMPLE DE L'ATHÉROSCLÉROSE

Q UAND ON PARLE DE L'ATHÉROSCLÉROSE, BEAUCOUP PENSENT immédiatement au cholestérol qui se dépose dans les artères et les bouche progressivement. C'est une erreur. L'athérosclérose est une maladie chronique, lente et progressive de la paroi de l'artère qui parfois rétrécit sa lumière jusqu'à provoquer des symptômes. Le cholestérol n'est pour rien dans cette maladie, aussi surprenant que cela puisse paraître.

Dans mon livre, *Dites à votre médecin que le cholestérol est innocent, il vous soignera sans médicament* (éditions Thierry Souccar), j'ai montré qu'un taux élevé de cholestérol dans le sang ne peut pas expliquer l'athérosclérose. La théorie du cholestérol – selon laquelle le cholestérol bouche les artères à une vitesse proportionnelle au niveau de cholestérol dans le sang – ne repose sur aucune donnée scientifique sérieuse.

Malheureusement, c'est sur la base de cette théorie du cholestérol que près de 7 millions de Français adultes consomment des médicaments anticholestérol. Et de la même façon que la théorie du cholestérol ne tient pas, j'ai montré dans mon livre, *Cholestérol, mensonges et propagande*, que les traitements anticholestérol sont aussi inutiles que nuisibles.

Dès lors la question est : si ce n'est pas le cholestérol qui fait l'athérosclérose, c'est quoi ?

Il y a au moins **deux théories majeures** qui permettent d'expliquer l'athérosclérose sans faire appel au cholestérol. Ces deux théories – qui ne s'excluent pas mutuellement – ont donné lieu à de nombreux travaux et publications dans les années 1950-1980, mais depuis la main mise de l'industrie pharmaceutique sur la recherche médicale universitaire, elles ont été oubliées.

THÉORIE 1 : DES CAILLOTS QUI S'INCRUSTENT DANS LA PAROI

Cette théorie est la théorie dite **thrombogénique** et les noms des principaux scientifiques qui lui sont attachés sont ceux de Duguid, Rokitansky et Virchow. Leurs travaux s'étendent sur plus de 50 ans, essentiellement dans la première moitié du XXe siècle.

Comme *l'histoire naturelle* de l'athérosclérose (c'est-à-dire la constitution progressive des lésions) ne peut évidemment être observée directement chez l'homme, c'est à partir de données parcellaires (biopsies, autopsies), ou dans le cadre d'expérimentations animales, que ces scientifiques ont reconstitué les différentes étapes de l'athérosclérose et élaboré leur théorie. La crédibilité de cette théorie repose aussi sur sa capacité à expliquer les cas cliniques rencontrés par les médecins, et que j'ai illustrés tout au long des chapitres précédents. Si la théorie thrombogénique ne permet pas d'expliquer tous les cas cliniques, elle est suffisamment solide pour faire l'objet d'applications thérapeutiques, comme je l'ai également montré.

La théorie thrombogénique dit que les plaques d'athérosclérose sont des caillots qui, après s'être *incrustés* sur la paroi artérielle et s'être *incorporés* dans cette paroi, se sont *organisés* en suivant un processus de cicatrisation artériel classique (voir figure 5). Les concepts importants sont incrustation, incorporation et organisation. J'ai observé moi-même ces trois stades sur des artères de patients décédés.

Pour que ce processus aboutisse à une lésion obstructive, il faut de nombreux complices : les plaquettes et l'endothélium, la coagulation et le système de la fibrinolyse et enfin les facteurs immunitaires de la cicatrisation. Schématiquement, un caillot se forme au niveau d'une zone dysfonctionnelle de l'endothélium, puis les actions dérégulées de la coagulation (stimulante) et de la fibrinolyse (permissive) permettent que ce caillot persiste et que la paroi artérielle l'incorpore (recouvrement par l'endothélium). Ensuite, un processus normal de cicatrisation va s'effectuer visant à réparer l'artère. Cette lésion cicatricielle peut se stabiliser, régresser ou disparaître ; ou encore évoluer de façon autonome, un peu comme une tumeur bénigne (la théorie 2 ci-contre). Cette tumeur bénigne peut prendre des aspects variables en fonction du contexte (l'âge, le sexe, présence d'un diabète ou d'une hypertension) et du mode de vie (facteurs nutritionnels). Elle peut s'infiltrer de lipides ou se nécroser dans sa partie centrale, bref prendre tous les aspects ordinaires d'une plaque d'athérosclérose. Durant cette évolution, tous les facteurs du mode de vie décrits précédemment dans le chapitre sur la thrombose sont encore des complices hyperactifs.

Lorsque nous avons travaillé sur les transplantés cardiaques (lire page 34), nous avons observé (décrit et publié) tous ces stades d'une athérosclérose accélérée. Et nous avons observé la même chose sur des sujets non-transplantés.

THÉORIE 2 : DES CELLULES MUSCULAIRES DE LA PAROI ARTÉRIELLE QUI MIGRENT ET PROLIFÈRENT

Les biologistes qui ont initialement élaboré cette théorie dans les années 1970 étaient Earl Benditt et Russel Ross. Selon eux, les plaques d'athérosclérose sont dues à une **prolifération tumorale de cellules musculaires** dans des zones limitées des parois artérielles, prenant la forme de plaque plus ou moins obstructive. Cette prolifération serait une réponse à une altération fonctionnelle de l'endothélium. Encore lui !

Les plaquettes (encore elles) jouent un rôle majeur en apportant des facteurs de croissance, aujourd'hui considérés comme indispensable à la croissance des tumeurs. C'est ainsi que Ross a découvert le premier facteur de croissance tumorale, le fameux PDGF (pour *platelet-derived growth factor*).

Cette théorie est née d'une observation épidémiologique et clinique banale : les personnes qui ont un risque élevé de cancer ont aussi un risque élevé d'infarctus et d'AVC. Cancer, infarctus et AVC sont trois maladies de civilisation, des maladies du mode de vie !

LA RESTÉNOSE APRÈS ANGIOPLASTIE : UNE CONFIRMATION DE LA THÉORIE

Il est une circonstance clinique de la pratique quotidienne de nombreux cardiologues qui reproduit le mécanisme décrit dans la théorie 2 : c'est **l'angioplastie**. Cette technique permet de traiter les sténoses de façon mécanique – je la décris dans la partie 4. Le traumatisme de l'endothélium provoqué par le ballonnet d'angioplastie est bien pire qu'une dysfonction endothéliale occasionnée par un mode de vie délétère. Et la réaction de l'artère peut être fulminante après une angioplastie. Certaines *resténoses* sont décelables quelques semaines seulement après l'angioplastie : aucun médicament, aucune modification du mode de vie ne peut empêcher cette explosion pseudo-tumorale qui peut obstruer presque complètement une artère, selon un processus à la fois cicatriciel et tumoral encore mal compris.

Avec cette théorie, pas besoin d'un caillot sur la paroi artérielle ; il suffit d'un dysfonctionnement de l'endothélium pour que les plaquettes s'accrochent à la paroi et déclenchent la migration des cellules depuis la couche musculaire de la paroi artérielle, puis leur multiplication tumorale : les prémisses d'une plaque d'athérosclérose (voir figure 6).

Si aucune néo-vascularisation ne se développe au cours de cette prolifération cellulaire, des zones de nécrose peuvent apparaître dans la plaque, comme dans toute tumeur. Ces nécroses sont inconstantes mais assez typiques : le *core necrotic* des pathologistes.

Inversement, si des néo-vaisseaux se développent, ils peuvent se rompre car ils sont très fragiles. Cette rupture de néo-vaisseaux provoque des **hémorragies intra-lésions** susceptibles d'induire une brutale expansion de la plaque dans la lumière de l'artère et ainsi accélérer le processus d'obstruction. Ces hémorragies localisées coagulent évidemment, et deviennent des caillots *organisés,* comme dans la théorie thrombogénique.

Ces hémorragies intra-lésions sont très fréquentes, notamment chez les patients recevant des médicaments anticaillot. Lors du vieillissement des plaques (en même temps que du patient), la multiplication de petites hémorragies intra-plaques peuvent entraîner l'accumulation de fer, de calcium et aussi de cholestérol libre, car les cellules du système immunitaire en charge de la cicatrisation (et du nettoyage des zones inflammatoires) ne savent pas métaboliser, ni même détruire, ces substances.

Que des investigateurs travaillant pour l'industrie aient prétendu diminuer le volume des lésions d'athérosclérose en quelques mois en réduisant le cholestérol dans le sang – réduisant ainsi selon eux le cholestérol dans les lésions – est surprenant, voire comique ! Que des médecins croient à ce genre de supercherie et, pour cette raison, prescrivent des médicaments ou des régimes anticholestérol est tragique.

Je recommande la lecture des travaux des pathologistes qui ont décrit la structure des lésions d'athérosclérose, notamment ceux de Renu Virmani à Washington, probablement la plus crédible des pathologistes en activité (voir la bibliographie).

Je rappelle que les deux théories que je viens de décrire ne s'excluent pas et des plaques produites via ces deux mécanismes peuvent coexister chez un même patient. D'autres théories (infectieuse, immunitaire, endocrinienne…) pourraient être exposées mais aucune d'elles ne me semble aussi importante que celles que je viens de décrire pour expliquer la survenue des infarctus et des AVC. Car ces deux théories montrent que ce qui contribue aux complications **aiguës** (infarctus, AVC) coïncide parfaitement avec le développement des lésions **chroniques** d'athérosclérose. Et cette coïncidence théorique me paraît être un argument majeur de leur crédibilité !

LES ÉTATS PROTHROMBOTIQUES (OU *THROMBOPHILIE*)

Si la thrombose (ou le caillot) est si important dans l'infarctus et certains AVC, il est légitime de s'interroger quant au rôle potentiel de ce qu'on appelle les états prothrombotiques. Un état prothrombotique est une anomalie (acquise ou héréditaire) qui favorise la formation de caillots.

Certains patients présentent des complications cardiovasculaires ont des anomalies de la coagulation, des plaquettes ou de la fibrinolyse. Ces anomalies peuvent être amplifiées, voire démasquées par un mode de vie délétère. Il peut être important de corriger ces anomalies avec des médicaments. Mais il est encore plus important de corriger le mode de vie.

La liste des anomalies génétiques de l'hémostase est longue. Pour le spécialiste (à la recherche d'anomalies caricaturales), les anomalies détectées sont généralement mineures et ne peuvent pas expliquer les complications cliniques. Mais sur une longue période, une ou plusieurs de ces anomalies minimes peuvent déclencher un infarctus ou certains AVC si elles sont associées à un mode de vie qui favorise les thromboses.

A titre d'exemple, voyons la **lipoprotéine a** [on écrit Lp(a)]. Dans l'Etude de Lyon, presque tous les patients très jeunes (moins de 50 ans) souffrant d'infarctus avaient une Lp(a) très élevée.

Certaines familles ont effectivement une Lp(a) très élevée ; c'est un facteur de risque héréditaire, dont je vais reparler à la partie 3.

Pourtant, certains sujets ont une Lp(a) très élevée mais ne font pas d'infarctus. Il faut, en effet, un mode de vie prothrombotique **et** une Lp(a) élevée pour favoriser l'infarctus ou l'AVC. Inversement, un mode de vie antithrombotique peut neutraliser le risque provoqué par une Lp(a) élevée. C'est exactement ce que nous avons observé dans l'Etude de Lyon.

Pourquoi la Lp(a) favorise les thromboses ? Parce qu'elle ressemble au plasminogène (lire page 85) : elle interfère avec le système de la fibrinolyse et diminue son activité. Elle favorise ainsi la formation de caillot solide et obstructif et donc la survenue de l'infarctus ou de certains AVC.

Il y a souvent une sorte de parallélisme entre cholestérol et Lp(a), les patients qui ont une Lp(a) très élevée ayant souvent aussi un cholestérol élevé. Les experts du cholestérol généralement ignorent la Lp(a) et attribuent le risque au cholestérol. C'est évidemment la Lp(a) qui est coupable et pas le cholestérol qui ne joue aucun rôle dans la coagulation, la fibrinolyse ou la biologie de la plaquette et donc dans la formation des caillots.

D'autres facteurs (héréditaires) de l'hémostase influencent le risque de thrombose de façon plus complexe ou insidieuse que la Lp(a).

Par exemple, le **facteur tissulaire** (ou *Tissue Factor* dit TF) et l'**inhibiteur du facteur tissulaire** (le *Tissue Factor Pathway Inhibitor* ou TFPI) qui sont des initiateurs-inhibiteurs (ils ont des rôles opposés) de la coagulation. Certains d'entre nous ont, de naissance, un complexe TF-TFPI qui favorise les caillots. Avec ce complexe TF-TFPI, la situation est plus complexe qu'avec la Lp(a). En plus d'une variabilité génétique, l'activité pro-caillot du complexe dépend d'autres facteurs, notamment l'**adiponectine** qui est produite par les cellules du tissu adipeux. Pas de panique, je simplifie.

Le risque d'infarctus est inversement proportionnel aux concentrations d'adiponectine. Les concentrations d'adiponectine dépendent du type d'acide gras de l'alimentation avec – on pouvait s'y attendre – une augmentation avec les oméga-3 et une diminution avec les acides gras saturés qui sont prothrombotiques. Ainsi, les pièces du puzzle se mettent en place et, au-delà d'anomalies génétiques non modifiables, ce sont les facteurs du mode de vie (notamment la nutrition) qui sont prépondérants.

Certaines populations autrefois indemnes de maladies cardiovasculaires (dans la zone méditerranéenne ou en Asie) ont vu des modifications majeures de leur mode de vie au cours des 3-4 dernières décennies. Parallèlement, des tragiques épidémies de maladies cardiovasculaires survenaient. Or, on s'est aperçu que ces populations présentent les mêmes anomalies génétiques que des populations plus anciennement touchées par ce type d'épidémie. Ce qui a changé ce ne sont pas les caractéristiques génétiques, évidemment, mais les modes de vie ; et ce sont ces changements de mode de vie qui sont la cause de l'épidémie !

A retenir : 1. Les facteurs prothrombotiques héréditaires sont souvent révélés par **un mode de vie délétère**, lui-même prothrombotique. 2. Même si on a hérité d'un facteur prothrombotique, l'adoption d'un mode de vie antithrombotique sera souvent suffisant pour échapper à l'infarctus. 3. Dans certains cas cependant, la sévérité du facteur prothrombotique héréditaire nécessitera un médicament antithrombotique (partie 4). Ces cas rares sont du ressort de médecins spécialisés et la prise de médicaments ne doit surtout pas empêcher l'adoption d'un mode de vie antithrombotique.

POURQUOI Y A-T-IL DU CHOLESTÉROL DANS LES LÉSIONS D'ATHÉROSCLÉROSE ?

Il y a deux circonstances où la lésion artérielle semble contenir des lipides, et en particulier du cholestérol : la très jeune lésion et la très vieille.

La très jeune lésion, d'abord, que certains appellent la *strie grasse*. Qu'est-ce que c'est ?

Quand on fait des autopsies, y compris sur des jeunes gens, des bébés et même des fœtus, on peut observer des stries grasses (les *fatty streaks* en anglais). Ce sont des stries blanches visibles quasiment à l'œil nu sur la face interne de l'artère. **Ces stries n'ont rien de grasses** ; ce sont des infiltrats de cellules blanches, les leucocytes. Pourquoi dit-on *grasse* alors qu'il n'y a pas de gras ? Je ne sais pas !

Que font ces leucocytes à cet endroit ? Les leucocytes en question étant des *réparateurs*, on peut supposer qu'ils sont là pour *réparer* l'artère qui, soit au cours du développement, soit du fait des traumatismes de la dynamique artérielle (des pressions pouvant atteindre 200 mm de mercure), a besoin d'être réparée continuellement.

Des chercheurs ont étudié des artères prélevées au hasard sur des centaines de personnes plutôt jeunes décédées de causes non cardiaques au Japon et aux Etats-Unis. Ils ont trouvé des deux côtés du Pacifique exactement la même fréquence, la même répartition et les mêmes aspects morphologiques de stries grasses. Ces stries grasses ne sont donc pas un facteur causal d'infarctus puisque les Japonais font très peu de crises cardiaques et les Américains beaucoup !

D'autre part, des modèles expérimentaux permettent de reproduire ces stries grasses dans leurs artères. Des chercheurs français ont montré qu'en traitant ces animaux avec des hormones féminines (les œstrogènes), on pouvait faire disparaître les stries grasses. On sait que les œstrogènes – prescrits à des femmes qui en manquent – augmentent le risque d'infarctus. Ces stries grasses ne sont donc pas (ou peu) impliquées dans l'infarctus.

Les vieilles lésions pour terminer.

Il est classique de dire que certaines vieilles lésions artérielles contiennent du cholestérol. C'est vrai et ce cholestérol peut même se présenter sous forme de cristaux, ce qui témoigne de fortes concentrations. Ce phénomène n'est pas étonnant et explique la méprise de certains pathologistes. Un peu de physiologie descriptive.

Le cholestérol est une molécule précieuse dans notre organisme, tellement précieuse que nous ne savons pas le détruire, seulement le transformer, par exemple en hormones stéroïdes ou en vitamine D. En conséquence, si le cholestérol se retrouve dans des conditions où il n'y a pas de cellules capables de le métaboliser, il s'accumule et constitue un résidu indestructible, par exemple dans la zone centrale nécrosée, le *core necrotic*, dont j'ai parlé à la page 90. Ce n'est effectivement pas là que se manifeste le besoin de fabriquer des hormones… L'accumulation de cholestérol n'est donc pas **la cause** de la lésion – comme le croient certains – mais **la conséquence** du vieillissement des lésions.

> *L'acccumulation de cholestérol n'est pas la cause de la lésion d'athérosclérose mais la conséquence.*

D'autres molécules, notamment des métaux tels le fer, un résidu de l'hémoglobine des globules rouges provenant des hémorragies intra-plaques (lire page 90), se retrouvent aussi en concentrations importantes dans le *core necrotic* mais personne n'accuse le fer d'être responsable de la crise cardiaque. Certains patients (diabétiques, insuffisants rénaux) accumulent du calcium dans leurs lésions au cours du vieillissement donnant un aspect assez typique en imagerie ; c'est la *maladie de Mönckeberg*. Il n'y a pas beaucoup d'experts non plus pour accuser le calcium de provoquer les crises cardiaques…

CHAPITRE 5

LES ACCIDENTS VASCULAIRES CÉRÉBRAUX

S<small>I CE LIVRE EST DÉDIÉ À LA PRÉVENTION DE L'INFARCTUS DU</small> myocarde, la première cause de décès prématuré dans notre pays, il faut aussi parler de l'**accident vasculaire cérébral** (AVC) (la troisième cause de mortalité prématurée après les cancers) parce qu'il est souvent assimilé à un infarctus du cerveau, ce qui est faux comme nous allons le voir.

Autre idée reçue : l'AVC est souvent assimilé à une maladie des personnes âgées. C'est faux, plus du tiers des victimes ont moins de 65 ans.

On croit enfin très souvent que, l'AVC et l'infarctus répondant aux mêmes causes, les mêmes traitements médicamenteux donneront des bénéfices identiques. Cette croyance est tragiquement fausse.

Je le répète, l'AVC et l'infarctus du myocarde ne sont pas des maladies comparables.

Toutefois, pour ceux qui se pensent menacés d'un AVC plus que d'un infarctus, continuez la lecture de ce livre car tout ce qui est bon, en termes de mode de vie, pour la prévention de l'infarctus est aussi bon pour la prévention de l'AVC. Et ce qui ne sert à rien pour la prévention de l'infarctus est également inutile pour la prévention de l'AVC.

UN AVC C'EST QUOI ?

Pendant longtemps, la définition de l'AVC a été seulement clinique. Selon l'OMS, c'était *un déficit brutal et d'au moins 24 heures d'une fonction cérébrale.* En bref, on considérait qu'une artère bouchée = une fonction cérébrale spécifique perdue !

Les progrès fantastiques de l'imagerie cérébrale ont permis de comprendre qu'une multitude de mécanismes sous-jacents pouvait expliquer des symptômes d'AVC très semblables. La perception que nous avons aujourd'hui de l'AVC a ainsi beaucoup changé. Une nouvelle classification des AVC basée sur le mécanisme causal a émergé ; et elle semble rencontrer un large consensus.

Ce qui suit est très important car cela conditionne la motivation de chacun à adhérer aux stratégies de prévention.

On distingue deux grands types d'AVC dont les causes sont totalement différentes (de même que les traitements par voie de conséquence) :
• **les AVC hémorragiques** qui sont dus à une rupture vasculaire,
• et **les AVC ischémiques** qui sont le résultat d'une privation d'oxygène dans un territoire cérébral.

Jusqu'aux années 2006-2007, on pensait que la proportion d'AVC hémorragiques était de 20 % des AVC environ dans les pays occidentaux (beaucoup plus au Japon et en Chine). Malheureusement, les données épidémiologiques les plus récentes venant des Etats-Unis donnent des chiffres très différents. Grâce à la plus forte densité d'appareils modernes d'imagerie cérébrale aux Etats-Unis, d'après les médecins américains, les **AVC hémorragiques représenteraient en fait plus de 40 %** de tous les AVC. Les problématiques thérapeutique et préventive de l'AVC en sont totalement changées !

Il y a plusieurs explications possibles à ces discordances. La première serait qu'en l'absence d'imagerie performante on ait tout simplement sous-évalué la fréquence des AVC hémorragiques – il se peut donc qu'on ait traité un certain nombre d'AVC hémorragiques comme des AVC ischémiques avec des médicaments anticaillot qui favorisent les hémorragies… Tragique !

La deuxième explication serait qu'il y ait bel et bien eu une augmentation des AVC hémorragiques en 30 ans en raison notamment de l'explosion de prescriptions de médicaments qui favorisent les AVC hémorragiques : les antiplaquettaires, les anticoagulants et les statines qui fragilisent les parois artérielles.

Du côté des AVC ischémiques, les choses ne sont pas simples non plus. Il existe pour les AVC ischémiques une sous-classification que je décris dans l'encadré ci-contre.

D'après cette classification, seulement 15 % environ de tous les AVC répondraient à un mécanisme ressemblant à celui de l'infarctus (obstruction d'une artère irriguant le cerveau). Cette répartition des AVC est donc très éloignée de ce que l'on pensait jusqu'à présent. Par conséquent il est urgent de réviser les approches thérapeutiques et préventives de l'AVC.

De plus, l'athérosclérose observée dans les artères cérébrales est différente de celle des coronaires. Ces artères sont en effet structurellement différentes : les coronaires sont des artères musculaires – susceptibles de se spasmer (se contracter de façon très localisée) jusqu'à se fermer comme le diaphragme d'un appareil photo. Les artères cérébrales sont élastiques, et ne se spasment jamais (heureusement) ; mais elles sont fragiles, et susceptibles de se rompre, d'où le risque d'hémorragie cérébrale. A l'inverse, l'hémorragie du myocarde par rupture d'une artère coronaire n'existe pas.

De cette rapide description naît un grand malaise. Comment cette si grande disparité des mécanismes de l'AVC pourrait-elle donner lieu à une stratégie thérapeutique et préventive unique ? Statine pour tous ? Ridicule ! Cela nous conduit à une deuxième question. Comment se protéger de tous ces AVC si différents ? La réponse est relativement simple : tous les AVC étant le résultat de modes de vie délétères, en suivant les conseils de mode de vie donnés dans ce livre, on peut sinon s'en protéger totalement, du moins en réduire considérablement le risque.

QUATRE TYPES D'AVC ISCHÉMIQUES

Parmi les AVC ischémiques, il y a :

• les AVC dont on ignore la cause ou *cryptogenic* (40 % des AVC ischémiques) : on ne comprend pas pourquoi une partie du cerveau manque d'oxygène ;

• les AVC d'origine cardiaque ou *cardio-embolique* (20 % des AVC ischémiques) : un thrombus né dans le cœur migre (embolise) vers le cerveau et bouche une artère ;

• les AVC dus à une *athérosclérose* des artères cérébrales (20 % des AVC ischémiques) : c'est le seul AVC qui ressemble vraiment à l'infarctus du myocarde ;

• les AVC *lacunaires* (20 % des AVC ischémiques) qui sont des petits infarctus multiples dus à des lésions obstructives des petites artères du cerveau (artérioles dites perforantes dont le diamètre n'excède pas 400 μm). Il n'y a pas d'explication claire à cette maladie des petites artères du cerveau. Cette pathologie ne ressemble en rien aux lésions d'athérosclérose habituelles.

PRÉVENTION DE L'AVC HÉMORRAGIQUE

Un AVC hémorragique est dû à la combinaison malheureuse de plusieurs facteurs : la rupture d'une paroi artérielle fragilisée **et** soumise à des fortes contraintes comme par exemple une hypertension artérielle. D'autre part, le risque hémorragique augmente si l'équilibre entre nos tendances à la coagulation et à la fibrinolyse est dévié vers la fibrinolyse (lire page 84). Ce déséquilibre peut survenir de façon spontanée ou à la suite d'un traitement.

Une fois déclenché, un AVC hémorragique est très difficile à traiter. On ne peut que se cantonner à l'arrêt de toute médication anticoagulante et au traitement de l'hypertension artérielle.

L'approche préventive est donc cruciale ! Quels sont les moyens de diminuer le risque d'AVC hémorragique ?

• Ils découlent très logiquement de ce qui précède. La pire des contraintes que subit une artère en effet, c'est une hyper pression. Il faut donc empêcher l'hypertension artérielle, ou la traiter si elle existe. L'hypertension la plus fréquente n'a pas de cause anatomique modifiable. On dit qu'elle est *essentielle*. Le traitement de l'hypertension artérielle essentielle que je privilégie est la correction du mode de vie car il n'est pas associé à des effets secondaires, contrairement à tous les médicaments antihypertension dont la prescription doit être envisagée pour la vie (lire pages 131 et 179).

• Plus surprenant en apparence, un **cholestérol abaissé augmente le risque d'AVC hémorragique**. En effet, le cholestérol est un facteur structurant des membranes cellulaires ; il structure aussi et solidifie la paroi artérielle, ce qui peut être salvateur pour certains d'entre nous qui ont des parois artérielles fragiles pour des raisons génétiques. Il y a de bons arguments biologiques suggérant qu'un régime alimentaire pauvre en graisses et en cholestérol puisse fragiliser la paroi artérielle, notamment celle des artères irrigant le cerveau qui sont peu musclées. Les médicaments anticholestérol aussi, notamment les statines, augmentent le risque d'AVC hémorragique.

• Les médicaments anticoagulants (ou antiplaquettaires) et aussi la consommation excessive d'alcool – qui est une forme d'anticoagulation légère – augmentent le risque d'AVC hémorragique.

En résumé : l'association de médicaments anticholestérol et antiplaquettaire augmente le risque d'AVC hémorragique. Des millions de gens bien ou mal portants sont concernés, rien qu'en France, des dizaines de millions aux Etats-Unis. Pas étonnant que la fréquence des AVC hémorragiques ait augmenté !

Ceux qui boivent excessivement et/ou négligent leur hypertension doivent comprendre qu'ils courent un grave danger, surtout si leur médecin leur a prescrit une statine et/ou un antiplaquettaire !

La seule façon de se protéger des AVC hémorragiques, sans augmenter son risque d'AVC ischémique et d'infarctus du myocarde, est d'adopter en urgence un mode de vie protecteur : celui que je recommande dans ce livre, avec ses différentes composantes.

Et le plus tôt possible sera le mieux !

PRÉVENTION DES AVC ISCHÉMIQUES

Il y a deux cas de figure. Soit on a déjà eu une alerte, un déficit transitoire d'une fonction cérébrale (AIT pour Accident Ischémique Transitoire) et il faut prendre les choses très au sérieux car le risque de récidive sous forme d'AVC complet est élevé. Il faut en urgence identifier le mécanisme causal et les facteurs de risque. Soit on est en bonne santé apparente et on est là dans le cadre d'une prévention à long terme. Il y a moins d'urgence.

Examinons chacune des quatre catégories d'AVC ischémiques définies précédemment (encadré page 97).

Les AVC cardio-emboliques

De nombreuses pathologies cardiaques peuvent donner lieu à la création de thrombus (caillots) dans les cavités cardiaques. Ces caillots peuvent à tout moment se décrocher et être envoyés dans le cerveau ; c'est la définition d'une embolie. La plus fréquente de ces pathologies cardiaques est la **fibrillation auriculaire** (on dit FA entre cardiologues). Les oreillettes du cœur, généralement pour des raisons inconnues, cessent de se contracter normalement et un caillot peut se former sur une des parois du fait de l'immobilité relative de ces parois.

L'important est de traiter la FA ou d'empêcher les récidives de FA si l'épisode a guéri spontanément (j'aborde cette question en détail dans la partie 4 à la page 187).

Parfois, le risque embolique ne vient pas d'une anomalie de la contractilité de l'oreillette, mais de la persistance d'une communication entre les deux oreillettes. L'existence d'une communication entre les oreillettes est normale pendant la vie fœtale – on appelle ça un **foramen ovale** (FO) perméable – mais à l'âge adulte, la persistance de cette communication nous expose au passage de sang veineux de l'oreillette droite (normalement destiné aux poumons) vers l'oreillette gauche qui est directement branchée sur le circuit qui va vers le cerveau. Si un FO perméable n'est pas en soi dangereux, certains d'entre nous peuvent pour des raisons héréditaires ou de mode de vie être atteints d'un état *prothrombotique* (lire page 91) et avoir des fragments de thrombus en circulation de façon chronique. En l'absence de FO perméable, cela peut rester longtemps silencieux car nos poumons – qui filtrent et oxygènent notre sang veineux – nous débarrassent de ces thrombus circulants. Mais en cas de FO perméable, il suffit d'une petite inversion de pression au niveau des oreillettes pour qu'un thrombus d'origine veineuse s'échappe vers le cerveau…

Certains proposent de fermer ce FO par des techniques non chirurgicales, une sorte d'ombrelle que l'on place entre les deux oreillettes pour empêcher le passage de thrombus de l'oreillette droite vers la gauche. Je n'ai pas, personnellement, d'expérience avec ces ombrelles et pas d'avis.

Une évidente précaution est de corriger ces états *prothrombotiques*, surtout s'il suffit de modifier son mode de vie. C'est le minimum à faire quelles que soient les décisions prises par ailleurs pour fermer ce FO perméable.

Il y a d'autres causes plus rares d'embolies cardiaques mais ce serait trop long d'en expliquer toutes les circonstances.

Les AVC de cause inconnue (les *cryptogenic*)

Il n'y a pas grand-chose à dire. On ne les comprend pas (par définition) et la prévention conventionnelle est basée sur l'idée que cette pathologie est sans doute comparable à un infarctus du myocarde. Désolé, ça n'est pas très glorieux…

Les AVC lacunaires

Ils sont dus à des lésions obstructives des petites artères du cerveau, lésions assimilées à une *micro-athérosclérose*. Je rappelle que la *micro-athérosclérose* est une entité pathologique qui n'a jamais été validée et que les spécialistes des AVC l'utilisent faute de meilleur concept pour expliquer les AVC lacunaires. A nouveau pas très glorieux… mais ici je ne vais pas rester muet.

Le problème des AVC lacunaires se trouve au niveau de l'**endothélium** des vaisseaux cérébraux, notamment des petits vaisseaux.

Il est important de comprendre que l'endothélium des artères cérébrales est différent de celui des vaisseaux des autres organes. En effet, l'endothélium des petits vaisseaux cérébraux constitue ce qu'on appelle la *barrière hémato-encéphalique*. Contrairement aux autres endothéliums qui sont relativement perméables à toutes sortes de substances, l'endothélium des vaisseaux cérébraux ne laissent quasiment rien passer. C'est en fonction de cette spécificité fonctionnelle endothéliale qu'il faudrait interpréter la (ou les) maladies dites ischémiques des vaisseaux cérébraux, à l'origine des AVC lacunaires.

Quoi qu'il en soit, tout ce qu'on fera pour protéger l'endothélium des artères protégera des AVC lacunaires.

Les AVC dus à une athérosclérose

Ils sont considérés comme des équivalents de l'infarctus du myocarde. La stratégie préventive *conventionnelle* est donc, sans surprise, comparable à celle de l'infarctus : médicaments pour faire baisser le cholestérol, la pression artérielle, le glucose, éventuellement le poids. Bien rare que l'on parle de mode de vie !

Pourtant, les facteurs de risque sont très différents de ce que l'on peut observer à propos de l'infarctus du myocarde. En simplifiant beaucoup, on peut dire que :

1. un cholestérol élevé **n'est pas** un facteur de risque d'AVC ischémique, quel que soit son sous-type ;

2. par contre, le tabac, l'hypertension artérielle et le diabète sont des facteurs de risque d'AVC ischémique, ce qui renvoie à nouveau au problème endothélial, et nous éloigne du cholestérol ;

3. divers paramètres biologiques, tels l'homocystéine et d'autres facteurs prothrombotiques pourraient aussi être impliqués dans l'AVC ischémique, ce qui renvoie à nouveau à l'endothélium, et pas au cholestérol.

On voit donc que tous les facteurs de risque d'AVC ischémique peuvent être corrigés, au moins en partie, par des modifications adéquates du mode de vie : entraînement physique adéquat, arrêt du tabac, adoption d'habitudes alimentaires antidiabétiques, antihypertensives, antithrombotiques et antihomocystéine, c'est-à-dire méditerranéennes.

Les médicaments généralement prescrits pour diminuer le risque d'AVC ischémique soit sont peu ou pas efficaces, soit augmentent le risque d'AVC hémorragique.

L'énorme avantage de l'approche *mode de vie*, incluant une diète méditerranéenne modernisée, c'est qu'elle n'augmentera pas le risque d'AVC hémorragique tout en protégeant des AVC ischémiques !

> *Les AVC ne sont pas une fatalité, des solutions préventives existent, elles ne sont pas médicamenteuses, et ça n'a rien à voir avec le cholestérol.*

Quel est l'intérêt des statines pour prévenir l'AVC ischémique ?

La prescription de statines pour la prévention de l'AVC ischémique **n'a pas de justification scientifique**.

• Il n'y a pas d'association statistique entre le cholestérol et le risque d'AVC ischémique qui puisse justifier un traitement anticholestérol systématique.

• Un cholestérol élevé (ou non abaissé) est associé à des AVC moins sévères (handicaps moins importants) et surtout à une **meilleure espérance de vie** après l'AVC.

• Un cholestérol abaissé est associé à une augmentation du risque d'AVC hémorragique.

• Un seul essai (appelé SPARCL) a testé réellement l'effet d'une statine sur le risque d'AVC dans des conditions techniques honorables ; et les experts ont généralement considéré que les résultats de cet essai étaient favorables à la statine. Les agences sanitaires, y compris l'AFSSAPS en France, ont validé cette interprétation de SPARCL ; pourtant… dans SPARCL, le test statistique utilisé pour vérifier l'hypothèse dit exactement le contraire. Chaque lecteur connaissant un peu les statistiques médicales peut aller le vérifier par lui-même (c'est la dernière référence de la bibliographie).

L'ensemble de ces données devraient conduire à un réexamen urgent des recommandations officielles pour le traitement et la prévention des AVC ischémiques et des AVC en général.

CHAPITRE 6

LES AUTRES PATHOLOGIES ISCHÉMIQUES

TOUTE ARTÈRE OÙ QU'ELLE SOIT, PEUT ÊTRE MALADE ET SE BOUCHER ; et l'organe irrigué par cette artère peut souffrir d'ischémie. On l'a vu pour le cœur et le cerveau. On peut faire des infarctus des jambes, du rein, de la rate, du pancréas, du tube digestif, des organes génitaux, etc.

Chacun de ces syndromes ischémiques de géographie variable dans notre organisme répond en général aux mêmes mécanismes – thrombose survenant soit sur une artère ayant de l'athérosclérose soit sur une artère normale ou bien embolie d'origine cardiaque. Les plus fréquentes sont les pathologies des artères des membres inférieurs qui dans le pire des cas peuvent se compliquer de gangrène nécessitant une amputation.

Ces pathologies sont presque totalement prévenues par un mode de vie adéquat, en particulier l'abstention tabagique, l'exercice physique et l'adoption d'une diète méditerranéenne.

Les pathologies de l'aorte (abdominale et thoracique) sont particulières et nécessiteraient un développement particulier, ce n'est pas l'objet de ce livre.

Les infarctus des organes digestifs ne sont pas rares, ils sont généralement la conséquence d'embolies ayant trouvé leur origine soit au niveau du cœur soit au niveau de l'aorte.

Ce qu'il est important de comprendre c'est que tous ces infarctus sont essentiellement le résultat de processus thrombotiques en relation avec un mode de vie prothrombotique, plus ou moins favorisés par l'hérédité.

Le cholestérol n'a rien à voir dans ces maladies ischémiques qui sont aisément prévenues par un mode de vie adapté (aucune fatalité) et les médicaments anticholestérol sont, dans ce contexte encore, inutiles et dangereux.

PARTIE 3

LES FACTEURS DE RISQUE CONVENTIONNELS DE L'INFARCTUS ET DE L'AVC

INTRODUCTION

J E VAIS DISCUTER DANS CETTE PARTIE DU LIVRE LA QUESTION DES facteurs de risque *conventionnels* de l'infarctus et de certains AVC, c'est-à-dire ceux pour lesquels il y a des recommandations officielles et qui sont habituellement pris en considération par les médecins : le diabète, l'hypertension artérielle, l'obésité, le tabac, la sédentarité…

D'autres facteurs liés au mode de vie sont souvent oubliés ou négligés. Ce sont pourtant parmi les plus importants. Ils feront l'objet de la cinquième partie de ce livre.

Avant de discuter un peu chacun de ces facteurs *conventionnels*, arrêtons-nous un instant sur la notion de facteur de risque.

UN FACTEUR DE RISQUE N'EST PAS UNE MALADIE

Je prends l'exemple du diabète pour expliquer cette idée fondamentale. Le diabète est une **maladie** avec des **symptômes** : on urine beaucoup, on ne cesse de boire et on est affamé, tout en étant fatigué. Cela traduit un défaut d'insuline avec une forte concentration de glucose dans le sang et ce glucose passe dans les urines d'où le besoin incessant d'uriner, et de boire. Il est indispensable de traiter cette maladie avec de l'insuline, pour calmer ces symptômes.

Aujourd'hui les médecins traitent une sorte de diabète **qui n'a pas de symptômes**. Ils appellent *diabétiques* et traitent (principalement avec des médicaments), toutes les personnes qui ont une glycémie supérieure à la *normale* et en l'absence de tout symptôme ! Quelle est cette *normale* ?

Des experts très proches de l'industrie pharmaceutique ont, sur la base de données épidémiologiques très contestables, érigé une glycémie normale qui est devenue de plus en plus basse avec les années. Résultat : bon nombre de personnes sont déclarées *diabétiques* simplement parce qu'elles ont une glycémie supérieure à cette normale arbitraire et non pas parce qu'elles présentent des symptômes de maladie diabétique.

La prise en charge de ces pseudo-diabétiques consiste désormais à *traiter les chiffres du glucose* avec des médicaments, au motif que leur glycémie supérieure à cette normale arbitraire pourrait à long terme être source de complications cardiovasculaires, rénales et oculaires, ce qui fait le bonheur des industriels !

Malheureusement, après des années de traitement médicamenteux des chiffres du glucose **en l'absence de symptômes**, on s'est aperçu que ça ne servait à rien : des diminutions radicales du glucose n'empêchent pas les complications de survenir. Pire, dans certaines études, on a plus de complications chez les patients prenant un médicament que chez ceux qui reçoivent le placebo.

Il faut donc arrêter de prescrire des médicaments antidiabétiques dans l'espoir de prévenir l'infarctus et l'AVC ! Ce sera sans doute dur à admettre pour beaucoup, notamment pour tous les pseudo-diabétiques (et leurs médecins) qui ont pris des médicaments inutiles et toxiques pendant des dizaines d'années, Mediator et glitazones inclus.

Cela ne veut pas dire qu'il ne faille pas traiter les symptômes du diabète. Cela ne veut pas dire qu'il ne faille pas espérer des glycémies plus basses que celles que l'on voit dans nos consultations. Cela veut dire qu'il faut avant tout corriger les modes de vie qui perturbent le métabolisme du glucose, augmentent la glycémie et finissent parfois par induire un diabète avec symptômes, car ce sont ces modes de vie délétères qui provoquent l'infarctus, et pas le glucose. Le vrai risque, c'est le mode de vie, pas le glucose.

> *En corrigeant le mode de vie, on diminue le risque d'infarctus et d'AVC et éventuellement on diminue le glucose.*

Si on diminue le glucose avec des médicaments, on ne diminue pas le risque d'infarctus et d'AVC **et** on récolte les effets indésirables des médicaments.

Ce raisonnement est valable pour la majorité des facteurs de risque *conventionnels*.

Il faut bien sûr traiter les symptômes d'une hypertension artérielle-**maladie** mais il faut arrêter de penser que plus la pression dans l'artère est basse et plus on diminue le risque d'infarctus et d'AVC. Il faut cesser de **traiter des chiffres**, que ce soient ceux de la pression artérielle ou de la glycémie, il faut traiter des patients **pour les soulager de leurs symptômes**.

Il ne faut pas traiter des surpoids ou des obésités avec des médicaments.

Il ne faut pas donner des médicaments anti-inflammatoires – même si l'inflammation chronique semble favoriser l'infarctus et l'AVC – avec l'espoir de diminuer le risque d'infarctus et d'AVC ; et pas non plus des antidépresseurs, même si la dépression semble favoriser l'infarctus et l'AVC. En effet, non seulement les médicaments anti-inflammatoires et antidépresseurs ne diminuent pas le risque mais souvent ils l'augmentent.

Faut-il abandonner nos dépressifs et nos arthritiques chroniques sans médicaments ? Evidemment pas !

Il faut **les soulager et calmer leurs symptômes** avec des médicaments efficaces. Mais il faut savoir que ce faisant nous augmentons leur risque d'infarctus et d'AVC. Il faut donc bien peser les indications et en parallèle tout mettre en œuvre pour réduire ce risque.

Comme cette vision des choses va à l'encontre des pratiques de la majorité des médecins *conventionnels*, je m'attends à quelques critiques. J'y répondrai via mon blog, mais que mes interlocuteurs fassent attention, tout a été vérifié minutieusement, qu'ils en fassent autant avant de m'interpeler de façon éventuellement hostile.

UN FACTEUR DE RISQUE D'INFARCTUS N'EST PAS LA CAUSE DE L'INFARCTUS

Quand les médecins expliquent l'infarctus aux patients, ils parlent de cholestérol, de tabac, de tension artérielle, de surpoids, voire d'obésité et de sédentarité. Pourtant, le lien entre ces *facteurs de risque* et l'obstruction artérielle qui est la *cause* de l'infarctus n'est pas clair.

Et de se dire : *je ne fume pas, je ne suis pas gros, je ne passe pas mes journées sur le canapé devant la télé, mon docteur ne m'a jamais dit que mon cholestérol ou ma tension était trop haut ! Pourquoi ai-je fait un infarctus ? Dois-je croire mon docteur ?*

Ce chaînon manquant entre le facteur de risque et la thrombose obstructive de l'artère ne concerne pas que le cholestérol. Quel rapport entre le surpoids ou l'obésité et l'obstruction artérielle ? Pas évident !

Pourtant, dans les analyses des populations, on trouve des *associations statistiques* entre le cholestérol et l'infarctus ou entre le surpoids et l'AVC, par exemple. Ces associations statistiques ne sont pas constantes, et elles sont souvent très faibles, d'un point de vue mathématique. Dès lors, chacun leur fait dire un peu ce qu'il veut, c'est la règle dans le maniement marketing des statistiques ! Ces faibles associations statistiques signifient que leur valeur prédictive – *dis-moi ton cholestérol et je te dirais si tu seras encore vivant dans 10 ans* – est généralement très faible. D'où les polémiques et controverses incessantes.

La bonne question devient : si c'est aussi peu prédictif, à quoi ça sert de le mesurer ?

Les statisticiens et épidémiologistes – qui ne sont pas médecins – disent que ces associations peuvent être indicatives si on les analyse sur des grands nombres et avec la perspective de formuler des recommandations générales de santé publique.

Ces arguments ne sont d'aucune utilité quand on est face à un individu particulier. Ceci est évident pour n'importe lequel d'entre nous une fois qu'il a été malade.

C'est néanmoins ainsi qu'*on* a inventé le **facteur de risque**. Quand je dis *on*, je veux parler des statisticiens qui ont fondé cette science qu'est l'épidémiologie ; plus proche de la sociologie que de la médecine, elle n'a rien à voir avec les épidémies de peste et de choléra des siècles passés.

Du temps où les maladies infectieuses nous décimaient, on classait ces maladies en fonction des agents infectieux : la cause de la peste était *Yersinia pestis* et la cause du choléra la bactérie *Vibrio cholerae*. Aucun autre agent infectieux ne provoque ces maladies spécifiques et leur éradication stoppe les épidémies.

A l'inverse, il n'y a rien à éradiquer pour stopper l'épidémie d'infarctus dans nos populations. Le choléra et la peste ont des **causes** précises tandis que l'infarctus survient chez des individus réunissant une constellation de facteurs de risque.

UN FACTEUR DE RISQUE EST UNE CARACTÉRISTIQUE DE L'INDIVIDU

Si on considère une épidémie de choléra (Haïti en 2010) presque toute la population a des contacts répétés avec la bactérie mais un faible pourcentage tombe malade. Certains ont (outre le contact avec la bactérie) des caractéristiques individuelles qui les protègent tandis que d'autres sont fragilisés et tombent malades. Ces caractéristiques individuelles sont assez bien connues ; la malnutrition, une mauvaise hygiène, le stress aigu – dû au tremblement de terre – peuvent affaiblir les défenses immunitaires. On peut assimiler ces caractéristiques individuelles à des facteurs de risque mais, autant que la bactérie, ils vont déterminer qui sera malade, ou qui échappera à la maladie. Bref, si la distinction entre **cause** et **facteur de risque** peut avoir un intérêt théorique, elle est d'une faible utilité en médecine pratique : l'individu est un tout.

Un facteur de risque est donc **une caractéristique de l'individu** (poids ou cholestérol) **sans être une cause d'infarctus ou d'AVC**.

Les lecteurs attentifs ont compris qu'il ne faut pas confondre la fièvre et le thermomètre. Si la fièvre est due au choléra, abaisser la température avec un médicament ne guérit pas du choléra. De même, abaisser le cholestérol avec un médicament ne « guérit » pas du mode de vie délétère (et prothrombotique) qui est la véritable cause de l'infarctus.

On va maintenant examiner certains facteurs de risque *convention-nels*. Il s'agit d'une sélection et un expert pourrait dire que j'en ai oublié. J'accepte cette critique puisque ce livre n'est pas une encyclopédie ni un traité de médecine.

CHAPITRE 1

L'HÉRÉDITÉ

I L Y A DES FAMILLES OÙ L'ON FAIT DES INFARCTUS, D'AUTRES OÙ L'ON FAIT des AVC, et d'autres familles où l'on reste indemne de génération en génération. Pour quelle raison ? Il y a deux explications.

La première explication est génétique ou héréditaire. Des facteurs héréditaires (des gènes, des empreintes patrimoniales fixées dans notre ADN) se transmettent de parents à enfants et augmentent le risque de maladies particulières. Ces gènes sont dits pathologiques car ils favorisent des maladies.

Par exemple, les cancers du sein ou de l'ovaire sont beaucoup plus fréquents chez des femmes porteuses d'un gène de susceptibilité (BRCA1) ou d'un gène de prédisposition (BRCA2) au cancer du sein. Le cancer ne survient pas systématiquement, certaines porteuses de ces gènes y échappent, on ne sait pas pourquoi.

L'AMBIVALENCE GÉNÉTIQUE

Certaines caractéristiques génétiques peuvent favoriser une maladie et nous protéger d'une autre. C'est ce que j'appelle l'*ambivalence génétique*.

L'apoprotéine E est la principale protéine des **lipoprotéines**, complexes moléculaires qui transportent de nombreuses substances : cholestérol, phospholipides, acides gras, tocophérols, caroténoïdes. L'apoprotéine E est très importante dans le métabolisme du cholestérol dans le cerveau.

Il y a trois gènes de l'apoprotéine E : epsilon 2, 3 et 4. Les porteurs du gène epsilon 4 sont à risque d'infarctus par rapport aux epsilons 2 et 3, et aussi de maladie d'Alzheimer précoce. Les epsilons 2 sont protégés de l'infarctus (par rapport aux epsilons 3 et 4) tout en étant à risque de diabète, ce dernier augmentant *théoriquement* le risque d'infarctus.

Si personne ne veut d'epsilon 4, doit-on préférer epsilon 2 ou 3 ? Difficile à dire. Heureusement, epsilon 4 est rare !

Epsilon 2-3-4 est un exemple très simple, mais on comprend que les généticiens aient du mal à délivrer des conseils pratiques et les médecins à trouver dans la génétique de quoi aider leurs patients, ne serait-ce que pour comprendre leurs maladies.

Dans les maladies cardiovasculaires, **il n'y a pas de prédisposition génétique** forte localisée sur **un seul gène**. Des équipes très spécialisées nous annoncent régulièrement des résultats mirobolants, mais ils n'ont pour l'instant jamais été confirmés.

Il faut s'y habituer : la prédisposition familiale à l'infarctus relève d'une mosaïque génique, c'est-à-dire d'une malchanceuse combinaison chez un individu de plusieurs dizaines (ou centaines) de gènes délétères. Mais *ce petit effet génétique* est négligeable par rapport à l'*énormité* du risque engendré par le **mode de vie** : tabac, sédentarité et nutrition.

> *Il n'y a pas de fatalité génétique dans l'infarctus ou l'AVC.*

Cela ne veut pas dire que la mosaïque génique qui nous caractérise ne favorise pas l'infarctus pour certains, cela veut dire que le mode de vie est tellement prépondérant dans la détermination du risque qu'il **peut totalement neutraliser le risque génétique**.

D'ailleurs, certaines populations autrefois totalement indemnes (en Asie, en Afrique et autour de la Méditerranée) sont aujourd'hui victimes d'épouvantables épidémies d'infarctus. Et ces populations ont grosso modo des profils génétiques semblables aux nôtres. Qu'est-ce qui a changé en si peu de temps ? Leur mode de vie évidemment ! Pas leurs gènes.

La deuxième explication permet de comprendre pourquoi, malgré l'absence de gène de l'infarctus ou de l'AVC, certaines familles semblent beaucoup touchées par une sorte de fatalité.

Cette deuxième explication est encore familiale, mais elle n'est pas génétique. Il existe en effet une autre façon de transmettre un risque : c'est en reproduisant de générations en générations un mode de vie délétère. Il y a des familles de fumeurs, on se transmet cette mauvaise habitude et on en récolte les conséquences. Cela n'a rien de génétique.

Certaines familles ont des habitudes alimentaires inadéquates : on mange beaucoup de viandes grasses, jamais de poisson, que du beurre, jamais de légumes. C'est l'habitude : les mêmes plats avec les mêmes ingrédients, on conçoit les mêmes menus qui auront les mêmes effets ! Ceux qui échappent à cette reconduction transgénérationnelle de mauvaises habitudes ont une forte probabilité d'échapper à la fatalité familiale de l'infarctus ou de l'AVC.

Ceci est vrai pour d'autres maladies. Les experts de l'obésité parlent de familles de gros, où même le chien est gros…

QUE DIRE DES FACTEURS DE RISQUE COMME L'OBÉSITÉ ?

S'il n'y a pas de **fatalité génétique** de survenue de l'infarctus, comment expliquer que des facteurs de risque comme l'obésité, le diabète ou l'hypertension artérielle soient eux marqués d'une forte caractéristique familiale. Sont-ils eux-mêmes génétiquement déterminés ?

Ces domaines de recherche étant en plein développement, soyons prudents. Des généticiens cherchent désespérément le gène de l'obésité, celui du diabète ou de l'hypertension. Leur conclusion à nouveau est qu'il est illusoire d'espérer expliquer ces maladies par un seul gène. C'est apparemment une constellation de gènes – chacun d'eux ayant très peu d'influence – qui joue un rôle déterminant dans la survenue de l'obésité, du diabète ou de l'hypertension artérielle ; mais à condition que le mode de vie soit permissif.

Bien sûr, il y a des exceptions où un seul gène peut faire la maladie à lui tout seul. Un exemple : le gène de la **leptine** qui peut donner une obésité importante. La leptine est une hormone sécrétée par le tissu adipeux. La leptine contrôle l'appétit et les individus déficients en leptine développent de sévères obésités car ils mangent trop.

L'ÉPIGÉNÉTIQUE

Une autre forme de transmission familiale de maladies est appelée épigénétique. C'est une nouvelle science qui connait un fort développement. On ne transmet pas un gène morbide, on transmet une aptitude d'un gène à s'exprimer. Un poison provoque la mise au silence d'un gène ; et cette mise au silence est transmise aux générations suivantes même si elles ne sont pas exposées au poison.

Cette transmission épigénétique est bien reproduite avec des poisons endocriniens qui stérilisent des animaux mâles de génération en génération sans que les nouvelles générations soient exposées au poison.

LA QUESTION DES HYPERCHOLESTÉROLÉMIES FAMILIALES

Impossible d'écrire un chapitre sur l'hérédité de l'infarctus et de l'AVC sans dire deux mots sur les hypercholestérolémies familiales (HF). Comment expliquer que le risque d'infarctus ou d'AVC ne soit pas génétiquement déterminé alors que l'HF est une maladie génétique et généralement considérée comme un risque majeur d'infarctus et d'AVC ? La contradiction n'aura échappé à aucun lecteur.

Explication : Le niveau de cholestérol n'est pas seulement déterminé par notre mode de vie, notre alimentation ; il y a un incontestable facteur génétique. Dans certaines familles, on a un cholestérol élevé alors que dans d'autres, le cholestérol est bas. Nous avons des gènes qui règlent le curseur du cholestérol plutôt vers le haut ou plutôt vers le bas.

Ceci étant dit, comment expliquer qu'avec le même cholestérol très élevé, certains fassent un infarctus et d'autres non ? Dit autrement, comment expliquer que certaines HF sont malignes et d'autres bénignes ?

Cette observation confirme encore une fois que la théorie disant que le cholestérol bouche les artères et provoque l'infarctus ou l'AVC ne tient pas. La très grande variabilité du risque d'infarctus (et d'AVC) pour un niveau identique de cholestérol – que ce niveau soit haut ou bas – montre que non seulement le cholestérol est innocent mais surtout que d'**autres facteurs** prédominent, y compris chez les personnes qui présentent une HF, c'est-à-dire un profil génétique spécifique.

Quelquefois, deux caractéristiques génétiques peuvent coexister, l'une étant réellement source de danger et l'autre pas. Par exemple, les personnes qui présentent une hypercholestérolémie familiale ont aussi une **lipoprotéine a** élevée (lire page 91). Les niveaux de lipoprotéine a sont génétiquement déterminés et c'est en fait la **lipoprotéine a** qui est dangereuse car elle augmente le risque de caillot artériel, ce n'est pas le cholestérol.

CHAPITRE 2

HOMMES ET FEMMES SONT-ILS ÉGAUX DEVANT L'INFARCTUS ?

AU MOMENT DU PIC ÉPIDÉMIQUE DE MALADIES CARDIOVASCULAIRES d'après-guerre (les années 1960-1970), les hommes étaient beaucoup plus touchés que les femmes : 1 femme pour 4 hommes. On a longtemps cru que **les femmes étaient protégées par leurs hormones**. Les femmes étaient indemnes d'infarctus et d'AVC jusqu'à la ménopause, moment où la production d'hormones sexuelles s'effondre. Ce fut une des raisons mises en avant par l'industrie pharmaceutique pour faire la promotion du traitement hormonal de la ménopause, en l'absence de toutes preuves scientifiques.

Quand on a mis en place des essais cliniques pour tester les effets de ces traitements hormonaux, on a découvert, avec stupéfaction, que ces traitements augmentaient les cancers, et aussi les infarctus et les AVC !

Les discussions entre experts – certains étant de forcenés défenseurs du traitement hormonal – ont été animées. Le consensus actuel (septembre 2011) est que le traitement hormonal de la ménopause ne diminue pas le risque d'infarctus ou d'AVC, mais au contraire l'augmente.

Question : si les hormones sexuelles augmentent le risque **après** la ménopause, pourquoi seraient-elles protectrices **avant** ? Deux explications.

La **première explication** est que cette vision protectrice des hormones sexuelles chez la femme reposait essentiellement sur la théorie du cholestérol. Le raisonnement était le suivant : si le cholestérol (qui est censé provoquer l'infarctus) est abaissé par le traitement hormonal, alors ce dernier doit protéger de l'infarctus. En fait, lors de la ménopause, la production d'hormones sexuelles diminue (définition de la ménopause) et le cholestérol augmente. Par conséquent, il paraissait logique que le risque d'infarctus et d'AVC augmente aussi. Malheureusement, lorsqu'on donne des hormones aux femmes ménopausées, on obtient certes une diminution du cholestérol mais en même temps une augmentation du risque d'infarctus et d'AVC. Encore une preuve que le cholestérol est innocent et que la théorie du cholestérol est fausse !

Même chose chez les hommes. En vieillissant la production de testostérone diminue, le cholestérol augmente, de même que le risque d'infarctus et d'AVC. Si on donne de la testostérone aux hommes vieillissants, leur cholestérol diminue certes mais le risque cardiovasculaire augmente. Des investigateurs ont dû arrêter brutalement des essais cliniques à cause d'excès d'infarctus et de décès dans le groupe recevant la testostérone.

La deuxième explication oblige à revenir à l'épidémiologie. Si les femmes ont longtemps été protégées, elles ne le sont plus en 2011. Au cours des 20-30 dernières années, elles ont rattrapé les hommes. Les maladies cardiovasculaires sont devenues la première cause de décès prématuré des femmes.

Quand j'étais jeune médecin, à l'arrivée d'une femme (quel que soit son âge) aux urgences avec un syndrome thoracique on n'évoquait pas l'infarctus d'emblée. L'embolie pulmonaire ou la péricardite étaient les premiers diagnostics à vérifier. Aujourd'hui, c'est l'infarctus le premier diagnostic y compris chez les femmes jeunes. En trente ans, ce paysage médical particulier a donc totalement changé. Que s'est-il passé ? Les femmes ont-elles modifié leurs gènes ? N'auraient-elles plus d'hormones ? Leur cholestérol sanguin aurait fait un bond extraordinaire ? Non évidemment ! Ce qui a changé, **c'est le mode de vie** des femmes.

En adoptant un mode de vie auparavant réservé aux hommes, elles ont aussi récupéré les pathologies qui vont avec. Un exemple : le tabac. Autrefois, les femmes fumaient peu, c'était antiféminin. Aujourd'hui, elles fument plus que les hommes (en particulier les jeunes) et on assiste à une envolée des maladies cardiovasculaires et des cancers bronchiques chez les femmes.

> *La prévention de l'infarctus et l'AVC chez la femme est une question de mode de vie !*

Certains expliquent l'épidémie d'infarctus chez la femme par une augmentation parallèle des dépressions et syndromes apparentés en relation avec la multiplication des responsabilités familiales et professionnelles ; et le stress marital consécutif. C'est cohérent avec l'adoption d'un mode de vie délétère : *pour tenir le coup, je fume, pour me relaxer, je fume ; pour tenir le coup, je sacrifie la qualité des repas, pour gagner du temps, je saute les repas ; et prendre le temps de faire un jogging deux ou trois par semaine est bien la dernière de mes intentions vu que je fume et que ma mauvaise nutrition me met dans un état de fatigue chronique.*

On commence souvent par sacrifier ce qui nous protégerait de l'infarctus et de l'AVC ! Au bout du chemin, épuisement, dépression, divorce ; et un peu plus tard, infarctus, cancers, AVC, et le reste...

Le remède ? Redonner un sens à sa vie !

CHAPITRE 3

INFARCTUS ET AVC, DES MALADIES DES SENIORS ?

POUR BEAUCOUP, L'INFARCTUS ET L'AVC SONT DES MALADIES DES personnes âgées ou qui commencent à prendre de l'âge. Effectivement, l'âge médian d'une personne qui décède d'un infarctus ou qui présente un AVC est plus élevé (70 ans) que celui d'une personne qui, par exemple, décède d'un cancer ; une dizaine d'années de différence. Mais, la moitié des patients qui décèdent d'un infarctus ont moins de 70 ans ; des dizaines de milliers de Français âgés de 40 à 60 ans meurent d'infarctus chaque année, une tragédie !

Ainsi le **vieillissement** serait un facteur de risque. En effet, avec l'âge beaucoup de choses s'abiment dans notre corps et nous n'y pouvons rien. Même nos chromosomes s'abiment, et nous privent – faute de la fameuse télomérase pour les réparer – de notre capacité à renouveler nos tissus vieillissants. Cette vision des choses semble imparable, et pourtant elle est contestable.

Les médecins voient chaque jour des gens « vieux avant l'âge », mais aussi des fantastiques vieillards. Il y a peut-être une prédisposition à être centenaire, mais il y a surtout **des modes de vie protecteurs**, comme le montrent si bien les Méditerranéens et les habitants d'Okinawa quand ils respectent au mieux leur mode de vie traditionnel.

> *En prenant de l'âge, le risque d'infarctus et d'AVC augmente de façon proportionnelle aux aberrations de notre mode de vie. Mais ça n'a rien d'inéluctable !*

Pas de fatalité dans la prédisposition à **vieillir en forme**, ou **en méforme**. Cela dépend surtout de nous, mais il faut commencer à y penser tôt. C'est culturel, ça devrait faire partie de l'instruction des enfants !

Aucun doute que nos artères s'abiment avec le temps, elles se rigidifient et deviennent moins adaptées aux stimuli de la vie quotidienne. Le cœur et le cerveau aussi deviennent moins performants, mais les infarctus et AVC sont bien plus qu'une altération d'un système biologique. Ce sont des catastrophes, assimilables à un crash d'avion, qui résultent d'une multitude d'altérations.

CHAPITRE 4

LA CONSOMMATION DE TABAC ET AUTRES SUBSTANCES ADDICTIVES

TOUT LE MONDE CONNAÎT LA TOXICITÉ DU TABAC, MÊME LES FUMEURS. C'est de loin la toxicomanie la plus répandue dans le monde avec une très longue tolérance sociétale – depuis l'émergence de l'épidémie après la première guerre mondiale et jusqu'aux premières années du XXIe siècle, les autorités (académique et administrative) n'ont rien fait pour l'enrayer. Mais c'est surtout la plus addictive et la plus délétère puisqu'elle augmente de façon très importante le risque de diabète, d'infarctus, d'AVC, de plusieurs cancers et même de maladie d'Alzheimer.

Tout médecin qui veut protéger ses patients doit mener un combat sans répit contre le tabac ! Tout individu qui veut protéger sa santé doit s'abstenir de fumer ! Et tous les fumeurs le savent, **il ne faut pas commencer** !

La guerre contre le tabac doit donc commencer très tôt, à l'école. Les fumeurs eux-mêmes doivent s'impliquer, en ne servant jamais d'exemple (en famille), en se cachant (s'ils ne peuvent faire autrement) et en participant activement aux campagnes antitabac !

Il faut aider les fumeurs de toutes les façons possibles, sinon à s'abstenir totalement, au moins à réduire le plus possible leur consommation. Les proches, l'entourage professionnel doivent en permanence contribuer amicalement à ce combat mais également faire pression afin qu'ils n'en récoltent pas eux aussi les conséquences. Les proches des fumeurs peuvent en effet souffrir des mêmes maladies que les fumeurs eux-mêmes !

Les médecins devraient tous être formés aux techniques qui permettent de soutenir les fumeurs dans leurs tentatives pour se libérer. On a des stratégies efficaces, même si cela prend du temps car ce qui caractérise ce combat, c'est qu'il est long.

QU'EST-CE QUI EST TOXIQUE DANS LE TABAC ?

Ce fut l'objet de mon premier travail de chercheur à l'Hôpital Universitaire de Genève. La fumée de tabac contient une multitude de substances toxiques.

La plus pernicieuse est sans doute le monoxyde de carbone, toxique pour l'endothélium dont j'ai rappelé l'importance dans la partie 2 : la dysfonction de l'endothélium favorise les thromboses et les spasmes vasculaires qui eux-mêmes contribuent à l'obstruction artérielle. C'est la nicotine qui provoque la dépendance ; et elle a des effets très puissants et ambigus sur le système nerveux : elle calme les nerveux et stimulent les déprimés. D'où son extraordinaire popularité sans doute.

Chez certains, la nicotine provoque une forte sécrétion d'**ocytocine,** l'hormone de la satisfaction sexuelle… Autre bonne raison d'être populaire !

Un fumeur doit se faire aider par une consultation spécialisée. Via son médecin traitant, le CNCT (Comité National Contre le Tabagisme) ou par Internet, il est possible de localiser un spécialiste relativement proche de son domicile.

A retenir

• Tout individu qui a présenté des symptômes cardiovasculaires doit impérativement cesser de fumer : il court un risque vital !

• Tout individu qui présente un risque cardiovasculaire doit impérativement cesser de fumer : il court un risque vital !

• **Aucun médicament ne peut annuler le risque lié à la consommation de cigarettes.** Les médecins qui prescrivent des médicaments anticholestérol sous prétexte que leurs patients ne peuvent cesser de fumer sont dans l'erreur ; ils contribuent ainsi à pérenniser cette addiction, et à augmenter le risque d'infarctus et d'AVC.

MES CONSEILS

Comment réussir un sevrage tabagique ou plus exactement comment arrêter de fumer sans trop souffrir, et sans trop faire souffrir ses proches ?

• D'abord en s'informant puis en s'y préparant ; sachant que si un arrêt brutal est la solution la plus efficace, il n'est pas interdit d'agir progressivement : diminution progressive, puis arrêt transitoire et enfin arrêt définitif.

• Si je recommande l'usage de substituts nicotiniques (peu ou pas remboursés), par exemple des chewing-gums, je déconseille les médicaments censés aider les fumeurs. Je n'ai aucune confiance dans les boniments prétendant que ces médicaments sont efficaces et sans danger ! Pour ceux qui veulent mieux appréhender les différentes étapes de changement de comportement au cours d'un sevrage tabagique, je recommande la lecture des travaux de Prochaska (référence citée dans la bibliographie ou via Internet).

• L'arrêt du tabac doit être accompagné de **conseils diététiques** (diète méditerranéenne) et d'une **réadaptation à l'exercice physique**.

Dans ce contexte, prendre du poids n'a aucune importance : mieux vaut prendre quelques kilos sans fumer que continuer à fumer en restant mince. Que les fumeurs qui retardent le moment d'arrêter sous prétexte que ça les ferait grossir me retrouvent aux chapitres sur le surpoids et l'exercice physique.

Rien n'est plus réjouissant que de voir une ex-fumeuse s'arrondir un peu, retrouver une voix féminine, et voir la peau (auparavant grisâtre) de son visage s'éclaircir. Parfois il faut un peu de temps pour récolter les bénéfices de l'arrêt du tabac. Ne pas s'impatienter, la récompense vaudra la peine.

L'aide d'un coach ou un psychologue averti ne sera pas inutile.

LA CONSOMMATION D'AUTRES SUBSTANCES ADDICTIVES

Certaines sont de vraies drogues et suscitent une vraie dépendance : la **cocaïne** et l'**héroïne**. D'autres, comme l'alcool et le café, peuvent provoquer une dépendance mais sont d'un usage tellement courant que j'en parlerai dans la partie consacrée à la nutrition.

Rien de particulier à signaler concernant **le cannabis** (kif, hachisch, marijuana) et le risque d'infarctus ou d'AVC. Certes, cette substance a des effets psychiques puissants qui peuvent provoquer de l'anxiété et parfois des crises de panique pouvant s'accompagner d'une augmentation de la fréquence cardiaque et de la pression artérielle. Cela peut avoir des conséquences négatives chez un individu qui, pour bien d'autres raisons, serait *au bord de* la crise cardiaque. Mais ces personnes, généralement d'un certain âge, sont rarement des gros consommateurs de cannabis. Peu de cardiologues et d'urgentistes ont vu des attaques cardiaques ou des AVC provoqués par le cannabis.

Les choses sont bien différentes avec la **cocaïne**. La cocaïne peut provoquer un infarctus du myocarde, parfois une arythmie qui peut se compliquer du syndrome de décès cardiaque subit, et parfois une insuffisance cardiaque car la cocaïne est toxique pour le muscle cardiaque. Devant une suspicion de crise cardiaque chez un jeune homme alcoolisé, il faut penser à la cocaïne. C'est rare bien sûr, mais il est crucial d'y penser car le traitement ne sera pas celui de la crise cardiaque habituelle.

CHAPITRE 5

LE DIABÈTE

J'AI DÉJÀ PARLÉ DU DIABÈTE DANS L'INTRODUCTION DE CETTE PARTIE 3 (page 107). Il y a deux types de diabète : celui qui commence pendant la jeunesse et nécessite d'être traité avec de l'insuline en injection (diabète de type 1 ou juvénile) et celui qui commence plus tard (diabète de type 2, de la maturité), qui évolue progressivement et ne nécessite l'insuline qu'à un stade avancé.

Dans la médecine traditionnelle, il y a diabète quand il y a du sucre dans les urines ; c'est-à-dire quand le niveau de glucose dans le sang a dépassé un seuil (environ 1,8 g/L). Autrefois, les médecins diagnostiquaient le diabète en goûtant les urines. Mais cette définition a été modifiée : on est *officiellement* diabétique aujourd'hui quand le glucose à jeun est supérieur à 1,25 g/L dans le sang, vérifié à deux reprises.

Cette définition est arbitraire mais elle a l'*avantage* – j'ironise – de précipiter la prescription de médicaments antidiabétiques. Des sociétés savantes, proches de l'industrie, ne vont pas tarder à définir le diabète par une glycémie inférieure à 1 ou 0.8 g/L…

Le diabète type 1 est injuste, sa cause est inconnue ; certains suspectent une maladie virale qui se transforme en maladie immunitaire avec destruction des cellules qui produisent l'insuline. Cette maladie reste rare (des centaines de milliers de victimes en France quand même), par comparaison avec l'épidémie de type 2 qui concerne des millions de Français.

Je ne vais pas réinventer maintenant la définition du diabète de type 2, mais je pense que les troubles du métabolisme du glucose et de l'insuline qui ne sont pas associés à des symptômes liés à la présence de sucre dans les urines devraient porter un autre nom que celui de diabète.

Si je reste dans le cadre de la définition *conventionnelle* et *officielle* du diabète type 2 (glycémie supérieure à *la normale*), il faut prendre conscience que le diabète de type 2 résulte d'un **mode de vie toxique** ; le même qui conduit à l'infarctus et à l'AVC. Le diabète type 2 n'est donc pas injuste comme le type 1, il est prévisible.

> *Tout ce qui favorise l'infarctus et l'AVC favorise aussi le diabète type 2*

En se protégeant de l'infarctus et de l'AVC, on se protège du diabète type 2. Inversement, en se protégeant du diabète, on se protège de l'infarctus et de l'AVC. Ce sont des pathologies intriquées. Il n'est pas rare qu'on se découvre diabétique (vraiment diabétique) le jour où on a un infarctus ou un AVC !

La mauvaise nouvelle c'est que la fréquence du vrai diabète de type 2, augmente de concert avec celle de l'obésité. Ces deux maladies sont des bombes à retardement. Mais chacun a compris que ce qui est dangereux, ce n'est ni l'obésité ni le diabète type 2, c'est le mode de vie qui en est à l'origine. Le plus important pour empêcher l'infarctus ou l'AVC, ce n'est pas de diminuer les taux de glucose, c'est de corriger le mode de vie qui peut conduire à l'infarctus ou à l'AVC ; et accessoirement, si on peut dire, au vrai diabète de type 2.

Je ne dis pas qu'il ne faut pas diminuer la glycémie – il faut le faire quand c'est nécessaire, bien sûr, car avoir du sucre dans les urines est une maladie, les yeux et les reins peuvent être endommagés – mais ça n'est pas le plus important.

COMMENT PUIS-JE ÊTRE AUSSI AFFIRMATIF ?

Parce que de récentes études ont montré qu'une normalisation de la glycémie – on fait passer la glycémie en-dessous de 1,25 g/L – avec des médicaments ne protège pas. Pire, dans certains essais cette stratégie antiglucose a augmenté le risque de complications cardiovasculaires, et la mortalité.

Pour des lecteurs qui resteraient sceptiques, je recommande l'examen des essais ACCORD, ADVANCE et VADT cités dans la bibliographie. Ces essais ne sont pas irréprochables, mais ils sont d'une remarquable convergence. Quand des recherches cliniques convergentes bouleversent les théories existantes et vont à l'opposé d'intérêts commerciaux, il y a peu de chance que les investigateurs aient manipulé leurs données, comme on peut le soupçonner avec certains essais prétendument positifs.

Selon certains, cette diminution du glucose avec des médicaments pourrait diminuer les complications touchant les yeux et les reins. Mais ça n'est pas sûr du tout ; on aimerait disposer de données scientifiques solides.

Chez les diabétiques aussi, c'est donc la modification du mode de vie qui doit être prioritaire. Comme le mode de vie joue un rôle primordial dans la survenue du diabète, cette stratégie est quatre fois gagnante.

1• Je réduis le risque d'infarctus et d'AVC !

2• Je corrige le diabète, au moins en partie, y compris si ce n'est pas un **vrai** diabète !

3• Je diminue le risque de complications rénales et oculaires en corrigeant le vrai diabète !

4• Et je m'épargne les effets secondaires des médicaments.

Si c'est un vrai diabète qui dérape – les niveaux de glucose prennent des aspects inquiétants – et que les conseils de mode de vie sont inefficaces, il faut envisager un traitement, plutôt l'insuline que des médicaments par voie orale ; mais je parle là de vrais diabètes qui se compliquent ; et ce n'est pas le sujet de ce livre.

> *Normaliser le glucose des diabétiques n'a aucun intérêt pour la prévention de l'infarctus et de l'AVC ! Il est urgent de réécrire les recommandations officielles à l'intention des médecins ! En revanche, il est impératif de traiter les vrais diabétiques, ceux qui ont du sucre dans les urines !*

MES CONSEILS

On doit, **d'abord et avant tout**, empêcher l'infarctus et l'AVC qui peuvent être mortels !

Ensuite, pour corriger les troubles du métabolisme du glucose et éventuellement – je n'en suis pas sûr – diminuer le risque de complications oculaires et rénales, je suis favorable à une stratégie non médicamenteuse prudente [*D'abord ne pas nuire*, comme disait Hippocrate].

L'affaire du Mediator en France mais aussi celle des glitazones, moins connue, sont édifiantes à cet égard. Les **glitazones** sont des médicaments très efficaces pour réduire la glycémie, mais ils augmentent le risque cardiovasculaire. Comme ils sont susceptibles d'augmenter aussi le risque de cancers, je les déconseille.

Pour les autres médicaments antidiabétiques, chaque médecin est face à ses responsabilités ; pour moi, **le moins est le mieux**.

Pour conclure, rappelons que les **syndromes métaboliques** sont présentés comme des équivalents mineurs du diabète (ou des stades précurseurs du **vrai** diabète type 2) et qu'à leurs égards nous devons appliquer évidemment le même raisonnement que pour la prévention de l'infarctus et de l'AVC : pas de médicament mais rééducation à un mode de vie protecteur.

L'HYPERTENSION ARTÉRIELLE

L E MOT TENSION (ARTÉRIELLE) A LE MÊME SENS QUE PRESSION (artérielle) dans ce livre. Les données scientifiques montrant que l'hypertension artérielle (HTA) est un facteur de risque de l'infarctus sont d'une grande fragilité ! Nous nageons dans les mêmes eaux troubles qu'avec le diabète ou le cholestérol : conflits d'intérêt, études biaisées et complicité des experts. Il faudrait un livre pour développer ces prémisses, mais ce n'est pas l'objet de celui-ci.

LES SYMPTÔMES D'UNE TENSION ARTÉRIELLE ÉLEVÉE

Si un cholestérol élevé n'entraîne pas de symptômes, il n'en est pas de même de l'HTA. Une pression élevée peut provoquer des maux de têtes, des malaises, de la fatigue, des troubles oculaires et auditifs, des saignements de nez ; tous ces symptômes peuvent justifier la prescription de médicaments pour baisser la pression.

De plus, la réduction de la pression artérielle quand elle est initialement très élevée (supérieure à 160 mm de mercure (Hg) de pression systolique au repos) semble diminuer le risque d'**AVC**, notamment **hémorragique**. Il est ainsi justifié de donner des médicaments antihypertension, de façon transitoire, le temps que la cause de cette HTA soit identifiée et éventuellement traitée.

Si certaines HTA ont des causes spécifiques (tumeurs d'une glande productrice de substances hypertensives ou sténose d'une artère rénale), dans la majorité des cas, il n'y a pas de cause identifiable et l'HTA est qualifiée d'*essentielle*.

L'HTA essentielle est due à un **mode de vie délétère. Sédentarité** et **nutrition déraisonnable** sont les principales causes de l'HTA essentielle.

En théorie, l'HTA essentielle est donc elle aussi curable par une modification du mode de vie. A partir de maintenant je ne parle que d'HTA essentielle.

FAUT-IL TRAITER L'HYPERTENSION ARTÉRIELLE ?

Les **vraies HTA** (pression supérieure à 160 mm Hg, le docteur dit : *votre tension est à 16*) peuvent être toxiques pour le rein, les yeux, le cerveau et le cœur.

• Chez un patient ayant des stigmates d'HTA au niveau de son muscle cardiaque, de son œil ou de sa fonction rénale, il faut entreprendre un traitement médicamenteux. Les stigmates sont plus importants que les chiffres de tension. Il est plus important d'obtenir une diminution significative de la pression plutôt qu'une *normalisation* ; d'autant que la définition d'une pression artérielle *normale* est loin d'être évidente (lire encadré).

• Pour des pressions de niveau modéré et en l'absence de symptômes ou stigmates organiques (sur le rein, le cœur ou les yeux), le traitement médicamenteux peut attendre. C'est évidemment dans ces niveaux de pression (entre 12 et 16 pour simplifier) que l'on trouve la majorité des patients (des millions en France) qui se voient prescrire des médicaments. Les données scientifiques justifiant ces prescriptions ne sont pas convaincantes et il faut impérativement modifier le mode de vie de ces patients avant de prescrire des médicaments.

UNE PRESSION ARTÉRIELLE NORMALE, C'EST QUOI ?

Comme pour les normes du taux de glucose et de cholestérol dans le sang, les normes de pression artérielle n'ont cessé de baisser – plus l'industrie règne sur les sciences médicales et plus les chiffres d'une pression dite *normale* sont bas. Dans les années 1970, les médecins toléraient des pressions de 16 sans s'alarmer. Aujourd'hui, on doit rester en deçà de 14, certains veulent moins de 13, d'autres moins de 12. Ces chiffres doivent être d'autant plus relativisés que dans la médecine de tous les jours, les méthodes de mesure sont imprécises. Les médecins ne détectent pas de différence entre 14,5 et 13 ou entre 12,5 ou 11. En outre ces chiffres sont très fluctuants ce qui donne lieu à la description plutôt comique d'*hypertensions masquées* (ou HTA à pression normale) et inversement du fameux *syndrome de la blouse blanche* où c'est la présence du médecin qui provoquerait chez certaines personnes un stress qui augmente la tension artérielle. Tout cela ne doit pas être pris au sérieux, évidemment.

COMMENT TRAITER L'HYPERTENSION ARTÉRIELLE ?

Le niveau de pression est dépendant de notre mode de vie : le tabac et le stress jouent un rôle mineur ; la **sédentarité** et les **habitudes alimentaires** sont des déterminants majeurs.

Il faut donc réduire la pression avec des moyens non médicamenteux, essentiellement avec des programmes d'exercice physique et des adaptations du régime alimentaire. Séparément, l'exercice physique d'une part et une diète antihypertension d'autre part sont au moins aussi efficaces qu'un ou deux médicaments. Avec l'avantage de ne pas être toxiques ! On a aussi montré que les approches non médicamenteuses protègent nos capacités cognitives et diminuent le risque de démence du type Alzheimer. C'est un point crucial.

Il y a ainsi deux écoles, la médicamenteuse et la non médicamenteuse, qui s'opposent sans que des lignes de force soient clairement établies car personne, d'un côté comme de l'autre, n'ose nier les bienfaits de la stratégie alternative. Et chacun de dire que les deux approches sont compatibles, mais dans les faits, quand il s'agit de baisser la tension, pour les médecins comme pour leurs patients : **le médicament est roi !**

Pourtant si le mécanisme biologique intime de l'HTA continue de nous échapper, on en sait assez pour dire que le processus qui conduit à l'HTA adulte commence dès l'enfance, notamment dans les familles d'hypertendus. En effet, la majorité des personnes avec HTA sont en surpoids, souvent diabétiques et sont des sédentaires récalcitrants. Ainsi, quelle que soit sa définition chiffrée, l'HTA résulte d'une combinaison d'anomalies métaboliques, toutes dépendantes de notre mode de vie.

> *Le traitement de l'HTA doit reposer avant tout sur une approche non médicamenteuse.*

Une approche médicamenteuse focalisée sur les chiffres de pression est donc non seulement insuffisante mais surtout malvenue, car certains médicaments favorisent le diabète ou le surpoids ce qui est terriblement contre-productif.

A l'inverse, des approches non médicamenteuses basées sur le mode de vie corrigent ou améliorent les anomalies métaboliques. **En corrigeant les causes, on corrige les effets !**

L'APPROCHE MÉDICAMENTEUSE QUAND ELLE EST NÉCESSAIRE

Elle va dépendre de l'expérience du prescripteur – et des pressions qu'il subit via les experts et l'industrie. Elle doit respecter quatre principes fondamentaux.

1• Moins on donne des médicaments et mieux c'est.

2• Si on en donne, il faut choisir les moins toxiques, ce qui est très dépendant de chaque individu et pas seulement du médicament lui-même : certains font tousser, d'autres provoquent des œdèmes, d'autres favorisent le diabète et font grossir…

3• Il ne faut pas chercher à atteindre des chiffres de pression inatteignables sans fortes contraintes car un patient n'est pas seulement un chiffre.

4• Une fois un traitement prescrit, il ne faut pas hésiter à faire des fenêtres thérapeutiques pour vérifier si on ne pourrait pas se passer de médicaments ou diminuer la dose, et surtout si on a entrepris de modifier son mode de vie !

L'HTA DES PLUS DE 60 ANS

Dans cette tranche d'âge, il semble utile de diminuer les pressions élevées (supérieures à 16) pour réduire le risque d'AVC. Malheureusement, les données scientifiques qui le montrent viennent d'études émanant de l'industrie pharmaceutique. Elles doivent être prises avec beaucoup de précaution.

Au-delà de 80 ans, le consensus jusqu'à récemment était qu'il fallait être très prudent avec les médicaments qui n'ont apparemment pas d'effet sur l'espérance de vie. Un essai appelé HYVET publié en 2008 est venu bousculer les habitudes en annonçant des résultats miraculeux, y compris sur l'espérance de vie. Malheureusement, il s'agit d'un essai dont le sponsor était Servier (laboratoire qui a commercialisé le Mediator). La crédibilité de cet essai étant très faible, oublions-le !

Il faut, dans le doute, rester très prudent avec les plus de 60 ans, et surtout ne pas leur nuire. Il faut donc traiter les HTA symptomatiques, évidemment, mais ne pas chercher à normaliser à tout prix les chiffres de la pression artérielle.

L'APPROCHE NON MÉDICAMENTEUSE

Elle est négligée en Europe, et surtout en France (visiter un site web sur l'HTA permet de mesurer le vide). Aux Etats-Unis, il en va tout autrement. Les Américains ont su tirer partie de belles études démontrant l'efficacité et la totale innocuité des approches non médicamenteuses.

L'approche non médicamenteuse à l'américaine – que l'on peut considérablement améliorer à mon avis – retient cinq moyens d'abaisser la pression artérielle :

1• Perdre du poids.

2• Réduire sa consommation de sel.

3• Augmenter son activité physique.

4• Limiter la consommation d'alcool (à 3-4 verres par jour, chez l'homme) sans faire de distinction entre les boissons – c'est une erreur car certaines substances présentes dans le vin (les flavonoïdes) sont antihypertensives.

5• Suivre le régime DASH pour *Dietary Approach to Stop Hypertension*.

Voyons maintenant les points 2 et 5 un peu plus en détails (les autres points seront développés dans des chapitres spécifiques).

Réduire sa consommation de sel

Malgré une longue controverse – les industriels du sel ont fait de la résistance – les experts de l'HTA disent qu'on mange trop de sel (chlorure de sodium) et que ce n'est pas favorable. Nous consommons actuellement en France environ 9 à 10 g de sel par jour alors que certaines sociétés savantes recommandent moins de 8 g, d'autres moins de 6 g, l'équivalent d'une cuillère à café de sel de table.

Il y a aussi du sel dans les aliments (beaucoup dans les aliments industriels) si bien qu'il est difficile d'avoir une idée exacte de sa consommation de sel. Comment donner des conseils précis sur la consommation de sel à un individu si on ne sait pas combien il en consomme ? Certains d'entre nous – ceux qui travaillent à l'extérieur ou qui ont une activité physique importante – éliminent beaucoup de sel (plusieurs grammes) dans leur transpiration, et ils doivent compenser ces pertes en en consommant plus.

Le problème se complique du fait que ce qui est dans l'assiette ne correspond pas forcément à ce qui est absorbé par le tube digestif : nous ne sommes pas égaux vis-à-vis de l'absorption digestive du sodium. Pour cette raison, certains disent que la meilleure façon d'évaluer la consommation de sel est de mesurer le sodium excrété dans les urines. Mais l'excrétion urinaire du sodium est, comme son absorption digestive, un mécanisme très complexe dépendant de nombreux facteurs régulateurs, en particulier l'insuline. Des études récentes ont montré qu'il était contre-indiqué de diminuer la consommation de sel des diabétiques (les vrais et les pseudo-diabétiques) et aussi des insuffisants cardiaques.

Des études montrent une relation inverse entre l'**excrétion urinaire de sodium** – qui n'est pas parallèle à la consommation de sel – et la mortalité cardiovasculaire ; et d'autres enfin montrent que la réduction de consommation de sel a plutôt des effets négatifs sur la santé...

Il y a donc beaucoup de confusion à propos du sel et il me paraît prudent de ne pas adopter des positions trop extrêmes. Ceci dit, de très fortes consommations de sel semblent responsables d'une augmentation des AVC hémorragiques et de certains cancers, surtout de l'estomac. Des études japonaises ont montré que la diminution du sel avait permis une diminution historique de la fréquence du cancer de l'estomac et des AVC hémorragiques.

Selon la majorité des experts, trop de sel augmente la pression artérielle, et le sel serait donc en partie responsable de l'épidémie d'HTA. Pourtant, dans les essais testant si la diminution du sel a un effet sur la pression artérielle, les résultats ne sont pas impressionnants et la relation entre sel et pression artérielle est également peu impressionnante : peu d'augmentation de la pression avec des augmentations importantes de sel. Tout cela me laisse un peu sceptique, je l'avoue.

Je partage l'opinion de ceux qui estiment qu'une consommation de 6 g n'est pas réaliste. Il est plus important de compenser une consommation de sel jugée excessive par des nutriments protecteurs – le meilleur exemple est le potassium – via l'adoption du régime DASH ou (beaucoup mieux encore) de la diète méditerranéenne : moins de chlorure de sodium certes, mais aussi plus de potassium, de magnésium et de calcium !

Suivre le régime DASH

DASH est un conseil diététique développé par des nutritionnistes américains. Ils recommandent d'augmenter la consommation de fruits, légumes et produits laitiers écrémés. Sont également encouragés les céréales entières, les viandes blanches type poulet, le poisson et les noix. Finalement, il faut diminuer les matières grasses, viandes rouges, sucres et boissons sucrées. En termes de nutriments, cela se traduit par une réduction de la consommation totale de graisses, de graisses saturées et de cholestérol, et une augmentation des apports en potassium, calcium, magnésium, et fibres.

Dans une deuxième phase, ils proposèrent une réduction ciblée des apports en sel, ce fut le *DASH-sodium Plan*, puis ils encouragèrent l'exercice physique, c'est le *DASH Action Plan*. Résultat : 8 semaines de DASH chez des adultes américains entraînent une diminution moyenne de la pression de 10 mm Hg. J'avais 150, j'ai maintenant 140 !

Ce n'est pas époustouflant, mais c'est néanmoins **l'effet d'un médicament** sans les effets nocifs du médicament !

Surtout, c'est une diminution moyenne obtenue sur des centaines de participants parmi lesquels certains suivaient très bien les consignes tandis que d'autres étaient « peu motivés ». Les « très motivés » avaient des réductions beaucoup plus importantes – un effet équivalent à celui d'au moins deux médicaments combinés – d'autant plus importantes que la pression artérielle initiale était plus élevée et les habitudes alimentaires initiales plus hypertensives.

Il est navrant que les experts français n'attachent pas plus d'importance à ces résultats, tout hypnotisés qu'ils sont par leurs médicaments.

Quand on combine DASH avec une restriction en sel et un réentraînement à l'exercice physique (le *DASH-sodium Plan* et le *DASH Action Plan*) on observe une réduction supplémentaire de la pression artérielle chez les plus motivés !

On peut faire la fine bouche devant ces résultats mais ils indiquent que des individus bien conseillés et motivés peuvent guérir de leur HTA essentielle.

> *L'HTA essentielle n'est pas incurable et ses causes sont identifiées, elle résulte d'un mode de vie délétère !*

DASH et risque d'infarctus ?

Le régime DASH appauvri en sel c'est bien pour diminuer la pression, mais nous n'avons pas la démonstration qu'il réduise le risque d'infarctus et d'AVC. Avec une **diète méditerranéenne appauvrie en sel** comme nous le verrons dans la partie 6, nous savons qu'on réduit la mortalité et la morbidité cardiovasculaire ! Si les études sur le régime DASH ont prouvé qu'on pouvait réduire la pression artérielle par des moyens non médicamenteux, on peut faire encore mieux comme j'essaie de le montrer tout au long de ce livre.

Ces recommandations – notamment celles concernant l'exercice physique et dont je vais reparler à la partie 5 – sont parfois difficiles à appliquer. Les hypertendus, de même que les sujets en surpoids (souvent les mêmes personnes) sont réfractaires à l'exercice physique. D'autres sont handicapés ou sont trop âgés pour envisager un exercice physique significatif. Chez ces personnes, des méthodes alternatives, exercices respiratoires et yoga par exemple, pourraient avoir des effets très significatifs.

CHAPITRE 7

CHOLESTÉROL ET TRIGLYCÉRIDES TROP ÉLEVÉS : LES DYSLIPIDÉMIES

SELON LES LIPIDOLOGISTES — UNE SPÉCIALITÉ MÉDICALE QUI EN FAIT n'existe pas mais est très utile à l'industrie pharmaceutique — les dyslipidémies sont des bilans lipidiques anormaux : les concentrations de cholestérol et triglycérides s'éloignent des moyennes observées dans les populations qui sont elles-mêmes définies comme les *normales* à respecter pour diminuer le risque d'infarctus et d'AVC.

Soit le cholestérol total est trop élevé, soit les triglycérides sont trop élevés, soit les deux sont trop élevés. On peut aussi séparer le cholestérol en *bon* HDL-cholestérol qu'on préfère avoir élevé, et en *vilain* LDL-cholestérol qu'il serait préférable d'avoir bas.

J'ai beaucoup parlé du cholestérol et des médicaments anticholestérol (les statines) dans mes livres précédents et sur mon blog, je n'y reviens pas. Mais certains industriels sont repartis à l'assaut des médecins avec un nouveau concept, celui de *risque résiduel*. Je crains qu'on en parle beaucoup dans les années qui viennent, j'en dis quelques mots.

En fonction des dosages du cholestérol et des triglycérides, on classait autrefois les dyslipidémies en divers types ; c'est la classification de Frederickson, qui a perdu tout intérêt depuis que les médecins traitent quasiment toutes les dyslipidémies avec une statine.

Les industriels qui commercialisent d'autres médicaments que les statines ont renoncé à concurrencer les statines. Mais ils essaient désespérément d'attirer l'attention par le *risque résiduel*.

LE RISQUE RÉSIDUEL C'EST QUOI ?

Tous les médecins ont constaté que leurs patients traités avec une statine font quand même des infarctus et des AVC. On leur répond en général que sans la statine leur patient aurait fait l'infarctus ou l'AVC plus tôt, et que cet infarctus ou cet AVC aurait été plus grave. C'est absolument faux ! C'est le contraire, surtout pour les AVC.

Ces observations auraient dû conduire à réévaluer les statines, mais rien n'est plus difficile à réévaluer que les dogmes. Certains experts ont proposé le concept de *risque résiduel* pour surmonter cette contradiction sans remettre en cause la trop *lucrative* théorie du cholestérol.

Le *risque résiduel* est le risque qui persiste malgré un traitement par statine.

Cela sous-entend qu'il faut prescrire un autre médicament en plus de la statine. Les plus pressants des industriels sont ceux qui vendent les **fibrates**. Mais il y a aussi l'**ézétimibe**, la **niacine** ou même la **levure de riz rouge**, pour citer ceux dont les patients parlent le plus souvent.

Aucun de ces médicaments (ou supplément) ne devrait être prescrit ou même commercialisé car aucune étude n'a jamais montré qu'ils avaient une quelconque utilité clinique !

Les fibrates – le plus vendu en France est le fénofibrate ou Lipanthyl – sont différents des statines car ils diminuent à la fois le *méchant* LDL-cholestérol et les triglycérides ; et en plus ils augmentent le *gentil* HDL ; alors que les statines ne font que diminuer le LDL. De telles extraordinaires propriétés devraient faire d'eux les vedettes absolues de la prévention de l'infarctus. Pourquoi n'est-ce pas le cas ?

D'abord parce qu'il a fallu attendre 30 ans de commercialisation pour que des essais cliniques sérieux testant l'efficacité de ces médicaments contre l'infarctus ou l'AVC soient publiés – nouvelle démonstration (après l'affaire du Mediator) que les agences nationales chargées de la surveillance des médicaments et de la protection des consommateurs sont… négligentes.

Pour illustrer mon propos, je ne vais parler que du fénofibrate. Le premier essai sérieux testant ce médicament a été conduit chez des diabétiques et il s'est avéré complètement négatif, c'est l'essai FIELD ; les sceptiques peuvent aller vérifier mes dires. Pas d'autres commentaires.

Si les diabétiques ne sont pas protégés par un traitement combinant ces extraordinaires effets sur le bilan lipidique, il y a peu de chance que ce traitement protège qui que ce soit !

Et si personne n'est protégé par un effet aussi intéressant sur le bilan lipidique, c'est peut-être que ça ne sert à rien de modifier le bilan lipidique de cette manière ! Peut-être même que la théorie du cholestérol ne tient pas la route, mais ça je l'ai déjà dit.

Il y a toutefois un autre essai qui mérite d'être commenté car il permet d'analyser la pertinence du *risque résiduel*. C'est l'essai ACCORD.

Des investigateurs américains ont voulu vérifier si en associant du fénofibrate à une statine chez des diabétiques, ils allaient diminuer le risque d'infarctus et d'AVC, c'est-à-dire réduire le *risque résiduel*. ACCORD a été financé par le gouvernement des Etats-Unis. Donc en l'absence de conflit d'intérêt.

Tous les experts du cholestérol essaient d'oublier ACCORD tellement les résultats vont à l'encontre de leurs théories. En effet, l'association statine + fénofibrate n'apporte absolument aucun bénéfice. Fin du mythe du risque résiduel !

Et assez avec le fénofibrate qui n'apporte rien. D'autant que l'essai FIELD a laissé voir des effets indésirables inacceptables. Quand va-t-on réagir ?

CHAPITRE 8

LE SURPOIDS ET L'OBÉSITÉ

Parler de surpoids et d'obésité en septembre 2011 est un exercice périlleux. Scandales, polémiques et controverses se succèdent sans interruption.

Nous sommes au cœur de l'affaire du Mediator et peu de temps après le retrait précipité de l'Acomplia (ou rimonabant), un médicament antiobésité soi-disant *très prometteur* de la classe des anticannabinoïdes accusé d'augmenter les décès, notamment par suicide. Ces deux affaires ne surviennent pas par hasard. La maladie *obésité* est l'objet de convoitises multiples.

Mais sommes-nous, avec l'obésité, réellement face à une pandémie voire une catastrophe humanitaire ? En d'autres termes être gros est-il une maladie ?

Si on ne peut nier, évidemment, que nos modes de vie pathogènes entraînent une prise de poids chez beaucoup d'entre nous, le surpoids et l'obésité sont-ils **seulement** des stigmates révélateurs d'un mode de vie délétère ou sont-ils par eux-mêmes des maladies à traiter avec des médicaments, et sans tarder ?

PARALLÈLE ENTRE SURPOIDS ET HYPERCHOLESTÉROLÉMIE

De la même façon qu'il faut absolument être *mince* pour être dans la norme, le cholestérol *préférable* n'a jamais été aussi bas ! Les diktats sanitaires concernant le cholestérol, et le poids, ne reposent pas sur de la science.

Parfois l'absence de science peut donner lieu à de véritables délires puisque désormais les médecins sont appelés à identifier et traiter des obésités à poids normal et des hypertensions à pression normale, aussi dites masquées. Les lecteurs curieux pourront retrouver ces ridicules concepts sur Internet. Ils répondent au principe parfaitement décrit par Marc Girard dans son livre *Les médicaments dangereux* (éditions Dangles) : rendre malade le maximum de gens bien portants !

Au-delà d'une certaine limite, nous sommes certes dans la maladie, avec des symptômes, et de la souffrance que les médecins doivent soulager ! Mais en l'absence de tout symptôme, de tout handicap professionnel, familial ou social, sommes-nous malades quand notre poids ne répond pas à *une norme* dictée selon des critères plus que discutables ?

Je crains qu'encore une fois la réponse soit négative.

DOIT-ON MAIGRIR POUR RÉDUIRE SON RISQUE D'INFARCTUS OU D'AVC ?

Première observation : dans tous les pays, toutes les classes d'âge, et les deux sexes, le poids moyen augmente régulièrement depuis plusieurs décennies. Mais notre hauteur aussi ! Est-ce grave, docteur ?

On notera aussi qu'au moment où, collectivement, nous grossissons, la mortalité cardiovasculaire diminue ; ce qui peut s'expliquer par une multitude de facteurs indépendants du poids. Tout ça pour dire que la question des effets de l'obésité et du surpoids sur la santé est loin d'être clarifiée.

Bien sûr et je l'ai écrit précédemment, les grandes obésités sont pathologiques ; mais certaines maigreurs extrêmes aussi.

Le paramètre le plus fréquemment utilisé pour mesurer le surpoids est l'Indice de Masse Corporelle ou IMC. L'IMC est obtenu en divisant notre poids en kilogrammes par le carré de notre hauteur en mètres (IMC= P/T^2). A partir de 25, les experts disent qu'il y a surpoids et au-delà de 30, obésité. Ces chiffres et frontières ne reposent sur aucune rationalité scientifique, comme les limites et frontières qui concernent la glycémie et le cholestérol…

En fait, la relation entre IMC et mortalité suit une courbe en U, c'est-à-dire que pour des surpoids ou des sous-poids progressifs, la mortalité augmente, quelle que soit la cause des décès.

C'est pour les IMC moyens (approximativement compris entre 20 et 30) que l'espérance de vie est optimale. Mais cela n'est vrai que de façon générale et pour des populations en apparente bonne santé. Dès qu'on analyse des populations particulières, notamment des insuffisants cardiaques – je cite cet exemple parce que c'est ma spécialité, mais il y en a d'autres – nous sommes confrontés au **paradoxe de l'obésité**.

De quoi s'agit-il ?

Dans ces populations particulières, l'augmentation de l'IMC n'est pas associée à une augmentation de la mortalité. Au contraire, pour des IMC élevés (sans être la traduction d'obésités extrêmes), on observe une meilleure espérance de vie. L'explication à ce paradoxe a été découverte récemment : les patients en surpoids qui ont une nutrition protectrice et qui sont actifs physiquement n'ont pas plus de risque de mourir que les personnes minces, qu'elles soient sédentaires ou actives.

C'est donc le mode de vie qu'il faudrait corriger, et il ne faut pas s'acharner à normaliser le chiffre de notre poids ou de notre IMC.

Soyons plus précis et revenons au problème spécifique du **risque d'infarctus et d'AVC**, en relation avec le surpoids.

Les données épidémiologiques indiquent assez clairement qu'à partir d'un IMC de l'ordre de 30, le risque d'infarctus et d'AVC augmente en même temps que l'IMC, mais cette relation ne s'observe que chez les personnes sédentaires.

> *Ce n'est pas le surpoids qui est dangereux, c'est le mode de vie qui conduit au surpoids.*

Comme beaucoup de personnes obèses sont aussi sédentaires, une question se pose : est-ce le surpoids du sédentaire qui est responsable de l'augmentation du risque ou la sédentarité elle-même ? Ou la nutrition toxique du sédentaire ? La question est cruciale car la stratégie pour se protéger de l'infarctus et de l'AVC est totalement différente.

Si c'est le surpoids qui est toxique, il faut maigrir à tout prix, y compris avec des médicaments.

Si c'est la nutrition et la sédentarité qui sont toxiques, il faut changer le mode de vie (nutrition saine + exercice physique) sans se préoccuper du poids – on oublie la balance – car l'adoption d'un mode de vie protecteur devrait non seulement diminuer le risque d'infarctus et d'AVC mais aussi accessoirement entraîner une perte de poids.

LA NOTION DE RÉPARTITION DES GRAISSES

Certaines études ont suggéré que la façon dont nous stockons nos graisses [obésité androïde (au niveau du tronc) ou gynoïde (au niveau des hanches et des cuisses)] jouait un rôle dans le risque d'infarctus ou d'AVC. C'est possible, mais il nous faudrait à nouveau des **essais cliniques** pour vérifier cette hypothèse.

Par ailleurs, quand les paramètres de l'exercice physique et de la nutrition sont inclus dans les analyses, l'effet de la répartition des graisses sur le risque d'infarctus et d'AVC devient négligeable par rapport à l'effet du surpoids ou de l'IMC.

Pour répondre définitivement à ces questions, il faudrait des **essais cliniques**. Malheureusement ces essais ne sont pas conduits parce qu'ils sont compliqués à mettre en place, couteux, et avec des résultats aléatoires pour le laboratoire pharmaceutique qui financerait l'essai. En effet, les essais cliniques sont dans 95 % des cas financés par des industriels avec l'espoir de générer du business, des retours sur investissement, comme on dit. Les réponses attendues de nos essais chez les obèses pourraient ne pas être favorables au business (mise sur le marché de nouveaux médicaments), et donc rien ne se passe...

En fait, personne ne pose réellement ces questions. Actuellement l'idée que l'infarctus et l'AVC sont des maladies du mode de vie est mal acceptée. On préfère déclarer la guerre au surpoids et commercialiser des médicaments pour faire maigrir, à n'importe quel prix... Même les marchands de balance sont satisfaits...

MES CONSEILS

Tous les régimes et les médicaments qui prétendent faire maigrir étant nuisibles et parfois dangereux, il faut les éviter. Pour diminuer le risque d'infarctus et d'AVC, il est préférable de concentrer ses efforts sur le mode de vie : exercice physique et habitudes alimentaires.

Il y a bien sûr quelques circonstances où il faut faire absolument maigrir (y compris avec des techniques chirurgicales) car certaines obésités extrêmes ou morbides peuvent générer de réelles souffrances et des handicaps insurmontables. Il faut calmer ces symptômes ! Mais cela ne doit pas être entrepris pour diminuer le risque d'infarctus ou d'AVC ; car rien ne dit que cela ait un effet bénéfique sur ce risque. Un effet nocif ne peut être exclu.

Ma philosophie sera celle de certains scientifiques américains et qui peut se résumer par cette belle formule : *"it is better to be fit and fat rather than unfit and unfat!"* Traduction : *il est préférable d'être en surpoids et en forme plutôt que maigre et en méforme !*

Autrement dit, il vaut mieux se réhabituer à l'exercice physique et adopter une diète méditerranéenne (appauvrie en sel) plutôt que d'adopter un régime artificiel et triste, inefficace à long terme, et dangereux. Dans le premier cas, notre expérience nous l'a montré, on perd du poids sans s'en rendre compte, et on réduit le risque d'infarctus et d'AVC.

On préfère répandre l'idée que les coupables sont le cholestérol, le surpoids ou l'hypertension et que pour diminuer le risque il faut diminuer le cholestérol, le poids et la pression avec des médicaments.

A noter que les **régimes amaigrissants** sont peu efficaces et selon un récent rapport (novembre 2010, consultable via Internet) de l'Agence nationale de sécurité sanitaire de l'alimentation, de l'environnement et du travail (ANSES), ils pourraient être également sources de sévères complications.

> *Il n'y a aucun argument scientifique permettant de dire qu'en abaissant son poids, on diminue le risque d'infarctus ou d'AVC.*

CHAPITRE 9

LA SÉDENTARITÉ

L A SÉDENTARITÉ EST UN MANQUE D'ACTIVITÉ PHYSIQUE. PARLER DE sédentarité et dire, comme le fait l'OMS, que c'est un fléau de notre époque, revient à faire l'apologie de l'exercice physique.

Je suis bien d'accord. Et cette évidence est connue depuis l'Antiquité puisque, à Olympie comme à Epidaure, ce que les médecins grecs célébraient, c'était l'activité physique et des habitudes alimentaires adéquates. C'est la sagesse des Anciens !

L'INSUFFISANCE D'EXERCICE PHYSIQUE AUGMENTE-T-ELLE LE RISQUE D'INFARCTUS ET D'AVC ?

Il y a différentes façons d'évaluer le degré d'activité physique d'un individu. Pour certains, le temps passé devant un écran (télévision, jeux vidéo, ordinateur…) est le meilleur indicateur de sédentarité, pour d'autres, ce sera l'absence de loisirs mais il y a des activités de loisir où on se dépense très peu… C'est donc compliqué de définir la sédentarité, il n'y a pas d'indicateur parfait. Pour déterminer le degré de sédentarité d'un individu, on peut évaluer sa condition physique (son état de forme ou de méforme) en lui faisant faire un exercice dans des conditions standards : c'est le *test d'effort* des cardiologues.

On peut en déduire ce que les physiologistes appellent la *cardiorespiratory fitness* (ou CRF). Pour mesurer la CRF, on demande aux patients de faire un exercice d'intensité progressive et on enregistre la durée totale de cet exercice. Cette durée est appelée *temps d'épuisement*, même si peu de personnes vont jusqu'à l'épuisement. Plus le temps d'épuisement est long, plus la CRF est haute et plus on est en forme.

Au cours des années 1990, une équipe américaine a voulu vérifier la valeur prédictive de la CRF sur l'espérance de vie de milliers de citoyens américains. Ils ont classé ces citoyens en deux catégories de CRF : *en forme* ou en *méforme*. En même temps, ils ont enregistré de nombreux paramètres biologiques et physiologiques (poids, IMC, pression artérielle, cholestérol, glucose, tabac, consommation d'alcool, etc.) qu'ils ont regroupés en classes de patients porteur ou non d'un syndrome métabolique. Ce dernier est lui-même caractérisé par l'association d'un prédiabète, d'un surpoids, et d'une tendance à l'hypertension. L'intérêt du concept de syndrome métabolique est faible, à mon avis, mais il permet de simplifier les analyses.

Il se trouve que ce syndrome métabolique concerne environ le quart de la population américaine adulte bien portante, et dont on a exclu les vrais diabétiques, les vraies hypertendus, les grands obèses.

Qu'ont-ils trouvé ? C'est assez effrayant !

• Ceux qui avaient **un syndrome métabolique** avaient **deux fois plus de risque** de mourir d'une crise cardiaque pendant le temps de suivi que ceux qui n'avaient pas de syndrome métabolique.

• Ceux qui étaient **en méforme** avaient **trois fois plus de risque** de mourir d'une crise cardiaque que ceux qui étaient en forme.

• Mais, la découverte majeure de cette étude est que ceux qui avaient **le syndrome métabolique et qui étaient en forme** n'avaient pas plus de risque de crise cardiaque que ceux qui n'avaient pas le syndrome métabolique.

Autrement dit, être en forme – avoir un entraînement physique régulier – annule totalement les risques liés au surpoids, à l'hypertension artérielle et au prédiabète. L'idéal est d'être en forme et sans syndrome métabolique évidemment, mais la différence avec ceux qui sont en forme et avec le syndrome métabolique n'est pas très impressionnante. La priorité des priorités est donc d'être en forme.

Ces données publiées en 2004 ont été ensuite confirmées par d'autres études. Toutes sont crédibles ; aucun business, aucun conflit d'intérêt chez les auteurs.

Finalement, nous disposons aussi de données scientifiques solides montrant que l'exercice physique est **plus efficace que les médicaments** pour diminuer le surpoids, l'HTA, le diabète, et évidemment les cancers, l'infarctus et l'AVC.

Avec l'exercice physique, nous jouons donc sur tous les tableaux : nous diminuons les facteurs de risque *conventionnels* d'infarctus et d'AVC ; et nous diminuons le risque d'infarctus et d'AVC indépendamment des effets sur les facteurs de risque *conventionnels*. Pas encore en route pour acheter des baskets, un vélo ou un maillot de bain ?

COMMENT L'ACTIVITÉ PHYSIQUE NOUS PROTÈGE DU DÉCÈS CARDIAQUE ?

J'ai expliqué longuement dans mon livre *Dites à votre médecin que le cholestérol est innocent* – j'invite les lecteurs à s'y reporter – que l'activité physique permet d'entretenir des bons muscles et que des bons muscles sont nos réserves d'acides aminés pour fabriquer une multitude de substances protéiques indispensables à la santé. Un autre des super-effets protecteurs de l'exercice physique consiste à augmenter **la résistance du myocarde** aux effets du manque d'oxygène (lire page 70).

Concernant le surpoids, le diabète et la pression artérielle, l'effet protecteur de l'activité physique est proportionnel à la dose – jusqu'à une dose à ne pas dépasser – ce qui en médecine scientifique est presque la démonstration d'une relation de causalité.

Une activité physique raisonnable associée à des habitudes alimentaires protectrices permettent d'obtenir des chiffres de tension excellents, et sans médicaments chez la grande majorité des hypertendus (lire page 134) : ce type d'affirmation n'est pas bon pour le commerce du médicament, ce qui explique qu'on en parle pas beaucoup, bien que ce soit très bon pour le déficit de l'Assurance maladie !

L'activité physique protège à condition d'être maintenue tout au long de sa vie. Ne pas croire qu'avoir été sportif dans sa jeunesse confère une sorte d'immunité pour toute son existence. Au contraire, les athlètes de compétition qui cessent toute activité à la fin de leur carrière sportive ont plus de risque que ceux qui répugnaient aux compétitions lycéennes mais se sont ensuite habitués à une modeste activité physique toute leur vie.

Inversement, les activités physiques intenses (les sports de compétition) peuvent s'avérer délétères pour certains pratiquants. Par exemple, les sports d'endurance en compétition augmentent de façon très significative le risque d'arythmies cardiaques, notamment la fibrillation auriculaire. Cette maladie de l'oreillette n'est pas fondamentalement dangereuse – contrairement à la fibrillation ventriculaire qui est fatale en l'absence de choc électrique – mais la fibrillation auriculaire favorise la formation de caillot dans l'oreillette, des caillots susceptibles d'être expédiés vers le cerveau et de provoquer un AVC. Inversement, une activité physique faible à modérée diminue le risque de fibrillation auriculaire par rapport à la sédentarité. **Tout est dans la mesure**.

De même qu'à partir d'un certain âge – qui peut être assez jeune pour certains d'entre nous – l'activité physique intense peut blesser nos muscles et tendons ; elle peut aussi *blesser* notre cœur.

Il faut savoir à la fois se stimuler mais aussi se ménager : toute activité physique qui fait mal ou fait souffrir devrait être évitée. Mais la fragilité musculaire, y compris du muscle cardiaque, dépend aussi de facteurs nutritionnels. Les déficits en nutriments essentiels provoqués par des régimes amaigrissants ou irrationnels peuvent fragiliser les muscles. Toutes les thérapies, médicamenteuses ou diététiques, visant à diminuer le cholestérol sont catastrophiques pour nos muscles.

> *Il faut protéger nos muscles pour que nos muscles nous protègent !*

Attention ! Ceux qui pensent qu'ils peuvent faire l'économie d'une réflexion sur leurs habitudes alimentaires parce qu'ils ont une activité physique importante vont au devant de désillusions : nous sommes des personnes, pas seulement des muscles et des poumons. C'est le mode de vie global qui importe.

Certains prétendent que ce n'est pas l'activité physique qui protège mais des facteurs génétiques (inconnus pour le moment, selon eux) qui à la fois procurent du plaisir à ceux qui pratiquent une activité physique et les protègent de diverses maladies.

QUAND LES MÉDICAMENTS INTERFÈRENT

Les personnes qui prennent des médicaments contre le cholestérol et l'hypertension artérielle sont moins actifs physiquement que ceux qui n'en prennent pas.

Ce n'est pas un hasard : chez certaines personnes, les médicaments provoquent des douleurs musculaires (les médicaments anticholestérol, surtout après un exercice physique) ou affaiblissent les muscles (les bêtabloqueurs par exemple) ce qui dissuade ces personnes de pratiquer un exercice physique régulier. Nous ne savons pas encore très bien quelle est la part de la toxicité du médicament anticholestérol lui-même et de la diminution du cholestérol dans la toxicité ou l'affaiblissement de nos muscles, mais quelle que soit leur part respective, et l'intensité du syndrome douloureux, on a tout à perdre avec ce type de médicaments.

Chez d'autres, le manque de conseils médicaux appropriés les ont conduit à penser que le médicament pouvait être un substitut aux modifications du mode de vie.

Hélas ! Double erreur !

Ce raisonnement ne tient pas. Des études de jumeaux (proches génétiquement par définition) ont montré que ceux qui étaient sédentaires avaient un risque d'infarctus supérieur de près de 50 % à celui de leurs jumeaux actifs. Donc, leurs gènes ne les protégeaient pas ; c'est bien l'activité physique elle-même qui protège.

MES CONSEILS

En tenant compte de l'âge et du sexe, et pour des personnes sans maladies cardiovasculaires, qu'est-ce qu'il serait souhaitable de faire au minimum ?

Ce que nous savons de données américaines récentes, c'est qu'on peut diminuer de 50 % le risque de faire un infarctus mortel (par rapport à des sédentaires) par deux stratégies équivalentes :

• soit au moins 1 fois par semaine – mais 2 fois ce serait mieux – faire une marche de 3 heures à un rythme modéré ;

• soit au moins 4 à 5 fois par semaine, faire une marche accélérée – jusqu'à arriver à transpiration – de 30 minutes ;

Ces données trop simplistes peuvent prêter à sourire. En fait, elles indiquent deux choses. La première, c'est l'incroyable niveau de sous-entraînement général des Américains moyens d'un certain âge – mais beaucoup de Français moyens ne font pas mieux. La deuxième, c'est l'efficacité préventive d'une faible activité physique.

A la partie 5, je reviendrai sur le problème spécifique de l'activité physique chez des patients qui ont déjà fait un infarctus, ce que l'on appelle **la réhabilitation cardiaque.**

CHAPITRE 10

LE CONTEXTE PROFESSIONNEL OU FAMILIAL

EN GÉNÉRAL, NOUS DEVONS TRAVAILLER POUR GAGNER NOTRE VIE. Nous avons un contexte professionnel. Et en général, nous ne vivons pas seuls, nous avons souvent une famille, des ascendants et des descendants, et on ne peut les oublier ! Nous avons un contexte familial.

Question : est-ce que des facteurs socioprofessionnels ou familiaux peuvent jouer un rôle dans le risque d'infarctus ou d'AVC ?

Beaucoup de victimes répondront affirmativement sans l'ombre d'une hésitation. Pourtant, les choses ne sont pas évidentes.

Je prends un exemple : Régis a 50 ans. Régis travaille douze heures par jour. Il fume un paquet de cigarettes. Il prend ses repas sur le pouce sans considération pour le contenu de l'assiette. Il vit assis dans sa voiture, au bureau, dans son canapé. Il n'a aucune activité physique et il est régulièrement en conflit avec ses enfants et son épouse ; toujours fatigué, peu ou pas d'activité sexuelle…

En apparence, il est en bonne santé. Il a bien un peu de ventre, un léger surpoids mais il n'est pas diabétique et son taux de cholestérol, de même que sa tension ne font pas peur au médecin. Pas de raison de s'inquiéter.

Pourtant, patatras, crise cardiaque à 50 ans. Le coupable que le médecin désigne : le travail, surmenage professionnel ! Est-ce vrai ?

Un peu oui, plutôt non.

C'est un peu vrai car ses conditions de travail ont effectivement déterminé ses conditions d'existence et son mode de vie.

Mais dans les faits, c'est plutôt non ; car ce n'est pas la surcharge de travail qui l'a conduit aux soins intensifs de cardiologie. C'est fumer, être sédentaire et des habitudes alimentaires catastrophiques. Après tout, bien des gens travaillent beaucoup, sans pour autant fumer et mal manger.

Ce n'est pas le surmenage qui est dangereux c'est la manière dont on organise notre vie autour de la contrainte professionnelle.

L'EXEMPLE DE SYLVIANE

Sylviane avait passé sa vie à s'occuper, avec sa maman, d'une sœur handicapée. Au décès de cette dernière, Sylviane a dû prendre en charge sa maman devenue elle-même dépendante... Au décès de sa mère, libératoire d'une certaine manière, elle n'avait eu que quelques mois d'espace libre avant de faire un infarctus et de se retrouver en cardiologie... Elle n'avait jamais fumé, elle était mince, mais elle ne savait pas ce qu'était un repas normal, une nuit normale, des vacances normales. Stress familial ? Certes, mais comment aurait-elle pu penser à elle ? Quand ?

On peut tenir le même raisonnement pour bien des situations socio-professionnelles et familiales. Il faut savoir sacrifier une prometteuse carrière professionnelle ; il faut accepter un divorce, il faut avoir le courage de rompre avec certains amis, une famille trop conflictuelle : pour redonner *un sens à sa vie* et peut-être, pour sauver sa peau !

Je n'irai pas plus loin dans ce raisonnement tant il est vrai que chacun peut se retrouver face à des conditions d'existence telles qu'il est impossible de les contourner. Néanmoins, il faut savoir penser à soi !

Certains lecteurs pourraient dire qu'il existe une riche littérature décrivant le rôle du stress professionnel dans l'infarctus. Je sais, mais je n'en démords point : c'est la façon de gérer ce stress qui est importante, plus que le stress.

Des enquêtes ont montré qu'après un infarctus, le risque de récidive est très dépendant de la reprise du travail. En cas de direction du personnel accommodante (transfert du salarié à un poste adapté, donc moins de stress), le risque de récidive est moindre.

En fait, le **pire des stress professionnels**, selon des travaux scandinaves, ce n'est pas la difficulté du poste ou la rigidité de la Direction, c'est de **perdre son travail**... Et le stress est d'autant plus fort que le chômage survient à proximité du départ à la retraite. Je ne suis pas sûr que ce type d'analyse soit extrapolable à toutes les populations, et à toutes les époques. Pour les femmes, le pire stress ne serait pas professionnel mais familial, ce que l'on appelle en épidémiologie **le stress marital**. A chacun d'imaginer ce que peut être le stress marital... et j'entends quelques lecteurs **mâles** qui rigolent doucement en se disant que je méconnais le stress conjugal des maris...

CHAPITRE 11

INFARCTUS ET AVC, MALADIES PSYCHOSOMATIQUES ?

D EPUIS LE MILIEU DU XXe SIÈCLE, LE RISQUE DE CRISE CARDIAQUE a été associé à des comportements ou des profils psychologiques spécifiques. Autrefois, on décrivait la victime typique d'un infarctus comme étant un *manager* – les Anglo-Saxons parlaient de *cols blancs* (employés de bureau) par opposition aux *cols bleus* des usines, des chantiers et des ateliers – hyperstressé, fumeur, sédentaire, 4 ou 5 téléphones sur son bureau ; avec un sentiment chronique d'hostilité vis-à-vis d'autrui.

Aujourd'hui, la victime d'une crise cardiaque est généralement quelqu'un d'autre : un **déprimé** plutôt qu'un hyperactif et il appartient généralement aux classes inférieures de l'échelle sociale. Ce qui veut dire qu'en cinquante ans, le paysage a radicalement changé ; et que d'autres facteurs interviennent.

Il est probable que le mode de vie qui conduit à l'infarctus et l'AVC (manque d'exercice physique et déficiences ou aberrations nutritionnelles) favorise aussi la dépression. La dépression n'est donc pas **la cause** de l'infarctus ou de l'AVC – puisqu'autrefois l'infarctus n'était pas associé à la dépression – pas plus que le fait de faire un infarctus ou un AVC ne provoque la dépression – quoique ça ne soit pas un événement de l'existence qui aide à « remonter la pente ».

Mon opinion est que le même mode de vie délétère favorise les deux types de pathologies. Pour se protéger de l'infarctus, de l'AVC **et de la dépression**, il faut adopter en urgence le mode de vie décrit dans ce livre. Comment puis-je être aussi affirmatif ? Pour étayer mon affirmation, je vais répondre à deux questions.

EST-CE QUE LA DÉPRESSION AUGMENTE LE RISQUE D'INFARCTUS OU D'AVC ?

On voit mal un patient dépressif organiser sa vie de façon à s'assurer des plages horaires d'activité physique régulière ou élaborer des menus gastronomiques méditerranéens. On le voit fort bien, en revanche, se morfondre devant son cendrier en espérant retrouver un peu d'énergie grâce à la nicotine.

En apparence, il y a donc plus de risque d'infarctus et d'AVC chez les dépressifs, surtout les plus sévèrement atteints, avec deux explications possibles : soit la dépression provoque l'infarctus, soit la dépression entraîne un mode de vie délétère qui est la vraie cause de l'infarctus et de l'AVC.

Ce qui nous amène à la deuxième question.

EST-CE QUE LES MÉDICAMENTS ANTIDÉPRESSEURS DIMINUENT LE RISQUE D'INFARCTUS ET D'AVC ?

La réponse est claire : les médicaments antidépresseurs ne diminuent pas le risque. Pire, plusieurs études montrent qu'ils augmentent le risque d'infarctus, de mort subite et d'AVC. Ce n'est donc la dépression par elle-même qui est la cause de l'infarctus ou de l'AVC ; puisqu'en traitant la dépression (et non sa cause), on n'a pas de bénéfice.

Concrètement, s'abstenir de prescrire des médicaments antidépresseurs chez des patients à risque cardiovasculaire me paraît une précaution élémentaire. Sauf évidemment si l'état psychique de ces patients exige un traitement médicamenteux urgent. Dans ce cas, tout doit être fait en parallèle pour modifier un mode de vie qui prédispose aux caillots ; et on évitera soigneusement aussi les médicaments qui augmentent le risque hémorragique.

A noter que certains médicaments antidépresseurs apparemment efficaces tendent à augmenter le cholestérol. Je n'affirmerais pas qu'ils sont efficaces contre la dépression parce qu'ils augmentent le cholestérol – quoique ce ne soit pas impossible – mais je m'abstiendrais de prescrire tout médicament anticholestérol sous prétexte que cette augmentation du cholestérol ferait courir un risque !

LA NUTRITION PEUT JOUER UN RÔLE

Si c'est le mode de vie qui est la cause commune de la dépression, de l'infarctus et de l'AVC, on ne sera pas étonné d'apprendre que la nutrition peut jouer un rôle dans la dépression comme elle le fait dans l'infarctus et l'AVC.

Des études ont montré des relations entre certaines habitudes alimentaires et le risque de dépression. On a trouvé des relations significatives entre certains types de graisses et le risque de dépression. Ces corrélations se superposent à celles que nous avons décrites à propos du risque cardiovasculaire : les graisses hydrogénées de source industrielle (les fameux *trans*) augmentent le risque, les oméga-6 augmentent le risque tandis que les oméga-3 diminuent le risque, l'huile d'olive et la diète méditerranéenne diminuent le risque.

Dépression et risque cardiovasculaire sont inextricablement liés. En fonction des circonstances de la vie, l'un précède l'autre évidemment ; mais il faut s'occuper des deux risques ; par une modification radicale du mode de vie.

LES CARDIAQUES SONT-ILS PLUS SOUVENT DÉPRESSIFS ?

Il est clair que nous avons assisté au cours des deux dernières décennies à une évolution inattendue de l'humeur des patients cardiaques. Ils sont de plus en plus souvent dépressifs, à l'image de la société dans laquelle ils sont immergés !

Cela peut s'expliquer par l'usage immodéré des médicaments anticholestérol chez ces patients, ceux qui ont survécu à un infarctus et aussi ceux qui n'en ont jamais fait mais qui sont considérés comme à haut risque.

Les médicaments anticholestérol diminuent le cholestérol cérébral et augmentent le risque de dépression et de suicide (lire le billet sur mon blog). Je recommande aux sceptiques de consulter l'abondante bibliographie que j'ai fournie avec le billet.

Par ailleurs, des individus qui cherchent à diminuer leur cholestérol avec des huiles végétales riche en oméga-6 comme l'huile de tournesol (ces personnes sont donc relativement déficientes en oméga-3 et surchargées en oméga-6) et qui en plus se verraient prescrire un médicament anticholestérol, augmentent considérablement leur risque de dépression.

MES CONSEILS

Les solutions pour se sortir de ces cercles vicieux multiples ne passent pas par la prise de médicaments antidépresseurs. Ces derniers peuvent, de façon transitoire, rendre service (peut-être) mais au prix d'une augmentation du risque cardiovasculaire. La priorité est de changer son mode de vie !

CHAPITRE 12

LA POLLUTION DE L'AIR

O N A LONGTEMPS CRU QUE LA PRÉSENCE DE GAZ ET DE PARTICULES dans l'air que nous respirons n'avait pas d'impact sur le risque d'infarctus et d'AVC. En fait, nous n'avions aucune donnée. Et puis, quelques épisodes de pollution urbaine plus tard (Milan, Athènes au début du nouveau millénaire) avec de nombreux décès attribués à ces pollutions et aussi quelques études commanditées dans l'urgence, et nous voilà face à un **très grave problème de santé publique**.

C'EST QUOI LA POLLUTION AÉRIENNE ?

Un ensemble de gaz et de particules toxiques dont les concentrations dans l'air au-delà d'un certain seuil sont nocives. Parmi **les gaz**, on a surtout étudié le monoxyde de carbone (CO) dont j'ai parlé à propos du tabac et de l'endothélium (lire page 124), le dioxyde de soufre (SO_2), l'ozone (O_3) et les oxydes d'azote variés (*nitrogen oxides* en anglais, aussi indiqués par NO_x).

    Les particules solides (poussières, gasoil…) ont un diamètre qui varie de plus de 10 µm (ce sont les PM_{10}) à moins de 0,1 µm ($PM_{0.1}$).

    Plus ces particules sont petites, plus elles se rapprochent du fond des alvéoles pulmonaires et des capillaires sanguins – où se font les transferts entre l'air respiré et le sang – et plus elles sont toxiques.

    D'où viennent ces gaz et particule solides ? La grande majorité provient de la circulation automobile, du chauffage urbain et des usines. Plus on est proche d'une voie de circulation intense – on a inventé un concept, *traffic exposure*, pour quantifier ce risque – et plus on paie le prix fort.

QUELLES COMPLICATIONS PEUT-ON REDOUTER ?

Cela va dépendre de notre état de santé. Si nous sommes jeunes et en pleine santé, le risque est faible. A l'inverse, si nous sommes malades (insuffisants cardiaques, survivants d'un infarctus, porteurs d'un risque rythmique) ou âgés, ou fragilisés par une maladie pulmonaire ou une condition particulière (surpoids, diabète), le risque peut être très élevé et il faut s'en prémunir ; et si nécessaire, déménager.

Je n'exagère pas. Des études – qui certes ne sont pas totalement irréprochables – ont montré que des patients terriblement exposés qui avaient déménagé avaient vu leur risque diminuer de façon significative. Ces complications ont été surtout décrites avec les particules solides de diamètre inférieur à 2,5 µm ($PM_{2,5}$), celles rejetées par les moteurs diesels et les chauffages au mazout.

Y A-T-IL UNE EXPLICATION BIOLOGIQUE ?

Il y a effectivement des données expérimentales convergentes qui permettent d'expliquer ces complications. Il y a aussi des études avec tirage au sort chez les humains montrant que ces toxiques aériens perturbent sévèrement la biologie des plaquettes, de la coagulation et de la fibrinolyse ; et donc augmentent le risque de faire des caillots, et donc des infarctus et AVC.

Une autre cible majeure de ces toxiques est le myocarde. La résistance du myocarde (lire page 71) est très diminuée après une exposition à des particules de diesel.

Ce myocarde intoxiqué au diesel sera ainsi plus à risque de présenter un problème électrique ou mécanique. C'est la principale explication à l'augmentation de la mortalité cardiaque chez des personnes exposées aux particules de diesel.

MES CONSEILS

Il est important de protéger les personnes fragiles en les éloignant des zones de pollution. Il est aussi important que chacun d'entre nous prenne conscience de la pollution qu'il produit.

CHAPITRE 13

L'INFECTION CHRONIQUE

U NE INFECTION PEUT-ELLE FAVORISER UN INFARCTUS OU UN AVC ?
En d'autres termes : un virus ou une bactérie pourrait-il être
impliqué dans une obstruction artérielle par un caillot ?
Beaucoup de chercheurs formés à la médecine pasteurienne – répondant au principe : une maladie = un germe infectieux – ont rêvé d'identifier un agent infectieux qui expliquerait les maladies cardiovasculaires. Ce serait formidable : on traiterait les infarctus et les AVC avec des antibiotiques et on organiserait des campagnes de vaccination…

Aucun germe n'a jamais été identifié.

Il faut, à dire vrai, être très éloigné de la médecine pratique pour élaborer de telles hypothèses. Des chercheurs – qui n'ont jamais vu un patient de leur vie – travaillent sur la mise au point de *vaccin anti-infarctus* et, encore récemment, des laboratoires pharmaceutiques mettaient en place des grands essais testant un antibiotique ; résultats négatifs évidemment.

On a même parlé de vaccins anticholestérol…

Est-ce à dire que dans certaines circonstances, notamment en réponse à une infection virale ou bactérienne, notre système immunitaire ne pourrait pas contribuer aux complications cardiovasculaires ? Soit parce que notre système immunitaire est particulièrement inhibé (quelle qu'en soit la cause) soit parce qu'il est particulièrement stimulé ?

L'EXEMPLE DES TRANSPLANTÉS CARDIAQUES

J'ai décrit à la page 34 la maladie artérielle accélérée des transplantés cardiaques : pas de virus ou de bactérie ici mais, d'un côté, un système immunitaire stimulé comme lors d'une infection (stimulé par la présence du greffon qui est un corps étranger), et de l'autre, un système immunitaire inhibé par les puissants traitements immunosuppresseurs. Nous ne savons pas quelle est la part de la stimulation et de l'inhibition du système immunitaire dans cette maladie artérielle accélérée.

Un autre exemple est celui des patients porteurs du VIH (le virus du SIDA) qui eux aussi présentent plus fréquemment qu'attendu des complications cardiovasculaires. Et eux aussi ont un système immunitaire qui est à la fois inhibé (par le virus) et, d'une certaine manière, stimulé (par les médicaments antiVIH, qui par ailleurs peuvent avoir leur propre toxicité sur les artères ou le cœur).

Il existe d'autres maladies du système immunitaire qui peuvent se compliquer d'infarctus ; par exemple, la maladie de Kawasaki, mais c'est une maladie rare avec la particularité de multiples anévrysmes sur les artères coronaires.

Ce que ces exemples montrent, c'est qu'effectivement une stimulation, ou une inhibition, trop intense ou trop durable du système immunitaire peut favoriser l'infarctus et l'AVC. C'est ainsi, dans le contexte d'une infection chronique, parfois silencieuse sur le plan clinique, que l'on peut augmenter son risque d'infarctus et d'AVC.

MES CONSEILS

Eviter les infections chroniques qui stimulent le système immunitaire inlassablement : faire soigner ses dents, ses infections chroniques (bronchiques notamment mais aussi cutanées) et toutes sortes d'autres infections à bas bruit qu'on peut finir par négliger en prenant de l'âge et qui probablement peuvent favoriser la formation d'un caillot.

QUEL RAPPORT ENTRE UNE INFECTION CHRONIQUE À BAS BRUIT ET LA FORMATION D'UN CAILLOT ?

Une infection s'accompagne de l'élévation d'au moins deux paramètres biologiques impliqués dans le caillot :
• **les globules blancs** (**les leucocytes**) – en plus grand nombre dans le sang puisqu'on est infecté – collaborent avec les plaquettes pour former le thrombus plaquettaire, en principe fragile, mais beaucoup moins si les leucocytes s'en mêlent ;
• **le fibrinogène,** à partir duquel est fabriquée la fibrine qui est le filament qui consolide le caillot.

Cet état infectieux chronique ne peut pas à lui seul – quoique je n'en sois pas certain – provoquer un infarctus ou un AVC, mais en association avec d'autres facteurs, il joue certainement un rôle significatif chez certains patients. L'exemple le mieux connu est celui du fumeur avec sa bronchite chronique ; cette dernière ne se contente pas de *faire le lit du cancer bronchique* (formule archiclassique des livres de médecine) elle *met* aussi *la table des crises cardiaques* (là c'est moi qui invente...).

Mais qui dit infection chronique, avec stimulation immunitaire, dit aussi inflammation chronique. Ce qui conduit à la question suivante : est-ce que d'autres états d'inflammation chronique, sans rapport avec une infection par un germe, pourraient favoriser l'infarctus et l'AVC ?

CHAPITRE 14

L'INFLAMMATION CHRONIQUE

L ES MALADIES INFLAMMATOIRES CHRONIQUES NE SONT PAS RARES. JE vais prendre l'exemple de la polyarthrite ou arthrite rhumatoïde (on dit PR ou AR selon les pays). Il y a d'autres maladies inflammatoires chroniques mais celle-là est fréquente et elle peut atteindre des gens jeunes.

EST-CE QUE LA POLYARTHRITE RHUMATHOÏDE AUGMENTE LE RISQUE D'INFARCTUS OU D'AVC ?

La réponse est OUI, les patients atteints de polyarthrite rhumatoïde ont beaucoup plus d'infarctus et d'AVC que la moyenne attendue, ça n'est pas vraiment étonnant puisque l'inflammation chronique augmente le risque de caillot, via l'augmentation du fibrinogène et des globules blancs (lire page 164).

Mais la polyarthrite rhumatoïde fait souffrir, et les rhumatologues prescrivent des anti-inflammatoires à leurs patients, pour les soulager. On aurait pu espérer qu'en traitant l'inflammation douloureuse avec des médicaments, on diminuerait aussi le risque d'infarctus et d'AVC. Patatras, c'est le contraire : par rapport à un placebo, les médicaments anti-inflammatoires augmentent le risque par un facteur 2 à 4 !

Comment dans ce cas concilier la théorie que l'inflammation chronique augmente le risque et le fait que les médicaments anti-inflammatoires (TOUS les anti-inflammatoires) augmentent aussi le risque d'infarctus et d'AVC ?

En fait, les anti-inflammatoires (à doses réellement anti-inflammatoires et antidouleur ce qui exclut l'aspirine à très petites doses) augmentent le risque car ils empoisonnent l'endothélium (lire page 84) qui devient incapable d'assurer son rôle anticaillot.

De son côté, je l'ai déjà dit, la polyarthrite rhumatoïde augmente le risque, via l'inflammation chronique : plus de leucocytes et plus de fibrinogène.

Je résume : j'ai une la polyarthrite rhumatoïde (plus de leucocytes et plus de fibrinogène), je souffre, mon docteur me prescrit de l'ibuprofène (ou autre) qui empoisonne mon endothélium ce qui augmente encore plus le risque d'infarctus et d'AVC.

Par ailleurs, les patients avec PR sont rarement des joggeurs ou des cyclistes acharnés. Ce sont de grands **sédentaires forcés** ! Et j'ai assez expliqué l'importance de la sédentarité, ou du manque d'activité physique et musculaire, dans le risque d'infarctus…

Que savons-nous, par ailleurs, des habitudes alimentaires des patients avec PR ?

J'ai bien peur à nouveau que l'addition de ces douleurs chroniques, et du manque d'exercice, puissent les mener à certaines formes d'alimentation peu favorable à la prévention cardiovasculaire. Sans parler des effets secondaires, notamment digestifs, des médicaments anti-inflammatoires. Avec des douleurs chroniques à l'estomac, on n'a pas une attirance irrésistible pour la bouteille de vin rouge, et les médecins leur prescriront des IPP qui eux-mêmes augmentent le risque d'infarctus…

Un rhumatologue a-t-il jamais conseillé des habitudes alimentaires protectrices à un patient avec polyarthrite rhumatoïde ? Cela ne fait pas partie de la médecine *conventionnelle*, à ma connaissance. Tout cela mis ensemble, on a beaucoup de raisons de craindre pour ces patients. **Y a-t-il une solution** ? D'abord un programme de recherche, en urgence !

MES CONSEILS

Il faut aider les patients à sélectionner les médicaments les moins toxiques et leur faire adopter en extrême urgence les habitudes alimentaires protectrices décrites dans ce livre.

Si on ne peut leur demander d'adopter un mode de vie plus actif, il faut les engager dans des programmes qui peuvent les aider : gymnastique adaptée à leur condition, exercices de respiration, yoga, méditation entre autres…

PARTIE 4

LES TRAITEMENTS CONVENTIONNELS POUR PRÉVENIR L'INFARCTUS

INTRODUCTION

POUR BEAUCOUP DE MÉDECINS ET LEURS PATIENTS, LA PRÉVENTION passe avant tout par la prise de médicaments. Les modifications du mode de vie ne sont pas rejetées mais sont généralement considérées comme très secondaires. Pourquoi ? D'abord, parce qu'elles sont difficiles à réaliser en pratique – pas facile d'arrêter de fumer ! Ensuite, parce que les médecins et les patients sont parfois convaincus que les médicaments sont non seulement très protecteurs, mais aussi qu'ils le sont à peu de prix, c'est-à-dire que peu d'effets nocifs seraient à redouter. Dans ce cas, pourquoi faire de pénibles efforts pour modifier son mode de vie ?

Ce raisonnement est faux, malheureusement ; la nocivité des médicaments est considérablement sous-évaluée ; de façon parfois intentionnelle par les industriels comme on l'a vu avec les affaires du Vioxx et du Mediator ; mais aussi par ceux des prescripteurs qui, donnent naïvement crédit aux informations très habilement maquillées des industriels.

C'est aussi faux parce qu'en prévention, les médicaments ne sont pas ou sont très peu efficaces. Certains médicaments sont évidemment utiles dans des circonstances particulières. Par exemple, les antiplaquettaires en phase aiguë d'infarctus ou d'AVC ischémique ou chez les porteurs de *stents* ; mais on est là dans le traitement et pas dans la prévention !

Seules des modifications du **mode de vie** sont efficaces contre les maladies du **mode de vie**.

Ce livre n'étant pas un traité de médecine, je ne vais pas présenter tous les médicaments ou classes de médicaments que la médecine *conventionnelle* utilise en prévention de l'infarctus ou de l'AVC.

J'ai sélectionné quatre classes de médicaments qui me paraissent vraiment utiles :

• les anticoagulants et antiplaquettaires c'est-à-dire les médicaments *anti-caillot*,

• les antihypertenseurs, ils abaissent la pression artérielle,

• les antiarythmiques, ils rétablissent un rythme cardiaque normal,
• les antiangineux, ils diminuent la douleur de l'angine de poitrine.

Je dirai aussi quelques mots sur les médicaments anticholestérol, mais sans insister car, je l'ai déjà expliqué dans mes livres sur le cholestérol, je considère que ces médicaments sont inutiles et dangereux.

Je laisse évidemment de côté les traitements médicamenteux de **l'obésité** et du **diabète** qui, comme je l'ai expliqué dans la partie 3, ne diminuent pas le risque d'infarctus ou d'AVC.

Je terminerai par les traitements non médicamenteux, mécaniques et chirurgicaux d'une part (l'angioplastie par ballonnet, la pose de *stent* et le pontage coronarien) et électriques d'autre part (les défibrillateurs implantés).

CHAPITRE 1

LES MÉDICAMENTS ANTICAILLOT

A CE STADE DU LIVRE, ON A COMPRIS L'IMPORTANCE D'EMPÊCHER la formation de caillots pour prévenir l'infarctus et certains AVC. C'est le point essentiel de toute stratégie de prévention.

La meilleure façon d'y parvenir c'est d'adopter un mode de vie *antithrombose* (ou *anticaillot*, c'est la même chose) car non seulement cette stratégie est efficace mais en plus, elle n'a pas l'inconvénient majeur d'augmenter le risque d'hémorragie.

En effet, si les médicaments anticaillot sont efficaces pour diminuer notre tendance à faire des caillots, ils augmentent aussi le risque d'hémorragie. Plus ils sont efficaces pour empêcher les caillots et plus ils augmentent le risque d'hémorragie !

Et voilà le problème terrible posé par ces médicaments.

AVC : NE PAS SE TROMPER DE DIAGNOSTIC

Il y a deux grands types d'AVC, l'AVC ischémique et l'AVC hémorragique (lire page 96). Si les médicaments anticaillot sont utiles en cas d'AVC ischémique, ils sont éminemment dangereux en cas d'AVC hémorragique ; mais aussi si l'AVC ischémique s'est *transformé* en AVC hémorragique, comme cela arrive dans certains cas.

Certes, il est utile, dans certaines circonstances cliniques, d'être puissamment anticaillot. Par exemple, en phase aiguë d'infarctus ou après la mise en place d'un *stent*, il faut absolument prescrire un médicament anticaillot. De même, après un AVC ischémique, il est impératif de prendre ce type de médicament, au moins de façon transitoire, le temps de trouver et traiter la cause de cet AVC.

Mais il faudrait ensuite arrêter ces médicaments dangereux et se contenter d'un mode de vie anticaillot. Or après un infarctus, la pose d'un *stent* ou un AVC ischémique, le problème est de savoir quand arrêter (lire encadré).

QUAND ARRÊTER UN TRAITEMENT ANTICAILLOT ?

Il y a certaines circonstances, malheureusement, où on ne pourra jamais arrêter. Par exemple en cas de fibrillation auriculaire (page 187) car le risque qu'un caillot né dans le cœur migre vers le cerveau est majeur.

Parfois, les médecins sont très hésitants, et ils ne savent pas quand arrêter. Par exemple, quand ils ont mis en place des *stents* dits *actifs* sur le site d'une sténose coronaire. Ces *stents* libèrent des médicaments qui empêchent la fibrose du *stent* mais empoisonnent l'endothélium de l'artère et favorisent l'obstruction du *stent* par un caillot. Ce sont des cas médicaux compliqués qui sortent du cadre de la prévention.

Je résume : moins on prend ce genre de médicaments et mieux c'est. Nous devons donc faire le maximum en termes de mode de vie, le plus tôt possible dans notre existence, pour n'avoir jamais besoin de ces *stents* ni de ces médicaments.

TROIS GRANDES CLASSES DE MÉDICAMENTS ANTICAILLOT

C'est probablement le domaine de la thérapie médicamenteuse en cardiologie où l'on a fait le plus de progrès au cours des deux dernières décennies. Contrairement aux médicaments anticholestérol, les médicaments anticaillot sont réellement utiles.

Classiquement, les médecins utilisent **trois catégories** de médicaments anticaillot :

• Ceux qu'on utilise par injection (par exemple l'héparine) et qui inhibent la coagulation mais pas les plaquettes. Je les laisse de côté, c'est du ressort de la médecine hospitalière.

• Ceux qui sont administrés par voie orale et qui inhibent la coagulation mais pas les plaquettes : on les appelle des anticoagulants oraux. Ce sont **les antivitamines K**, que l'on prescrit souvent aux patients quand ils sortent de l'hôpital. Ces médicaments sont efficaces mais difficiles à utiliser au long cours ; les médecins craignent toujours d'en donner trop (risque d'hémorragie) ou pas assez (risque de caillot). Paradoxalement, bien qu'ils soient très efficaces, on n'a jamais pu prouver qu'ils diminuaient le risque d'infarctus. Par contre, ils diminuent le risque d'AVC chez les sujets qui ont une fibrillation auriculaire. Cette inefficacité dans la prévention de l'infarctus s'explique assez bien, j'en ai déjà parlé (pages 77 et 90). La grande pathologiste américaine Renu Virmani a montré que l'une des façons de progresser – et devenir plus dangereuse – de la plaque d'athérosclérose, c'est l'hémorragie intra-plaque, en général à la suite d'une rupture d'un petit vaisseau et dans le contexte de traitement anticoagulant. Le gonflement de l'hématome à l'intérieur de la lésion peut en effet accentuer le rétrécissement de l'artère et conduire à une obstruction presque totale.

• Ceux qui diminuent la réactivité des plaquettes (mais pas la coagulation, au moins directement), ce sont **les antiplaquettaires**. Ce sont les médicaments anticaillot préférés des cardiologues pour la prévention de l'infarctus et de l'AVC ischémique. Le chef de file des médicaments antiplaquettaires est **l'aspirine**. Il y a aussi **le Plavix**.

L'ASPIRINE

L'aspirine est utile à condition d'être donnée à faible dose et de façon transitoire, pas plus de quelques semaines. Dans le cas contraire, l'aspirine devient toxique pour l'endothélium (lire page 83), et elle est inefficace voire nocive, bien qu'elle inhibe les plaquettes.

Certaines personnes présentent une résistance à l'aspirine dont j'ai parlé à propos des transplantés cardiaques. Il vaut mieux, si possible, se passer de l'aspirine car, en plus de devenir inefficace avec le temps et même à faible dose, elle est très toxique pour l'estomac ; ce qui nécessite la prescription de médicaments protecteurs de l'estomac, par exemple les inhibiteurs de la pompe à protons (IPP).

Ces IPP ont plusieurs défauts majeurs : ils augmentent la fréquence des diarrhées infectieuses et le risque de fractures osseuses ; mais surtout, en diminuant l'acidité gastrique, ils diminuent l'absorption digestive de nutriments majeurs comme la vitamine B12, le potassium et le magnésium, avec comme conséquence, chez certaines personnes, les complications dues aux déficits en ces nutriments indispensables : augmentation de la pression artérielle, de la réactivité plaquettaire – réduisant d'autant l'efficacité de l'aspirine – diminution de la résistance du myocarde et augmentation de toutes les complications de l'infarctus. Mieux vaut se passer des IPP !

Finalement mieux vaut se passer de l'aspirine puisqu'il semblerait qu'elle augmente également le risque de certaines maladies des yeux, notamment la dégénérescence maculaire liée à l'âge (ou DMLA, première cause de cécité en France) dont la fréquence est également augmentée par les statines. Des millions de Français sont traités inutilement par l'association aspirine + statine, avec de multiples effets toxiques, et pas seulement pour les yeux : quand va-t-on réagir ?

MES CONSEILS À PROPOS DE L'ASPIRINE

Si à faibles doses, à court terme et après un épisode avéré de thrombose, elle est sans doute utile, je déconseille de la prendre en l'absence de caillot avéré et sur une longue durée. Il y a d'ailleurs à propos de l'efficacité de l'aspirine une controverse récurrente entre les meilleurs experts. En dehors de l'aspirine, nous avons d'autres antiplaquettaires qui n'ont pas les défauts de l'aspirine, par exemple le Plavix (clopidogrel).

LE PLAVIX

Je précise que je n'ai pas de conflit d'intérêt à propos du Plavix et une bonne nouvelle, ce médicament encore très couteux sera bientôt disponible sous forme de générique, ce qui éliminera ce mauvais prétexte pour préférer l'aspirine au Plavix.

Aucun médicament n'étant parfait, le Plavix a plein de défauts sur lesquels insistent lourdement les industriels qui proposent de nouveaux antiplaquettaires. Je ne vais pas entrer dans ces discussions. Mais pour une prévention à moyen terme, avec un faible risque de complications variées, et surtout compte tenu de l'expérience acquise avec les années par les médecins, le Plavix est à mon avis indétrônable. D'autant plus que le Plavix est efficace chez les diabétiques et les transplantés, ce qui n'est pas le cas de l'aspirine.

On a aussi décrit des cas de résistance au Plavix et il semble que ça ne soit pas rare.

MES CONSEILS À PROPOS DU PLAVIX

A tous les patients qui se voient prescrire du Plavix, je recommande :
• de ne pas prendre d'IPP,
• de ne pas être sous-dosé en Plavix (prendre les doses complètes et également ne pas sauter les doses),
• de prendre en association des capsules d'oméga-3 car on a montré que la résistance au Plavix était en grande partie annulée avec ces acides gras. Les oméga-3 agissent sur les plaquettes un peu comme l'aspirine et ils ont par ailleurs de nombreuses propriétés protectrices du cœur, du cerveau et autres organes ; et pas d'effet nocif important. Il y a donc tout à gagner en associant les oméga-3 au Plavix. Je préfère les capsules qui contiennent un mélange d'oméga-3 végétal et marin.

UN NOUVEAU MÉDICAMENT PROMETTEUR POUR PRÉVENIR L'AVC CARDIO-EMBOLIQUE

L'AVC ischémique d'origine embolique est le résultat de la migration d'un caillot, du cœur vers le cerveau et qui bouche une ou plusieurs artères cérébrales. Ce caillot se forme dans le cœur quand il est atteint de fibrillation auriculaire (page 187). Pour se protéger de ce type d'AVC dit *cardio-embolique*, on a recours aux médicaments anticaillot.

Les antiplaquettaires sont peu efficaces ; seuls les médicaments anticoagulants oraux semblent utiles ; c'est-à-dire **les antivitamines K**. Mais ces médicaments sont dangereux car ils interfèrent avec des aliments et d'autres médicaments et il est nécessaire de vérifier régulièrement que l'on a le bon dosage (par une prise de sang) car le risque hémorragique en cas de surdosage n'est pas négligeable.

Récemment une nouvelle classe d'anticoagulants oraux, les inhibiteurs du facteur Xa (le dabigatran, nom commercial Pradaxa), a été proposée pour remplacer les antivitamines K. Avantages : pas de prise de sang pour vérifier le dosage, peu d'interactions, moins de complications hémorragiques semble-t-il, et au moins aussi efficace que les antivitamines K pour la prévention de l'AVC. C'est mieux en apparence, tout en étant plus couteux… Mais soyons prudents avec les argumentaires des industriels, attendons la suite !

Certains audacieux ont pensé qu'ils pouvaient aussi s'ouvrir le marché des patients à risque d'infarctus, à condition de les associer aux antiplaquettaires. La sanction ne s'est pas fait attendre : beaucoup plus de complications hémorragiques dans le groupe traité par les deux médicaments anticaillot !

MES CONSEILS À PROPOS DES MÉDICAMENTS ANTICAILLOT

Il me semble important de retenir que si effectivement nous avons des médicaments qui permettent de réduire de façon significative le risque de caillots dans les artères, et les embolies cérébrales, c'est au prix de fréquentes complications hémorragiques.

Il faut donc tout faire pour éviter les situations où ces médicaments sont indispensables. Mais s'ils sont nécessaires, ça peut arriver, il faudra les prendre le moins longtemps possible. Ce qui signifie qu'il faut adopter un **mode de vie protecteur** le plus tôt possible dans sa vie pour ne jamais être confronté à ces inconfortables situations.

CHAPITRE 2

LES MÉDICAMENTS ANTIHYPERTENSEURS

L ES MÉDICAMENTS ANTIHYPERTENSEURS SONT PARFOIS NÉCESSAIRES, soit pour soulager les patients de leurs symptômes, soit parce que leurs chiffres de pression sont vraiment trop élevés (lire page 132). Ces chiffres très élevés sont souvent associés à des symptômes.

Inversement, la grande majorité des personnes traitées actuellement avec ces médicaments ne devraient pas l'être soit parce que leur pression n'est pas très élevée mais surtout parce que des modifications de leur mode de vie suffiraient à obtenir une pression artérielle compatible avec un excellent pronostic cardiovasculaire sans avoir tous les effets secondaires des médicaments ; et avec une formidable économie pour l'Assurance maladie.

Les recommandations des sociétés savantes, notamment françaises et européennes, concernant les cibles de pression artérielle à atteindre ne sont pas scientifiquement fondées ; pas plus que celles concernant les chiffres de cholestérol. Le principe dans les deux cas (pression artérielle et cholestérol) est que *plus c'est bas et mieux c'est* ! De plus en plus de médecins commencent à comprendre que c'est absurde.

Mais pour ceux qui nécessitent vraiment un médicament antihypertenseur, lequel préférer ?

De mon point de vue, le choix doit s'opérer entre quatre classes de médicaments :
- **les diurétiques**, je les préfère ;
- **les bêtabloqueurs**, je n'aime pas trop ;
- **les bloqueurs calciques**, je n'aime pas du tout ;
- **les inhibiteurs de l'enzyme de conversion** (IEC) et **les bloqueurs des récepteurs de l'angiotensine** (ARA, ou sartans), je n'aime pas vraiment.

Les IEC et les sartans agissent de façon semblable, mais les sartans sont apparemment mieux tolérés que les IEC. Malheureusement, s'ils sont mieux tolérés en termes d'effets secondaires (beaucoup moins de toux chronique qu'avec les IEC, par exemple), une controverse se développe en ce printemps 2011 à propos d'un risque de cancers induits par les sartans. A moins de ne pouvoir faire autrement, je pense qu'il vaut mieux se passer des sartans.

Je n'ai pas beaucoup d'affection non plus pour les bloqueurs calciques, sauf pour des patients très particuliers. De même avec les bêtabloqueurs qui ont aussi beaucoup d'effets secondaires. Pourtant les cardiologues aiment bien les bêtabloqueurs. Pourquoi ?

Parce que de vieilles études avaient montré qu'ils pouvaient augmenter la résistance du myocarde et diminuer le risque de décès cardiaque subit au moment de l'infarctus ; ce serait formidable si c'était sûr... D'autres études plus récentes ont montré qu'ils pouvaient être utiles (comme les sartans, d'ailleurs) dans le traitement de l'insuffisance cardiaque, mais je sors là du cadre de la prévention de l'infarctus et de l'AVC, il y a mieux à faire, à mon avis.

MA PRÉFÉRENCE : LES DIURÉTIQUES

Une personne avec une hypertension artérielle essentielle (la plus fréquente) devrait avant tout **corriger la cause de son hypertension**. Nous l'avons vu (page 134), des habitudes alimentaires adéquates et une activité physique significative sont la base du traitement de l'hypertension artérielle essentielle.

Parmi les causes diététiques, il y a l'excès de sel (le chlorure de sodium) souvent associé à des apports insuffisants en potassium et calcium, voire magnésium. Chez certains patients, des modifications nutritionnelles sont difficiles à obtenir.

Or les diurétiques sont précisément des médicaments qui diminuent la pression via l'élimination de **sodium** dans les urines. Je préfère les traitements qui agissent sur les causes car c'est plus efficace et avec moins d'effets secondaires puisqu'on corrige une anomalie.

Mais attention, les diurétiques ont aussi des défauts. Certains entraînent une élimination du potassium et du magnésium, d'autres au contraire peuvent augmenter le potassium.

La question des pertes en potassium et en magnésium est très importante et il faut y faire très attention. C'est typiquement le genre d'effets secondaires qui, si l'on abuse quelque peu des diurétiques, peut conduire à des complications, notamment des arythmies cardiaques parfois sévères.

Il serait dommage qu'en voulant abaisser la pression artérielle, on induise une déficience en magnésium ; en effet, des essais cliniques ont montré sans ambigüité que le magnésium, via des apports modérés, permet de diminuer la pression artérielle.

MES CONSEILS

Par principe, et à rebours de la majorité des experts de l'hypertension artérielle, je conseille de prescrire un seul médicament antihypertenseur à la fois, sauf cas très particulier, afin d'éviter au maximum les effets secondaires des médicaments. Je recommande, outre la diminution du sel, de :

1. faire adopter en urgence des habitudes alimentaires méditerranéennes qui apportent du calcium, du potassium et du magnésium ;

2. de choisir, quand on prescrit un diurétique, une **association de deux diurétiques dans le même comprimé**, permettant d'éliminer le sodium sans perdre le potassium, par exemple le célèbre Moduretic – mais il y en a d'autres – pas cher et pratique.

CHAPITRE 3

LES MÉDICAMENTS ANTIANGINEUX

C ES MÉDICAMENTS ÉTAIENT AUTREFOIS TRÈS UTILISÉS POUR empêcher, ou faire cesser, ce que l'on appelait **la crise d'angor** (ou angine de poitrine), qui est une douleur thoracique.
Cette douleur traduit un manque d'oxygène dans une partie du cœur en relation avec une obstruction plus ou moins serrée de l'artère coronaire qui l'irrigue. Cette obstruction n'est jamais totale sinon ce serait un infarctus. En général, cette douleur survient au cours d'un effort physique ; et l'intensité de l'effort qui provoque la douleur peut donner une idée du degré d'obstruction de l'artère : plus la lumière résiduelle de l'artère est petite et moins l'effort qui provoque la douleur est important. Quand la douleur se produit au repos, ça peut vouloir dire que l'artère est presque totalement occluse, il est temps d'appeler le SAMU.

Parfois, la douleur est typique et le médecin fait le diagnostic immédiatement, parfois elle est atypique et un des moyens pour arriver au diagnostic est de donner un médicament qui soulage de façon extraordinairement spécifique et très rapide (moins de 5 minutes) la douleur thoracique d'origine coronaire : c'est le *test à la trinitrine*.

LA TRINITRINE, CHEF DE FILE DES MÉDICAMENTS ANTIANGINEUX

Autrefois, les patients qui avaient une maladie des artères coronaires avaient en permanence sur eux des comprimés de trinitrine pour se soulager en cas de douleur. On leur recommandait aussi de prendre un comprimé par anticipation s'ils avaient à faire un effort un peu plus important que ceux de la vie quotidienne ou avant un acte sexuel. On préférait ne pas courir le risque que les patients aient un épisode ischémique trop prolongé car toute ischémie d'un myocarde peu résistant peut se compliquer à tout moment d'une arythmie maligne.

Plutôt que de la trinitrine par anticipation, on pouvait aussi donner des médicaments qui, de façon artificielle, augmentaient la capacité des patients à faire des efforts. Si un patient déclenchait sa crise d'angor en montant des escaliers de deux étages – au moment où sa fréquence cardiaque atteignait 130 pulsations par minute pour une fréquence de repos de 80, par exemple – un antiangineux faisant passer sa fréquence de repos à 50 (un bêtabloqueur par exemple) lui donnait une marge supplémentaire (la différence entre 50 et 80) avant de déclencher sa douleur (peut-être un étage supplémentaire), et ainsi permettait d'améliorer sa vie quotidienne.

Le bêtabloqueur est un bon médicament antiangineux, encore une bonne raison pour les cardiologues d'apprécier ce médicament (lire page 179). Certains bloqueurs calciques peuvent aussi augmenter la capacité d'effort des patients et sont des antiangineux.

Enfin, depuis quelques années, un nouveau médicament qui diminue la fréquence cardiaque, le Procoralan (ivabradine), est commercialisé comme antiangineux sur la base d'un essai clinique randomisé, appelé BEAUTIFUL. Malheureusement, les investigateurs ont biaisé l'essai en procédant à des modifications du protocole en cours d'essai et livré une interprétation suspecte des résultats. Sachant que le sponsor de cet essai est Servier (Mediator), je recommande la plus grande prudence aux médecins tentés de prescrire ce médicament.

DES MÉDICAMENTS MOINS UTILISÉS...

Au cours des années 1980, les antiangineux sont devenus obsolètes lorsque les techniques d'angioplastie se sont développées. En effet, face à la sténose d'une artère coronaire qui réduit le débit dans cette artère, la stratégie apparemment la plus adaptée est de faire disparaître la sténose. Deux possibilités : soit on court-circuite la sténose par un pontage – c'est de la chirurgie – soit on explose la sténose par une angioplastie, la fameuse technique du ballonnet que l'on glisse dans la sténose et que l'on gonfle à des pressions de plusieurs atmosphères pour élargir la sténose. S'il n'y a plus de sténose, il n'y a plus d'ischémie du myocarde, même pour de violents efforts, donc plus d'angine de poitrine ; et il n'y a plus besoin de traitement antiangineux.

Avec l'avènement de l'angioplastie, la consommation d'antiangineux s'est effondrée.

... MAIS QUI POURRAIENT FAIRE LEUR *COME BACK*

En effet de plus en plus de cardiologues et de médecins s'inquiètent des complications, précoces ou tardives, de l'angioplastie par *stent* (page 208). Certains pensent que la revascularisation par chirurgie de pontage est moins dangereuse. D'autres préféreraient des méthodes plus douces – notamment celles que je préconise dans ce livre, réadaptation à l'exercice et diète méditerranéenne – qui sont à long terme plus efficaces et moins dangereuses que les *stents*, au moins pour de nombreux patients. Chez ces patients-là, qui échapperaient au *stenting*, les médicaments antiangineux pourraient s'avérer très utiles en attendant que des médecines moins invasives et traumatisantes diminuent leurs sténoses.

Une dernière remarque essentielle : ni les médicaments antiangineux ni l'angioplastie n'améliorent l'espérance de vie des patients de façon significative. On peut soulager les symptômes douloureux avec des médicaments – et c'est déjà formidable –, on peut faire disparaître des sténoses avec l'angioplastie, mais **on ne modifie pas le cours d'une maladie du mode de vie**, qui finit toujours par nous rattraper (et plus vite qu'on le croit) ; à moins de prendre les mesures salvatrices de modification de notre mode de vie.

CHAPITRE 4

LES MÉDICAMENTS ANTIARYTHMIQUES

C es MÉDICAMENTS PERMETTENT, EN PRINCIPE, DE TRAITER OU d'empêcher les arythmies cardiaques, que l'on appelle parfois des *palpitations*. Les palpitations du cœur sont généralement des arythmies bénignes et fréquentes – c'est une des principales motivations des visites aux cardiologues – mais il y a aussi des arythmies dangereuses. Dans un livre consacré à la prévention de l'infarctus et de l'AVC, je ne parlerai que de deux types d'arythmies dangereuses : la fibrillation auriculaire (ou FA) et la tachycardie-fibrillation ventriculaire (TFV).

LA FIBRILLATION AURICULAIRE (FA)

La FA concerne les oreillettes du cœur. Elle est assez fréquente et peut compliquer – ou révéler – une maladie cardiaque sous-jacente. Elle peut être longtemps le seul symptôme gênant ressenti par les patients. Sa fréquence augmente avec l'âge. La FA est devenue en quelques années un problème de santé publique non seulement du fait de risque d'AVC mais parce que sa fréquence augmente dans nos populations vieillissantes. En France, il y a environ 200 000 nouveaux cas chaque année et un million de Français sont suivis pour cette dangereuse affection.

Elle est dangereuse parce qu'elle favorise la formation de caillots dans l'oreillette gauche, caillots qui peuvent être envoyés dans le cerveau et provoquer un AVC dit *cardio-embolique* (lire page 97). Pour cette raison, sauf cas particulier, la FA nécessite toujours un traitement anticaillot quand elle apparaît.

On peut bien sûr essayer de traiter une FA, c'est-à-dire rétablir un rythme et des contractions normales des oreillettes. Cela a un double avantage : le patient se sent mieux, il est capable d'efforts plus soutenus, il n'a pas de palpitations, et surtout n'a plus besoin de médicaments anticaillot. De quels moyens dispose-t-on pour rétablir le rythme cardiaque normal et empêcher les récidives de FA ?

Si on laisse de côté les élucubrations des obsessionnels du cholestérol qui prétendent sans rire que les statines diminuent le risque de FA, nous avons trois moyens de traiter la FA. Aucun n'est parfait.

• Le choc électrique, sous anesthésie générale.

• L'ablation, par radiofréquence par exemple, du tissu de l'oreillette qui cause la FA.

• Les médicaments, le plus efficace étant la fameuse Cordarone (amiodarone) qui malheureusement est mal tolérée aux doses nécessaires pour traiter la FA.

Presque tous les autres médicaments antiarythmiques ont été abandonnés lorsqu'on a démontré, il y a quelques années, qu'ils diminuaient l'espérance de vie. On a maintenant un dérivé de la Cordarone, le Multaq (dronedarone), que l'on pensait moins toxique. Mais plusieurs agences sanitaires ont lancé une alerte (début 2011) concernant une sévère toxicité du Multaq.

Nous voici plutôt dépourvus. Chez de nombreux patients, il faudra se résoudre à **ralentir** plutôt qu'à **traiter** (convertir) la FA, et donc à prescrire obligatoirement un traitement anticaillot.

LA TACHYCARDIE/FIBRILLATION VENTRICULAIRE (TFV)

La TFV concerne les ventricules du cœur. Comme les ventricules sont responsables (contrairement aux oreillettes) du travail de pompe du cœur, la TFV peut entraîner le décès du patient en quelques minutes par arrêt cardiaque ; tout dépend du temps mis par la **tachycardie** ventriculaire (TV) – qui assure encore un peu de débit cardiaque – pour se transformer en fibrillation ventriculaire (FV) entrainant une totale inefficacité du cœur.

La TFV est la complication la plus fréquente et la plus sévère de l'infarctus du myocarde.

La majorité des patients qui décèdent d'un infarctus (50 % d'entre eux en moyenne) meurent d'une TFV qui prend l'aspect du syndrome de décès cardiaque subit dans environ 70 % des cas – on meurt dans l'heure qui suit les premiers symptômes.

La prévention de la TFV, au moment ou au décours d'un infarctus, est un des principaux objectifs de toute stratégie de prévention des complications de l'infarctus. Pour réussir, il faut faire en sorte d'avoir **un myocarde résistant**, c'est ça le grand secret !

L'essentiel des progrès qui ont permis de réduire la mortalité cardiovasculaire en Europe et en Amérique du Nord au cours des quatre dernières décennies est venu du traitement et de la prévention de la TFV.

Outre l'induction d'un myocarde résistant, y a-t-il des médicaments qui diminuent le risque de TFV ? Hélas ! Nous sommes presque totalement dépourvus car dans les essais cliniques, les médicaments antiarythmiques ont été moins efficaces que le placebo : on avait certes moins de palpitations chez les patients traités avec les antiarythmiques, mais finalement plus de décès !

L'acceptation de ce fait très dérangeant a été un des plus gros traumatismes de la cardiologie moderne. C'est probablement pour ça qu'on en parle le moins possible. Pour les lecteurs qui souhaiteraient plus de données à ce propos, je recommande la lecture de l'étude CAST (voir la bibliographie) ; et les commentaires qui l'ont suivie.

Si la Cordarone peut parfois (peut-être) empêcher la tachycardie ventriculaire ou empêcher le passage de tachycardie en fibrillation ventriculaire, le seul traitement efficace de la fibrillation ventriculaire est donc le choc électrique avec un défibrillateur.

Ce dernier peut être **externe** (dans l'ambulance du SAMU ou une salle d'urgence dans un hôpital) ou **implanté** dans le thorax du patient, je vais y revenir au chapitre 8.

CHAPITRE 5

LES MÉDICAMENTS ANTICHOLESTÉROL

L ES MÉDICAMENTS ANTICHOLESTÉROL MAJORITAIREMENT PRESCRITS aujourd'hui appartiennent à la classe des statines. Mon dernier livre, *Cholestérol, mensonges et propagande* est entièrement consacré à ces médicaments, aussi ne vais-je pas m'attarder trop longtemps sur le sujet. J'invite toute personne qui prend une statine à le lire ; et à le faire lire à son médecin.

J'y retrace l'histoire de la *théorie du cholestérol* et procède à une analyse technique des études cliniques qui ont conduit à la prescription des statines chez plus de 7 millions de Français adultes. La conclusion de mon livre en 2008 est que les prescriptions de statines sont fondées sur des données biaisées, tronquées, manipulées à des fins purement commerciales. Je montre que non seulement les statines n'ont aucune efficacité – elles ne préviennent pas l'infarctus, elles ne diminuent pas la mortalité cardio-vasculaire – mais en plus elles s'accompagnent d'effets indésirables voire dangereux. Le traitement du cholestérol n'est qu'un énorme business, sans doute l'une des plus extraordinaires arnaques médicales et scientifiques jamais perpétrée.

Comment en sommes-nous arrivés là ? C'est à la suite de l'affaire du Vioxx en 2004-2005 et la découverte que des industriels et des universitaires complices avaient caché des effets secondaires (souvent mortels) de médicaments largement prescrits, qu'avec quelques collègues nous avons entrepris de revisiter les pseudo-preuves scientifiques concernant les statines. Nous avons découvert un haut niveau de falsification de la *science des statines*, ce qui dans le même élan nous a conduit à remettre en question toute la pseudoscience du cholestérol.

Trois années se sont écoulées depuis *Cholestérol, mensonges et propagande*, que s'est-il passé sur le front des statines ?

UNE INDUSTRIE SOUS SURVEILLANCE

C'est sur le plan plus général de la surveillance des médicaments par les autorités sanitaires aux Etats-Unis et en Europe, qu'il s'est passé le plus de choses.

En France, l'affaire du Mediator en est l'illustration la plus bruyante. En fait, c'est surtout l'obligation de respecter, sous la menace de sévères punitions, une **Nouvelle règlementation** des essais cliniques qui a réellement permis des progrès. Se sachant surveillés, les industriels n'ont plus osé franchement biaiser ou cacher les données scientifiques. Dès lors nous avons pu connaître à la fois la réalité des données et découvrir comment les industriels procédaient auparavant pour *arranger* les résultats en faveur des médicaments.

A la fin de mon livre *Cholestérol, mensonges et propagande*, j'ai laissé mes lecteurs un peu au milieu du guet en leur disant, qu'après la pitoyable affaire *ENHANCE* – du nom de l'essai clinique qui avait donné lieu en 2008 à l'intervention du sénat américain pour obtenir la publication des résultats que l'industriel essayait de cacher – il fallait s'attendre à ce que les industriels et leurs alliés inventent de nouveaux *trucs* ! Des *trucs* pour nous faire croire que les statines pouvaient améliorer le pronostic de patients survivants d'un infarctus ou d'un AVC, ou encore empêcher la survenue d'un premier infarctus ou d'un AVC.

Pour comprendre un de leurs nouveaux *trucs*, je vais rapidement raconter la fabuleuse histoire de l'étude JUPITER (étude portant sur la dernière statine commercialisée, le Crestor). Cette étude est un exemple éclatant de manipulation des données scientifiques et médicales. Elle apporte la confirmation ultime que pour justifier les prescriptions de statines, il faut manipuler les données scientifiques.

Je vais la raconter en quelques lignes, mais on peut trouver plus de détails dans mes articles scientifiques (en anglais) et sur mon blog en français.

LES TRIBULATIONS DU CRESTOR

Le coup est parti du détenteur du brevet de la dernière statine commercialisée, la rosuvastatine, Crestor pour les intimes. Son problème était de se faire une place au soleil, comme on dit, parmi les statines déjà implantées sur le marché. La contrainte du propriétaire du Crestor était la suivante : étant donné que les statines commercialisées avant le Crestor avaient été déclarées *miraculeuses*, il ne pouvait plus imposer le Crestor chez des patients ordinaires en produisant des essais cliniques testant le Crestor contre un placebo. Ces patients ordinaires ne pouvaient pas, pour des raisons éthiques, recevoir un placebo et il ne pouvait être question de tester le Crestor contre une des statines déjà implantées sur le marché : trop risqué de ne voir aucun effet ! Il fallait donc tester le Crestor sur des patients très spéciaux qui n'avaient pas été concernés par les études cliniques précédentes. On pouvait défendre l'idée qu'en l'absence d'essai chez ces patients très spéciaux, on ignorait si le Crestor était efficace par rapport à un placebo chez ces patients-là.

Ces patients très spéciaux furent des insuffisants cardiaques et des insuffisants rénaux. Mais, malheureusement, la belle époque où les industriels et leurs amis étaient crus *sur parole*, était révolue, notamment aux Etats-Unis, il leur fallait respecter la Nouvelle Règlementation, au moins faire semblant car ils étaient *surveillés* par les Autorités.

Les statines, et en particulier le Crestor, n'étaient certes pas une cible particulière de la Nouvelle Règlementation. Elles ont été les victimes collatérales d'une règlementation qui ne leur était pas destinée initialement ; car dans bien d'autres domaines de l'industrie du médicament, des abus avaient été observés et dénoncés : les antiinflammatoires, antidépresseurs, antibiotiques, antiviraux, et même les vaccins étaient devenus suspects.

C'est sous cette nouvelle surveillance que la catastrophe est arrivée pour le Crestor. En bref, les trois premiers essais publiés se sont avérés négatifs.

En plus, d'autres essais tardifs avec l'atorvastatine (4D et ASPEN chez des diabétiques par exemple) ou récents mais testant des combinaisons de médicaments anticholestérol [d'une statine avec de l'ezetimibe ou du fénofibrate] furent également négatifs jetant un doute terrible sur l'ensemble de la théorie du cholestérol. Comment imposer le Crestor sur le marché du médicament dans un contexte aussi défavorable ?

LE CONTEXTE DE JUPITER

Pour bien comprendre l'atmosphère de l'époque de JUPITER, il faut rappeler que les propagandistes des statines clamaient que :
1• plus la réduction du cholestérol est importante et plus on diminue le risque d'infarctus et d'AVC ;
2• plus le risque est élevé et plus la réduction du cholestérol est bénéfique.

Avec le Crestor, tout s'annonçait parfaitement : d'une part, aucune statine n'est aussi efficace que le Crestor pour diminuer le cholestérol et, d'autre part, les patients ayant participé aux trois essais testant le Crestor avaient un risque quasi maximum puisqu'ils cumulaient plusieurs pathologies...

Or les essais testant le Crestor se sont avérés totalement négatifs. Certains dans la concurrence murmuraient déjà : avec ces trois essais négatifs, il n'y a aucune raison que le Crestor reste sur le marché ; d'autant que cette dernière-née des statines est beaucoup plus dispendieuse. Ceci était dit à voix basse car ce que les trois essais testant le Crestor remettaient surtout en question, c'était toute la théorie du cholestérol, tout le bel édifice ! Tout serait-il faux depuis le début ?

IL FAUT SAUVER LE SOLDAT CRESTOR !

C'est Paul Ridker, un des plus respectés investigateurs américains, de la prestigieuse Harvard, qui va se charger de cette mission difficile. C'est l'essai JUPITER qui devait servir de moyen magique de réhabilitation du Crestor et de sauveur de la théorie du cholestérol.

L'étude JUPITER consistait à comparer le Crestor avec un placebo chez des milliers de patients à risque élevé de faire un infarctus ou un AVC sur une période d'environ 4 ans. Malheureusement, Ridker va commettre de graves erreurs méthodologiques – qu'elles soient intentionnelles ou involontaires n'est pas le sujet de mon propos. En particulier il va interrompre l'étude moins de 2 ans après son début sous prétexte que les résultats sur la mortalité étaient tellement extraordinaires qu'il n'était pas éthique de continuer l'étude jusqu'à son terme et de priver les patients qui recevaient le placebo des bénéfices du Crestor. En fait, une analyse statistique fine des données de JUPITER montrait que non seulement ces résultats n'étaient pas crédibles – probablement parce qu'ils résultaient d'un arrêt prématuré de l'étude qui avait été, si on peut dire, décapitée – mais surtout qu'en fait **il n'y avait pas d'effet convaincant sur la mortalité**. J'ai longuement expliqué dans mes livres précédents combien il était crucial en science de respecter les protocoles et les méthodologies établies. Pour essayer de convaincre malgré tout la communauté médicale et *sauver le soldat Crestor*, nous avons assisté à un véritable bombardement de publications médicales et scientifiques, commentées et psalmodiées par toutes sortes de relais médiatiques généralistes et spécialisés aux Etats-Unis et ailleurs, avec aussi quelques *perroquets savants* en France.

L'APRÈS JUPITER

En France, silence radio ! N'ayant rien vu avec JUPITER en 2008-2009, les experts français avaient tous conscience que la remontée dans le passé risquait d'être douloureuse : si Ridker, avec la Nouvelle règlementation et sous surveillance, a pu tromper si facilement toutes les autorités scientifiques et médicales (en Europe et aux Etats-Unis notamment), que s'est-il passé avec les essais précédents (entre 1994 et 2006) quand il n'y avait pas la Nouvelle règlementation et aucune surveillance ?

Sur la base de l'expérience Mediator, mais aussi des affaires concernant les glitazones (antidiabétiques retirés du marché) et les inhibiteurs des endocannabinoïdes (antiobésité retirés du marché), un vent mauvais de suspicion généralisée souffle désormais très fort sur *l'expertise à la française*. Aura-t-on le courage d'aller jusqu'au bout des processus de révision ? Que risquons-nous de découvrir ? Rappelons qu'en France les experts et défenseurs (aujourd'hui muets) du Mediator sont aussi experts des statines.

Pour la petite histoire, rappelons que Ridker – en charge de défendre désormais tout à la fois les intérêts de son sponsor et son honneur – ne resta pas silencieux. Il obtînt d'un journal médical américain cinq pleines pages pour réfuter notre analyse de JUPITER, ajoutant de nouveaux chiffres (invérifiables) à ceux précédemment publiés – comme si ces nouvelles données n'auraient pas dû être portées à notre connaissance dès les premières publications – mais n'apportant toujours pas de crédibilité aux résultats de JUPITER.

Ridker en a profité au passage pour critiquer mes propres travaux selon le principe : contre-attaquer et dire du mal de l'adversaire pour le déconsidérer plutôt que de répondre de ses propres forfaits. Lorsque nous avons demandé un droit de réponse au journal américain, simplement pour rétablir les faits, il nous fut refusé. C'est une forme de solidarité entre puissants... Nous avons publié ce rectificatif sur mon blog, en anglais, et il est bien souvent visité.

Autrement dit, Ridker va présenter plus de **20 fois les mêmes données**, à chaque fois de façon un peu différente pour faire croire qu'il s'agissait de 20 études tout-à-fait originales. C'est ce que j'ai appelé *propagande* dans mon dernier livre, on pourrait dire aussi *bourrage de crâne*. Je ne vais pas raconter en détails ici comment Ridker s'est pris les pieds dans le tapis mais il nous fut bien aisé, avec quelques camarades originaires de plusieurs continents de refaire quelques petits calculs et démontrer que les résultats de JUPITER n'étaient pas crédibles.

Nous avons publié cette analyse circonstanciée dans une grande revue américaine (la revue officielle de l'Association des Médecins Américains) qui n'a accepté de la publier qu'après l'avoir fait vérifier par une multitude d'experts ; ce qui prit plus d'une année. Alors que nos calculs vérificateurs ne nécessitaient même pas une calculette…

> *Ce que JUPITER nous dit, c'est que pour justifier les prescriptions de statines, il faut manipuler les données scientifiques*

Notre publication – osant remettre en question la validité d'un rapport venant d'un prestigieux investigateur d'Harvard et ayant reçu la bénédiction de toutes les autorités scientifiques et médicales américaines et européennes dites compétentes – ne fut pas très appréciée par diverses nomenklaturas, notamment en France et aux Etats-Unis.

Certains diront que tout cela est vrai ; mais qu'il reste quand même certaines indications des statines, par exemple, les hypercholestérolémies familiales (dont je parle dans la section questions/réponses en fin d'ouvrage) ou après un premier infarctus ! Je ne le pense pas, ces médicaments sont inutiles. Il n'y a pas de circonstance clinique où leur efficacité ait été démontrée sans ambigüité.

Aujourd'hui (septembre 2011), un consensus semble se dégager dans les milieux indépendants de l'industrie pour dire que les statines ne se justifient pas en l'absence de maladie cardiovasculaire avérée. C'est pour moi une première victoire car cela constituait au moins 90 % des prescriptions – et aux dernières nouvelles il semblerait que les ventes de statines subissent un fort tassement dans certaines régions – mais la guerre n'est pas finie car même les plus ouverts des médecins ont du mal à admettre que le cholestérol est totalement innocent, et qu'ils ont été trompés.

LES STATINES EN PRÉVENTION SECONDAIRE

Les deux exemples qui me sont cités le plus souvent pour justifier la prescription de statines sont la prévention de l'AVC après un premier AVC et la prévention de l'infarctus après un premier infarctus.

Quelques mots seulement car j'ai beaucoup écrit à ce sujet dans mes livres précédents et sur mon blog ; chaque lecteur peut s'y référer.

La prévention secondaire de l'AVC

Un seul essai, appelé SPARCL, a testé l'hypothèse qu'un traitement par statine pouvait réduire le risque de récidive d'AVC. L'analyse statistique de l'essai SPARCL est grossièrement biaisée. De façon aussi grossière que l'analyse de JUPITER a été biaisée, je ne vais pas rentrer dans les détails. Ce qui est étonnant, comme à propos de JUPITER et du Mediator, c'est que personne ne le dise… ce qui indirectement nous donne une idée du niveau d'expertise en statistiques médicales de la profession médicale ; et du niveau de complicité des experts statisticiens qui ferment les yeux pudiquement.

Je résume : SPARCL n'a aucune valeur scientifique et la théorie selon laquelle les statines diminueraient le risque d'AVC n'est pas validée.

La prévention secondaire de l'infarctus par les statines

Beaucoup de cardiologues ont du mal à admettre qu'ils ont été trompés et que les statines n'ont aucun effet protecteur y compris après un infarctus. Cette idée – que la statine serait utile chez un patient qui a fait un premier infarctus mais pas chez un sujet indemne jusque là – n'a pas de sens pour deux raisons.

La première c'est que si les statines ne sont pas efficaces dans d'autres circonstances cliniques que la prévention de la récidive, il n'y a pas de raison qu'elles soient efficaces dans la récidive car c'est exactement la même maladie : fibrose, thrombose puis ischémie myocardique. La seule différence entre les deux situations est seulement le niveau de probabilité d'une crise cardiaque plus forte, quand la maladie s'est déjà manifestée une première fois. C'est **le même processus physiopathologique** dans tous les cas, et en conséquence le même potentiel préventif d'un médicament, ou rien. Apparemment, c'est rien !

La deuxième raison nous est apportée par les essais récents, publiés après la mise en application de la Nouvelle règlementation. Deux de ces essais, GISSI-HF et CORONA, comportaient une très grande majorité de patients (environ 80 % du total) ayant déjà fait un infarctus.

On est donc dans le contexte de la récidive (prévention secondaire typique) et les investigateurs ont soigneusement enregistré tous les types de complications susceptibles de survenir pendant ces essais, notamment les récidives d'infarctus. Et ils n'ont vu aucun effet de la statine (le Crestor) malgré une diminution drastique du cholestérol.

Je résume : ni la réduction du cholestérol, ni un traitement par statine ne réduisent le risque de récidive chez des patients à haut risque de nouvel infarctus après avoir survécu à un premier infarctus.

LES EFFETS SECONDAIRES ADVERSES DES STATINES

On pourrait admettre qu'il subsiste un doute et principe de précaution oblige, qu'il vaut mieux prendre une statine s'il n'y a rien à perdre. Ce raisonnement est faux. Les statines sont très toxiques, et c'est une toxicité perfide car paradoxalement, elle est asymptomatique dans les cas les plus sévères. Quand les ennuis sont là, il est trop tard !

Tous les médicaments efficaces ont des effets secondaires, dira-t-on, et tout dépend de la dose ; mais les effets secondaires ne sont acceptables que dans la mesure où ces médicaments sont utiles. Les effets secondaires des statines sont inacceptables selon le principe basique de notre médecine : *d'abord ne pas nuire* !

Ce qui est particulier dans la toxicité des statines, c'est qu'elle cumule deux toxicités : celle spécifique aux molécules elles-mêmes, à leur effet biologique (le blocage du système enzymatique HMG-CoA réductase) et celle résultant de la diminution du cholestérol. Il est généralement impossible de distinguer ces deux toxicités chez un individu donné.

Parmi les multiples effets secondaires des statines, il y a ceux qui sont très bruyants cliniquement – les patients s'en plaignent beaucoup – avec au premier plan **les douleurs musculo-ligamentaires** ; mais aussi certaines manifestations neuropsychiatriques, violence et suicide, que j'ai décrites dans différents articles et sur mon blog.

Il y en a qui sont plus discrets mais non moins torpides : les statines peuvent ruiner la vie sexuelle des individus traités, considérablement diminuer leurs capacités cognitives (avec des plaintes les plus fréquentes concernant la mémoire), augmenter le risque de troubles de la vision, augmenter ou aggraver le risque de dépression et augmenter le risque de cancers. Ce dernier aspect de la toxicité des statines est le plus tragique et donne lieu régulièrement à l'allumage de contre-feux par les experts des statines. Pour les cancers (comme pour les démences ou les maladies oculaires) le processus a été le même : d'abord on a dit que les statines diminuaient le risque de cancer, ensuite on a dit que les statines ne diminuaient pas les cancers et actuellement toutes les publications sur le sujet sont exclusivement défensives (ce qui indique qu'on a des doutes terribles) et disent que les satines *n'augmentent pas* les cancers.

Les lecteurs sceptiques, ou avides de commentaires et détails, trouveront tout ce qui est nécessaire pour se faire sa propre idée sur mon blog.

LES AUTRES MÉDICAMENTS ANTICHOLESTÉROL

Pas plus que des statines, il n'est pas utile de parler des autres médicaments anticholestérol ou antitriglycérides (lire le paragraphe sur le risque résiduel à la page 139) car aucun n'a montré d'effets intéressants en clinique, sinon la capacité à modifier des chiffres de lipides dans le sang, ce qui est de peu d'intérêt, vous l'aurez compris. En plus, ils ont tous des effets secondaires importants. Cela n'empêche pas un marketing indécent pour stimuler les ventes, donc les prescriptions, surtout depuis que le doute s'installe vis-à-vis des statines.

CHAPITRE 6

LES MÉDICAMENTS DU POSTINFARCTUS IMMÉDIAT

L A PRÉVENTION DE LA RÉCIDIVE D'INFARCTUS – CE QUE LES CARDIOLOGUES
appellent le postinfarctus – répond aux mêmes règles que la
prévention tout court : adopter un mode de vie protecteur en
urgence.

Pourtant, on a l'habitude de prescrire des médicaments **de façon très systématique** à ces survivants d'un infarctus avec l'espoir de les protéger. Les protéger de quoi ? De deux choses : d'une récidive d'une part, et des complications de l'infarctus d'autre part.

Concernant la prévention de la récidive, ces pratiques sont-elles justifiées ?

A mon avis oui bien souvent, mais pas de façon systématique.

Chaque médecin devrait analyser le cas particulier de chaque patient et décider du traitement en fonction des besoins spécifiques de ce patient particulier. C'est en pratique ce que les meilleurs cardiologues font plutôt que d'appliquer automatiquement des règles édictées par des sociétés savantes.

Quels sont ces médicaments donnés trop systématiquement ?

• **Les médicaments anticaillot.** Ils sont justifiés au moins pour plusieurs mois (lire page 173), surtout si le patient a bénéficié d'une angioplastie et d'un *stent*. Le problème sera d'arrêter ce traitement avant d'en avoir les complications.

• **Les statines.** Prescrites systématiquement, elles sont inutiles et toxiques (lire le chapitre précédent).

• **Les bêtabloqueurs** (lire page 179). Ils sont prescrits systématiquement après un infarctus avec l'espoir qu'ils puissent diminuer le risque de décès cardiaque subit. Cette idée ancienne est basée sur des essais conduits du temps où les patients ne bénéficiaient pas d'angioplastie en urgence au moment de l'infarctus. De plus, l'effet protecteur démontré dans ces essais de médiocre qualité était faible. Bref, il faudrait vérifier si les patients d'aujourd'hui sont toujours protégés par le bêtabloqueur. Malheureusement, il n'y a plus d'industriels pour financer ce type d'essai... Le bêtabloqueur peut aussi être utile pour diminuer le risque d'insuffisance cardiaque postinfarctus et traiter une hypertension artérielle au moins de façon transitoire. Autrement dit, après quelques mois, il faudra réévaluer l'utilité réelle de ce traitement qui est parfois mal toléré.

• **Les IEC** (lire page 179) sont donnés systématiquement par certains cardiologues pour, pensent-ils, soulager le cœur et empêcher l'évolution vers une insuffisance cardiaque. Comme pour les bêtabloqueurs, cet effet protecteur mériterait d'être réévalué aujourd'hui. Ils sont parfois mal tolérés et, à moins de conditions particulières, il faudra rapidement essayer de stopper ce type de traitement.

• **Les capsules d'oméga-3** sont données systématiquement par certains cardiologues. En principe, c'est parce qu'ils craignent que leurs patients soient déficients en oméga-3, une déficience qui peut augmenter le risque d'arythmies malignes et/ou d'insuffisance cardiaque. Des essais cliniques assez récents (contrairement à ceux testant les IEC et les bêtabloqueurs) ont montré que les oméga-3 tendent à diminuer ces risques. Après quelques mois ou semaines, une fois assuré que les patients ont modifié leurs habitudes alimentaires et ne sont plus à risque de déficience, on pourra arrêter cette prescription.

CHAPITRE 7

LE PONTAGE CORONARIEN, L'ANGIOPLASTIE ET LE *STENT*

Toutes les applications instrumentales en médecine fascinent. C'est le cas en cardiologie. Au cours des dernières décennies, la cardiologie a bénéficié de développements technologiques fantastiques : chirurgie de pontage certes, mais aussi angioplastie par ballonnet puis *stenting* ; et aussi *pacemakers* hypersophistiqués permettant non seulement de stimuler des cœurs trop lents mais aussi de resynchroniser l'activité mécanique des différentes cavités cardiaques ; et enfin les défibrillateurs que maintenant on implante dans le thorax des patients à risque de tachycardie-fibrillation ventriculaire.

Magnifique ! Oui, mais attention à ce que certains appellent *les dérives instrumentales*, et qui caractérisent notre époque. Attention à ne pas privilégier les technologies sans s'interroger sur les finalités ultimes de nos pratiques. Attention aussi à ne pas traiter seulement des images ou des sténoses, en oubliant la maladie générale qui a généré cette sténose, voire en oubliant la personne elle-même dans sa globalité. Attention à ne pas créer nous-mêmes des maladies qui seraient les complications de nos exploits techniques ; sous prétexte d'efficacité à court terme, ou de petit affairisme.

Dans les pages suivantes, je me limiterai aux technologies anti-infarctus c'est-à-dire celles qui permettent de prévenir l'infarctus ou ses complications :

• **les techniques de revascularisation** (ci-après) : elles permettent de « déboucher » ou de court-circuiter une artère obstruée ;

• **les technologies d'électrostimulation** et de choc électrique (chapitre 8) : elles permettent après un infarctus, d'empêcher les « pannes électriques » du cœur.

LES TECHNIQUES DE REVASCULARISATION

L'infarctus est dû à l'obstruction totale d'une artère par un caillot. Ce caillot, en bloquant la circulation sanguine, prive le cœur d'oxygène.

Revasculariser veut dire qu'on utilise des techniques visant à assurer, en phase aiguë ou chronique, l'arrivée de l'oxygène dans les tissus qui en sont privés. Nous avons **trois possibilités** pour réussir cette revascularisation :

1• aider à la constitution d'un **réseau collatéral** qui court-circuite l'obstruction artérielle ;

2• mettre en place un **pontage** qui permet à nouveau de court-circuiter l'obstruction artérielle ;

3• faire disparaître l'obstruction artérielle : **angioplastie par ballonnet puis stent**

LA CONSTITUTION D'UN RÉSEAU COLLATÉRAL

Il ne s'agit pas à proprement parler d'une technique instrumentale car on s'appuie sur un processus *naturel* qui peut être favorisé par des moyens *naturels*. Il ne s'agit pas non plus d'un traitement conventionnel dans la mesure où la majorité des cardiologues préféreront l'angioplastie et le *stenting*, facile de deviner pourquoi. Pourtant c'est très efficace et sans aucun effet indésirable.

La constitution d'un réseau collatéral autour d'une sténose est un processus naturel qui a été observé de façon presque parfaite sur les artères périphériques de patients qui avaient des douleurs dans les jambes à la marche ; ce syndrome appelé claudication est provoqué par des sténoses serrées sur les artères des membres inférieurs. C'est l'équivalent de l'angine de poitrine mais au niveau des jambes.

Quand un tissu manque d'oxygène de façon chronique, il envoie des messages aux artères qui l'alimentent en oxygène pour qu'elles fabriquent de *nouveaux vaisseaux* (qui contournent la sténose) à partir du réseau capillaire existant. Les artères mères de ces réseaux collatéraux sont soit des artères adjacentes au territoire qui souffre soit des artères en amont de ce territoire.

De la même façon, ce processus naturel peut se réaliser au niveau des artères coronaires qui sont elles aussi capables de contourner une sténose. Cela nécessite un peu de temps et, si on compte sur ce processus pour soulager ses patients, il faut éviter qu'un caillot ne vienne obstruer totalement l'artère et provoque l'infarctus pendant cette période d'adaptation.

C'est un processus progressif et les patients peuvent en tirer avantage rapidement, en quelques semaines. Pendant cette phase, je le répète, il faut prendre les mesures anticaillot indispensables, en termes de mode de vie et éventuellement de médicaments ; une deuxième précaution est de vérifier que la situation anatomique se prête à la constitution d'un réseau collatéral efficace, par exemple vérifier qu'il n'y ait pas une succession de sténoses sur l'artère qu'on espère soulager et que les artères adjacentes d'où vont se constituer les réseaux collatéraux ne soient pas elles-mêmes trop malades. Des études (par exemple, la méta-analyse de Meier publiée en septembre 2011 dans le journal de la Société européenne de cardiologie) ont montré que la présence d'un réseau collatéral important diminue le risque d'infarctus et de décès cardiaque. Dès lors, la question cruciale est : **est-il possible d'accélérer la constitution de ce réseau collatéral ?**

La réponse est oui, grâce à l'exercice physique, qui semble une technique très efficace pour stimuler la croissance du réseau collatéral. Les médecins qui soignent les patients avec claudication des membres inférieurs le savent bien. L'arrêt du tabac et la marche – un peu forcée, c'est encore mieux – peuvent littéralement guérir certains patients. En quelques semaines les douleurs disparaissent.

L'énorme avantage de ce traitement naturel, outre son extraordinaire efficacité, c'est qu'il n'y a aucun effet adverse à redouter !

Je ne vais pas rentrer dans le détail de cette physiologie auto curative des artères, mais on comprend qu'il est indispensable que l'endothélium des artères à partir desquelles le réseau collatéral se constitue soit en très bonne santé, et protégé. En conséquence, outre l'exercice physique, il faudrait adopter en urgence un mode de vie protecteur de l'artère et de son endothélium : nutrition méditerranéenne et haute qualité de l'air respiré. De remarquables travaux ont commencé à identifier les mécanismes biologiques qui sont impliqués dans la formation de ces réseaux collatéraux. Parmi les molécules de notre vie quotidienne identifiées, on ne s'étonnera pas de trouver les polyphénols présents dans le vin, et aussi de nombreux fruits et légumes méditerranéens.

Je résume : on peut faire encore mieux que simplement arrêter de fumer et s'entraîner physiquement pour constituer un réseau collatéral, il faut aussi adapter ses habitudes alimentaires.

Cette approche naturelle des sténoses pourrait-elle être plus efficace que l'angioplastie et le *stent* ?

La réponse est oui ; nous avons de magnifiques publications comparant ce traitement naturel, aux techniques de revascularisation avec des *stents* dont la récente étude COURAGE. Mais ce n'est pas la seule étude démontrant l'importance des méthodes non instrumentales pour soulager des sténoses et rétablir des oxygénations suffisantes des tissus.

En 2004, un cardiologue allemand, du nom de Rainer Hambrecht s'est rendu célèbre en comparant les effets de l'entraînement physique (20 min de vélo d'appartement tous les jours) à l'implantation d'un *stent* : dans un groupe, les patients gardaient leur sténose coronaire et s'entraînaient de façon modérée et dans l'autre, ils étaient immédiatement débarrassés de leur sténose coronaire avec un *stent* et reprenaient leur vie antérieure. Il y avait 50 patients dans chaque groupe. Après 12 mois, le bilan est impressionnant : 21 complications cardiovasculaires dans le groupe qui a eu son *stent* contre seulement 6 dans le groupe qui s'est entraîné et n'a pas eu de *stent* ; et la tolérance à l'effort est nettement supérieure – on pouvait s'y attendre – dans le groupe qui s'est entraîné.

Tout cela veut dire qu'en termes de ratio bénéfices/risques, et vu les multiples complications du *stent* (nous les détaillerons à la page 209), la médecine non instrumentale l'emporte largement.

Mon opinion à propos de ces études est qu'on aurait pu faire beaucoup mieux, car Hambrecht et ses collègues n'ont rien fait du point de vue nutritionnel, rien non plus concernant la nutrition dans l'étude COURAGE...

MES CONSEILS

Cette médecine de revascularisation non instrumentale consistant à aider à la formation d'un réseau collatéral devrait être privilégiée à chaque fois que cela est possible. Ceci n'est valable évidemment que pour des patients qui ont du temps devant eux, et pas pour des patients en phase aiguë d'infarctus.

LE PONTAGE CHIRURGICAL

C'est une technique très lourde nécessitant une anesthésie générale et une circulation extracorporelle (CEC pour les connaisseurs).

Pour pouvoir travailler tranquillement sur le cœur, il faut l'arrêter, car la puissance de ses contractions interdit toute chirurgie minutieuse. Mais si on arrête le cœur, il faut se substituer à lui pour assurer la circulation sanguine avec une pression suffisante dans tous les organes, surtout le cerveau. Pour cela, une fois le thorax ouvert, on dérive le sang du cœur vers une pompe externe qui oxygène le sang puis le réinjecte dans la circulation artérielle. Une fois l'opération terminée, on fait redémarrer le cœur qui assure à nouveau lui-même, quoique progressivement, le travail de pompe. C'est une des chirurgies les plus lourdes qui soient et cela nécessite des anesthésistes-réanimateurs très spécialisés.

Autrefois, pour réaliser le pontage, on utilisait un bout de veine – prélevé généralement sur la jambe du patient, ce qui supprime tout problème de compatibilité immunitaire – que l'on greffait entre l'aorte et l'artère coronaire en aval de l'obstruction. Ainsi on revascularisait le territoire en souffrance.

Ensuite – et ce fut un progrès majeur – on a utilisé des artères qui courent sur la paroi interne du thorax et que l'on dérivait de leur cible pour aller les implanter sur la coronaire en aval de l'obstruction. Ces artères sont les mammaires internes qui ont le privilège de ne jamais faire de plaque d'athérosclérose. On ignore pourquoi. Cette technique est donc beaucoup plus simple et rapide, ce qui est un grand avantage dans cette chirurgie où l'on préfère que la circulation extracorporelle soit la plus brève possible : pas de prélèvement de greffon veineux, pas d'implantation sur l'aorte et donc moins de complications potentielles.

Plus récemment, on a réussi à faire cette chirurgie de pontage à thorax fermé, sans circulation extracorporelle. Inutile de dire que les chirurgiens ont beaucoup discuté les avantages et les inconvénients de ces nouvelles techniques par rapport aux anciennes, qui dépendent beaucoup du patient, de son âge, des facteurs de risque associés, et de l'état du cœur lui-même. Dans certains pays, notamment en Asie (Japon et Chine), ces nouvelles techniques (aidées par des robots) sont désormais très répandues. Mais dans d'autres pays, par exemple aux Etats-Unis, elles sont peu utilisées. Des techniques hybrides ont été aussi proposées combinant le pontage sans circulation extracorporelle et l'angioplastie.

Avant l'invention de l'angioplastie et du *stenting*, les chirurgiens étaient les rois de la revascularisation du myocarde, c'étaient eux les faiseurs de pontage. Pas de concurrence ! Avec l'arrivée de la cardiologie dite interventionnelle, l'angioplastie et le *stenting*, la chirurgie de pontage a été un peu délaissée bien qu'elle n'ait jamais démérité. Le seul reproche que l'on puisse lui faire – que l'on peut aussi faire à la cardiologie interventionnelle – c'est de ne pas améliorer le pronostic vital puisque ces techniques n'interfèrent pas avec la cause profonde de la maladie, qui est le mode de vie… Et c'est le mode de vie qui a le dernier mot en termes d'espérance de vie !

Récemment, face aux multiples complications auxquelles les cardiologues interventionnistes font face – complications qu'ils essaient parfois de cacher pour sauver leur fonds de commerce –, la chirurgie de revascularisation a retrouvé une certaine popularité. La Société européenne de cardiologie et la Société européenne de chirurgie cardio-thoracique ont ainsi publié en 2010 de nouvelles recommandations qui refont une belle place à la chirurgie. Le grand avantage de celle-ci, notamment avec les artères mammaires, c'est qu'on peut assez rapidement arrêter les médicaments anticaillot, et donc s'épargner toutes les complications liées à ces médicaments.

Le moins que l'on puisse dire c'est que certains cardiologues interventionnistes en ont avalé leurs cravates et que les chirurgiens s'en sont trouvés flattés...

MES CONSEILS

Toujours avoir plusieurs avis avant de *livrer son corps* à la chirurgie (ou à la médecine). L'avantage (mais aussi la faiblesse) de la chirurgie de pontage c'est qu'elle ne se pratique (presque) jamais en urgence. N'étant pas chirurgien, je m'abstiendrais de donner un avis très étayé au-delà de ceci :

1. l'intelligence et l'expérience du chirurgien avec une technique déterminée sont plus importantes que la technique elle-même ;

2. moins on traumatise notre organisme, cerveau et artères, avec la circulation extracorporelle et mieux c'est ;

3. nous devons tout faire dès notre plus jeune âge pour ne jamais avoir besoin d'un chirurgien cardiovasculaire et d'une circulation extracorporelle...

L'ANGIOPLASTIE ET LE *STENTING*

La troisième technique de revascularisation est **l'angioplastie**. C'est une technique instrumentale et c'est aujourd'hui la technique préférée des cardiologues. Comme je l'ai raconté dans mon livre *Dites à votre médecin que le cholestérol est innocent*, j'ai vécu presque au jour le jour, quand j'étais assistant à l'Hôpital Universitaire de Genève à la fin des années 1970 et début des années 1980 la mise au point de l'angioplastie par ballonnet.

Celle-ci a été complétée quelques années plus tard par le *stenting*. C'est le monde de la *cardiologie interventionnelle*, une spécialité, certains cardiologues ne font que ça. L'angioplastie se pratique parfois dans l'urgence

– au moment de l'infarctus, on débouche l'artère coupable – parfois en prévention, et c'est là qu'il y a des problèmes à mon avis. Je vais y revenir.

L'angioplastie consiste à déboucher une artère coronaire, le patient étant totalement conscient (pas d'anesthésie générale) en glissant un ballonnet dans l'artère jusqu'au niveau de la sténose. Une fois le ballonnet positionné, on le gonfle – à de très fortes pressions car les plaques d'athérosclérose sont dures et compactes – et on fait littéralement exploser la plaque que l'on écrase contre les parois de l'artère. En quelques minutes, on rétablit ainsi un haut débit dans l'artère.

A la fin des années 1980, on a commencé à compléter l'angioplastie par ballonnet par la mise en place d'une petite prothèse métallique en forme de ressort [un *stent* en anglais] qui était censée empêcher la ré-occlusion de l'artère. Ce « rebouchage » de l'artère peut survenir dans les heures ou jours suivant l'angioplastie sous forme d'un caillot (d'où l'importance des médicaments anticaillot après l'angioplastie). Mais le « rebouchage » peut aussi survenir dans les mois suivants sous forme d'une resténose fibreuse. C'est une sorte de processus tumoral bénin mais extraordinairement accéléré de cicatrisation dont j'ai déjà parlé dans le chapitre sur l'athérosclérose (page 89).

Le caillot dans le *stent* est une complication qui ne prévient pas et qui est grave. On se trouve dans la même situation que celle d'un infarctus sauf que cette fois, c'est le *stent* qui en est la cause. C'est pour l'empêcher que les cardiologues en sont venus à utiliser des associations de plusieurs médicaments anticaillot – ce qui était jusqu'alors découragé dans la médecine non instrumentale – et avec ces puissantes associations sont aussi venues, évidemment, les complications hémorragiques.

La resténose dans le *stent* est un processus plus progressif et en général on a le temps de se retourner. Malheureusement, c'est très fréquent et nécessite une nouvelle intervention, soit une nouvelle angioplastie soit une chirurgie de pontage, ce qui est assez mal vécu par le patient et par le cardiologue. On observe jusqu'à 40 % de resténose 6 mois après l'angioplastie par ballonnet et jusqu'à 25 % avec le *stent*. Comme Il n'y a pas de traitement préventif de la resténose, les cardiologues ont été amenés à concevoir (à partir des années 2000) des *stents* imprégnés d'un médicament antitumoral destiné à empêcher la resténose. Ce sont des *stents* dits *actifs*, car ils contiennent plus que du métal. Le médicament est libéré progressivement des filaments du *stent*. Et ça marche très bien ! Les resténoses deviennent très rares avec les *stents* actifs.

Malheureusement, une autre complication apparaît : le médicament qui imprègne les filaments du *stent* actif et qui empêche la resténose empêche aussi que le *stent* soit recolonisé et ré-habité par un endothélium normal produisant ses propres substances anticaillot. Conséquence : en cas de *stent* actif, les cardiologues sont obligés de maximaliser le traitement anticaillot et il n'y a pas de consensus actuellement pour dire quand il est possible d'arrêter ce traitement, ou même commencer à le diminuer. Certains disent qu'il faut rester au maximum pendant 5 ans sous traitement, d'autres 1 an, d'autres disent qu'il faut donner 3 médicaments anticaillot et pas 2… En fait personne ne sait très bien ce qu'il faut faire. On oscille ainsi entre d'un côté le risque de faire un caillot dans le *stent* et de l'autre, le risque de faire une hémorragie.

Une étude récente a montré qu'en cas d'arrêt prématuré du traitement antiplaquettaire optimal – en raison d'un début d'hémorragie, d'une urgence chirurgicale ou dentaire exigeant au moins la diminution du traitement anticaillot –, 1 patient sur 10 environ présentait très vite un caillot dans le *stent*.

Quelle est la fréquence des complications hémorragiques avec ces traitements anticaillot maximaux ? Parmi 2948 patients suivis à Washington pendant 12 mois après pose d'un *stent* actif et traités avec deux antiplaquettaires à doses normales (pas de surdosage de précaution), les investigateurs ont enregistré 9 hémorragies fatales, 128 hémorragies internes graves et 812 saignements gênants. Autrement dit, en seulement une année, un tiers des patients traités à doses classiques présentaient des saignements nécessitant une consultation et 5 % des hémorragies sévères ou fatales. Plus ennuyeux, les patients avec saignements gênants avaient plus de complications de *stents* (début d'obstruction par un caillot) que ceux qui n'avaient pas de saignements – probablement parce qu'ils ne suivaient pas correctement et régulièrement leur traitement antiplaquettaire à cause des saignements.

Tout ceci veut dire qu'avec les *stents* actifs, les patients et leurs médecins ont l'impression très angoissante de naviguer à vue, entre le risque de thrombose du *stent* et le risque d'hémorragie, notamment cérébrale. Ils n'ont pas tort !

Retour en grâce du pontage chirurgical

On comprend dès lors que le pontage chirurgical (malgré ses défauts et inconvénients) ait retrouvé grâce aux yeux de nombreux médecins ; d'autant plus que dans certaines catégories de patients, la qualité de vie après chirurgie est nettement supérieure à celle après *stenting*.

On comprend aussi que la *médecine douce* de revascularisation préconisée au début de ce chapitre (médecine non instrumentale et sans la chimiothérapie du *stent* actif) ait pu trouver quelques défenseurs. On comprend enfin que certains cardiologues reviennent aux *stents* inactifs, préférant un risque de 10 à 20 % de resténose fibreuse mais avec peu de complications fatales.

MES CONSEILS

Angioplastie par ballonnet, *stent* inactif, *stent* actif... chacune de ces techniques instrumentales a des contre-indications et des indications indiscutables.

Respecter scrupuleusement les contre-indications puis sélectionner la meilleure approche possible est du ressort du cardiologue et d'une discussion ouverte avec son patient, la famille de ce dernier et aussi parfois avec une équipe chirurgicale, car le pontage chirurgical peut être la meilleure option. Chaque patient étant un cas particulier, je n'en dirai pas plus ici.

Ceci étant dit, et au risque de me répéter, je maintiens que la meilleure option est de faire en sorte, **grâce à un mode de vie protecteur**, de ne jamais avoir à faire ce parcours de triste combattant en compagnie du cardiologue ou du chirurgien cardiovasculaire.

Aux Etats-Unis, les plaintes et procès (généralement justifiés) se multiplient contre des cardiologues qui ont mis en place des *stents* en l'absence d'indication défendable. L'industrie du *stenting* aussi c'est du business (et pas seulement aux Etats-Unis) assez comparable à celui que nous imposent l'industrie pharmaceutique et ses alliés !

CHAPITRE 8

LES *PACEMAKERS* ET LES DÉFIBRILLATEURS IMPLANTÉS

L E CHAMP DES TECHNIQUES D'ÉLECTROSTIMULATION ET DE CHOC électrique est assez nouveau, une vingtaine d'années d'existence, et il est très dynamique.

Ces techniques n'apportent rien à la prévention de l'infarctus mais elles diminuent les risques de complications, notamment la tachycardie/ fibrillation ventriculaire (TFV), le syndrome de décès cardiaque subit (DCS) et l'insuffisance cardiaque.

Bien que les appareils modernes ressemblent beaucoup aux premiers *pacemakers* – un boîtier implanté sous la clavicule et un ou des cathéters qui vont du boîtier aux différentes cavités cardiaques –, leurs fonctionnalités sont devenues extraordinairement plus complexes ; de façon comparable à l'évolution de tous les instruments que l'industrie électronique nous propose aujourd'hui. Mais cette médecine est aussi devenue très compliquée et du ressort de cardiologues qui ne font que ça ; des spécialistes dans la spécialité !

C'est seulement à la fin des années 1990 que nous sommes réellement rentrés dans les applications cliniques quotidiennes de ces avancées technologiques et je vais me contenter d'exemples simples.

LA RÉVOLUTION DES DÉFIBRILLATEURS IMPLANTÉS

Les défibrillateurs implantés sont des **super *pacemakers*** en ce sens qu'ils peuvent faire le travail autrefois réservé au *pacemaker* classique, mais aussi faire le travail du défibrillateur électrique.

La très fameuse étude MADIT – qui veut dire en anglais *Multicenter Automatic Defibrillator Implantation Trial* – a montré pour la première fois qu'un défibrillateur miniaturisé et implanté dans le thorax sauvait des vies.

Ce défibrillateur miniaturisé était l'équivalent de ce qu'on transportait auparavant sous forme de valise dans les ambulances. Ces Défibrillateurs Automatiques Implantés (DAI) ont la taille et fonctionnent comme des *pacemakers* avec une fonction en plus : ils sont capables de produire un choc électrique salvateur en cas de tachycardie/fibrillation ventriculaire. Comme le choc électrique est délivré par des électrodes qui sont *dans* le cœur, l'énergie utilisée est très faible par rapport à celle utilisée lors des chocs électriques externes avec de grosses électrodes posées sur le thorax.

Comme les *pacemakers*, les DAI sont capables d'enregistrer le rythme cardiaque et d'identifier des anomalies électriques. Ils sont aussi capables d'une riposte graduée : d'abord ils peuvent essayer de résoudre l'anomalie par une *stimulation du cœur*, pour essayer de reprendre le contrôle du cœur, puis, mais seulement en cas d'échec, délivrer un choc électrique qui généralement guérit de la tachycardie/fibrillation ventriculaire.

LES PREMIERS *PACEMAKERS*

Les premiers *pacemakers* sont nés dans les années 1950-1960. Les patients qui en bénéficiaient parlaient de *leurs piles* ! Implantés sous la peau au niveau de la clavicule, ces *pacemakers* se contentaient de délivrer des petites décharges électriques dans le ventricule via un cathéter partant du boîtier de la clavicule et allant jusqu'au cœur.

Pourquoi stimuler les ventricules ? Parce que la transmission électrique entre l'oreillette et le ventricule était interrompue. C'est en effet dans l'oreillette que se trouve notre pacemaker naturel (le nœud sinusal) qui génère des impulsions électrique et donne son rythme et sa coordination mécanique à notre cœur.

Les patients qui bénéficièrent des premiers *pacemakers* avaient une interruption des communications électriques de leur cœur soit d'origine congénitale soit du fait du vieillissement prématuré de leur tissu cardiaque.

Je rappelle que la principale complication de l'infarctus c'est la tachycardie/fibrillation ventriculaire. Les DAI sont ainsi un recours thérapeutique majeur. Malheureusement, la très grande majorité des tachycardie/fibrillation ventriculaires surviennent dans les premières minutes de l'infarctus chez des personnes qui n'avaient pas eu d'alerte auparavant et qui n'ont aucune chance d'avoir été appareillées. Ce qui pousse les médecins à implanter de plus en plus de DAI préventifs, *par mesure de précaution*, ce qui fait le bonheur du business mais le malheur des budgets hospitaliers ou de l'Assurance maladie. Je n'étonnerai aucun lecteur en disant que des abus ont déjà été dénoncés dans certains pays.

En revanche, les DAI sont très utiles chez des personnes qui ont survécu à une tachycardie/fibrillation ventriculaire ou à un infarctus et qui présentent un risque élevé de faire à nouveau une tachycardie/fibrillation ventriculaire.

LES DÉFIBRILLATEURS UTILES AUSSI POUR LES INSUFFISANTS CARDIAQUES

Parmi les patients qui ont fait un infarctus important et qui ont tendance à faire de l'insuffisance cardiaque, certains développent ce que l'on appelle une désynchronisation des ventricules (les ventricules ne travaillent plus ensemble). Dans ce cas précis, les DAI sont très utiles. Ils permettent de corriger partiellement cette anomalie de contractilité.

Les DAI peuvent faire en sorte que les deux ventricules travaillent en même temps. Les deux ventricules synchronisés s'entraident pour assurer un débit cardiaque optimal malgré la perte de tissu, et donc de potentiel contractile, dû à l'infarctus. Les cardiologues spécialistes des DAI et de la resynchronisation savent de mieux en mieux quels patients peuvent profiter au mieux de ces techniques d'avant-garde.

MES CONSEILS

Ces techniques électriques sont nettement supérieures aux médicaments pour traiter les tachycardie/fibrillation ventriculaires, et sont de remarquables compléments au traitement médicamenteux de l'insuffisance cardiaque. Pour autant, elles ne doivent pas nous faire perdre de vue que nous devons tout faire pour ne jamais nous retrouver avec un de ces appareils dans le thorax. La meilleure des préventions passe par l'adoption d'un mode de vie anti-infarctus, et le plus tôt possible dans notre existence.

PARTIE 5

MODIFIER SON MODE DE VIE

INTRODUCTION

J<small>E VAIS DÉCRIRE UN MODE DE VIE ANTI-INFARCTUS ET ANTI-</small>AVC. I<small>L</small> y a peut-être d'autres modes de vie protecteurs, mais ils ne sont pas documentés de façon assez scientifique pour que je les expose ici. Certes, ma vision des choses peut comporter des lacunes, le sujet est si vaste... Mais j'ai fait des choix et je les assume ; ils sont les fruits de mon expérience professionnelle, 35 années de recherche scientifique et de pratique médicale. De plus, tout ce qui est écrit ici a été scrupuleusement vérifié afin de n'engager personne sur des chemins dangereux ou inconnus.

Le « mode de vie » est un concept sociologique. Il décrit des comportements et des attitudes de la vie quotidienne. A l'idée de mode de vie s'associe l'idée de « sens de la vie », ce qui renvoie à des philosophies de l'existence, des traditions culturelles, des religions... Je ne vais pas m'aventurer sur ces chemins périlleux car je n'ai d'autre ambition que d'informer – de quel droit ferais-je autre chose ? J'ai conscience que l'arrogance scientiste peut parfois prendre le pas sur le simple bon sens. Je ne veux qu'une chose : aider à rester en bonne santé ; je ne veux pas faire la leçon sur des thèmes culturels ou religieux Je veux être un passeur de savoir !

Mais en donnant des conseils de mode de vie, j'ai conscience que bien peu d'entre nous sont réellement libres de faire des choix à propos de leur mode de vie. Nous sommes soumis à de multiples contraintes – économiques, professionnelles, familiales, sociales et culturelles – que nous ne pouvons matériellement dépasser ou que nous devons respecter sous peine de transgresser des règles sociales basiques.

Mais un médecin n'est pas un sociologue ou un politicien. Le principe fondamental qui anime la pratique médicale depuis l'Antiquité, c'est l'**individu**. Et ce que le médecin doit défendre c'est l'intérêt de cet individu ; même si c'est à lui, individu, de faire en toute liberté les choix qui dicteront sa conduite. Changer de métier, changer d'habitat, changer de couple font partie de ces choix qui peuvent être salvateurs pour un individu.

Au-delà des conseils et recommandations un peu péremptoires que je vais décliner dans les chapitre suivants, je demande à mes lecteurs d'excuser mon apparente naïveté. Je sais que changer son mode de vie n'est pas facile ; je souhaite à chacun de faire de son mieux. Cependant, je voudrais rappeler deux principes fondamentaux.

1• Quand il s'agit de protéger sa propre santé, personne ne peut se substituer à nous-mêmes, ni le médecin, ni le conjoint, ni le parent et encore moins l'Assurance maladie.

2• En protégeant sa santé, on ne se rend pas seulement service à soi-même, on accomplit un geste profondément social : on épargne à notre famille de devoir nous supporter malade ou dépendant, et on économise le coût considérable d'une prise en charge par la société. En d'autres termes, **si vous ne le faites pas pour vous, faites-le pour les autres**, ils vous en seront reconnaissants !

CHAPITRE 1

L'EXERCICE PHYSIQUE

POUR RESTER EN BONNE SANTÉ ET RÉSISTER AUX AGRESSIONS DE l'existence, il est fondamental d'avoir des bons muscles. Comme je l'ai expliqué longuement dans mon livre *Dites à votre médecin que le cholestérol est innocent...*, on obtient et on garde des bons muscles en les exerçant !

La **sédentarité est une cause majeure de maladie cardiovasculaire** (lire page 149). Inversement, l'exercice physique augmente la résistance du myocarde et, via un effet sur l'endothélium artériel, diminue le risque de thrombose. Il nous protège aussi de l'hypertension, des syndromes métaboliques, du diabète, du surpoids et de l'obésité, et même des cancers.

Ce chapitre se veut **très pratique** et focalisé sur la prévention de l'infarctus et de l'AVC. Deux situations possibles :
• soit vous avez survécu à un infarctus ou un AVC (sans handicap important), vous ne voulez pas récidiver et vous avez compris que vous ne deviez pas rester sédentaire ;
• soit vous êtes en bonne santé apparente et vous avez compris que pour le rester et protéger votre cœur et votre cerveau, il fallait exercer vos muscles.

L'EXERCICE PHYSIQUE APRÈS UN INFARCTUS OU UN AVC

Les patients qui se trouvent dans cette situation sont généralement âgées – les victimes d'infarctus sont rarement des benjamins – et souffrent probablement d'une inappétence pour l'exercice physique et peut-être même d'une certaine incapacité musculaire. Autrement dit, ils n'ont pas les muscles, les tendons et ligaments et les appareils respiratoire et cardiovasculaire préparés à l'exercice physique. Ils sont souvent en surpoids et au moindre effort, ils sont en sueur avec une pression artérielle qui s'envole et des palpitations angoissantes. Bien sûr, je caricature, mais c'est quand même un peu ça. Je les connais mes patients !

MES CONSEILS

• Ne pas être présomptueux. Ne pas se prendre pour Tarzan, chacun son niveau ! Commencer doucement.

• Le mieux pour certains est de s'inscrire dans un **programme de réadaptation** à l'exercice en milieu médicalisé (demander à son médecin). Sinon, on peut se faire guider en gymnase par des professionnels de la réadaptation. Ensuite, on peut se doter d'un capteur de fréquence cardiaque et se donner des chiffres à ne pas dépasser déterminés par le cardiologue sur la base d'une épreuve d'effort initiale.

• Veiller à ne surtout pas blesser un muscle ou un tendon. Plus on est âgé, plus on doit passer du temps à l'échauffement avant l'exercice et au refroidissement après l'exercice. En effet, une blessure serait catastrophique car elle empêcherait toute activité physique jusqu'au rétablissement.

• Choisir une activité physique qui soit adaptée à sa personne, à son passé et sa culture – c'est là la limite de la réadaptation médicalisée : peu de variété, choix restreint – même si cela nécessite l'acquisition d'un minimum de technique. Certains préféreront la gymnastique ou la natation, d'autres le vélo, d'autres la randonnée pédestre, le ski de fond ou la marche nordique, d'autres le golf, et certains enfin devront se contenter d'une promenade deux ou trois fois par jour avec son chien ; qu'importe du moment que l'on se dépense physiquement davantage qu'avant l'infarctus. Si on habite une région au climat difficile (trop chaud, trop froid, trop humide) ou fortement polluée, et que l'on craint l'activité physique à l'extérieur, il n'y a aucun inconvénient à pratiquer un sport d'intérieur (vélo d'appartement, rameur…). Ce sera mieux que rien. Courage !

• Il est préférable de progresser régulièrement mais aussi de ne pas se contenter d'un petit progrès initial ; faire un peu mieux tous les jours (un peu plus long et un peu plus vite, ou un peu plus fort) mais tout en restant dans le confort et le plaisir et sans jamais se faire mal.

• Lors de chaque séance, il faut en faire suffisamment pour **arriver à transpirer un peu** ! Et pas moins de 30 minutes d'exercice ! Le minimum est une fois par jour. Si on peut faire plus, tant mieux, il n'y a pas de contre-indication. Et plus on en fera, mieux ce sera à condition que ce ne soit pas violent ! On sait qu'on est sur la bonne voie quand on se sent de mieux en mieux – plus de résistance aux petits efforts du quotidiens (ménage, escaliers…), sensation de liberté et de joie de vivre retrouvée – et quand les performances s'améliorent régulièrement !

Inversement, il y a des victimes d'infarctus encore jeunes qui ont un métier difficile physiquement et qui sont capables de faire des efforts physiques. Ceux-là ne sont pas sédentaires et la cause de leur infarctus est ailleurs : tabac, pollution, alimentation néfaste. Ces patients n'ont pas besoin de conseils concernant l'activité physique. Ce sont les chapitres sur le tabac et la nutrition qui doivent les occuper le plus.

Revenons à nos patients peu motivés et sédentaires. Ils ont un risque élevé de récidive s'ils ne modifient pas leur mode de vie. Impératif qu'ils comprennent deux choses importantes.

1• Aucun médicament ne fera le travail à leur place car **aucun médicament n'est un équivalent biologique de l'exercice physique**. Les prescripteurs de médicaments sont généralement peu enclins à donner des conseils de mode de vie et les médicaments entraînent souvent une persistance dans la sédentarité. Pire, certains médicaments empêchent l'exercice physique – notamment les statines – en provoquant des douleurs dès les premières séances !

2• En termes d'exercice physique, le moindre progrès sera rétribué au centuple. Même **un peu d'exercice donnera beaucoup de protection**. Personne ne doit se décourager car **il n'est jamais trop tard pour commencer** à pratiquer un exercice physique ; mais chacun doit le faire en fonction de ses moyens et à son rythme.

L'EXERCICE PHYSIQUE QUAND ON EST EN BONNE SANTÉ APPARENTE

Les personnes qui se trouvent dans cette situation sont généralement plus jeunes, plus actives, ont plus de responsabilités, notamment les femmes qui ont décidé d'assurer à la fois une vie familiale et une carrière professionnelle. Les contraintes peuvent être multiples, voire exorbitantes. La vie urbaine, avec ses heures de transport quotidien, la charge professionnelle et les obligations familiales, obligent à des sacrifices dans la vie quotidienne. Et les premiers sacrifices vont justement concerner notre petite personne. Mauvaise idée ! On mange n'importe comment et n'importe quoi ; et notre dernier souci est évidemment d'activer nos muscles et d'entraîner notre système cardiovasculaire. On y pense, on sait qu'on devrait le faire, mais il y a toujours autre chose à faire avant, ou bien c'est trop tard, on est épuisé, et le temps passe, toujours à courir après un peu de temps pour soi !

MES CONSEILS

• Oublier la balance ; on ne s'entraîne pas pour maigrir !

• Oublier le cholestérol et tous les paramètres physiologiques ou biologiques énumérés par le médecin et qui auraient pu vous inciter à commencer une activité physique. On ne s'entraîne pas pour diminuer son cholestérol, sa glycémie ou sa pression artérielle, même si l'exercice physique est la façon la plus efficace de normaliser ces paramètres. En effet, je le répète encore, l'exercice physique vous protègera indépendamment de ses effets sur ces paramètres.

• Oublier le chronomètre et les activités compétitives. On ne s'entraîne pas pour gagner ; c'est souvent comme ça qu'on se blesse. Et une fois blessé, on ne fait plus rien !

• Oublier les suppléments nutritionnels protéinés et les miroirs. On ne s'entraîne pas pour faire du muscle esthétique ou pour impressionner les voisins ou les copains.

• Ne pas chercher à se surentraîner, surtout à partir d'un certain âge. Un entraînement modéré protège contre les arythmies cardiaques mais un entraînement intensif peut provoquer des modifications du cœur et favoriser les arythmies.

• Choisir une activité physique peu dispendieuse et agréable en fonction du climat de son lieu d'habitation et des opportunités techniques offertes à proximité : piscine, gymnase, voie cyclable, stade ou piste de jogging, grande plage de sable, bords de rivière, quai de fleuve, salle de musculation, etc. La priorité étant d'entretenir ses muscles, notamment son cœur, ses artères et son cerveau, on s'adaptera à ces conditions indépendantes de nous-mêmes… ou bien on déménagera !

• Se donner des objectifs à court terme : faire un semi-marathon à son rythme, un raid à ski de fond ou en vélo ; ou encore un sommet alpin ou pyrénéen quand l'été sera venu, etc. sans jamais perdre de vue que l'on **s'entraîne dans la durée et pour la vie**. Notre principal objectif est d'être capable dans 20 ou 30 ans de faire ce que l'on fait aujourd'hui !

• Être constant dans l'effort. Un jogger ne doit pas être arrêté par un vulgaire crachin ! Été comme hiver, prévoir des équipements adaptés, ne jamais se décourager, ne jamais sacrifier ses séances d'activité physique. En faire un rituel.

• Adapter la fréquence des séances, leur durée et l'intensité de l'exercice à ses propres capacités et à son évolution.

Fig. 1

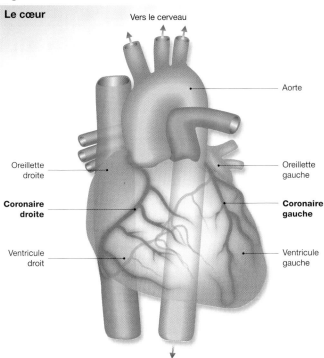

Le cœur

Vers le cerveau

Aorte

Oreillette droite

Oreillette gauche

Coronaire droite

Coronaire gauche

Ventricule droit

Ventricule gauche

Vers les membres inférieurs

Le cœur est un organe puissant de la taille d'un poing qui assure la circulation du sang.

Le cœur est composé de quatre cavités : deux ventricules, deux oreillettes. Les oreillettes reçoivent passivement le sang veineux tandis que les ventricules, alimentés par les oreillettes, se contractent et propulsent le sang riche en oxygène vers les artères.

L'oxygène est apporté au myocarde par des artères qui naissent de l'aorte juste après la connexion de cette grosse artère avec le cœur. On les appelle les artères coronaires car elles forment une sorte de couronne (du latin corona) autour du cœur. Plus l'artère coronaire bouchée est large et plus la masse de cellules privées d'oxygène est importante et plus l'infarctus est étendu et dangereux.

De l'aorte naissent les artères carotides qui irriguent le cerveau. Un caillot né dans le cœur (au niveau de l'oreillette gauche en cas de fibrillation auriculaire) empruntera ce chemin pour atteindre le cerveau.

I

Fig. 2

Vue en coupe d'une artère

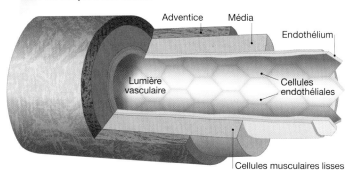

Adventice   Média
Endothélium
Lumière vasculaire
Cellules endothéliales
Cellules musculaires lisses

Les parois des artères s'adaptent aux hautes pressions dues à la contraction cardiaque. Une artère est formée de trois couches cellulaires autour de la lumière centrale dans laquelle circule le sang : l'adventice qui nourrit la paroi, la média (musculaire) et l'endothélium. L'endothélium est la couche de cellules qui tapissent la paroi interne de l'artère. Il empêche le sang de coaguler sur cette paroi car il produit en permanence des substances antiplaquettaires.

Fig. 3

La formation du caillot plaquettaire

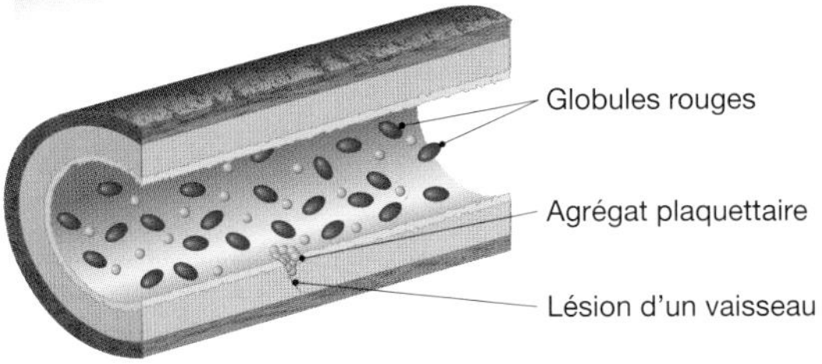

Globules rouges

Agrégat plaquettaire

Lésion d'un vaisseau

Lorsque la membrane interne d'une artère est endommagée, les plaquettes se précipitent sur la lésion, elles s'agrègent les unes aux autres pour former un agrégat et fermer la brèche. Cet amas de plaquettes n'est pas solide. Il peut se désagréger en quelques secondes.

Fig. 4

La coagulation

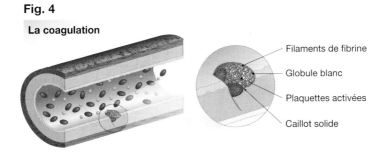

Filaments de fibrine

Globule blanc

Plaquettes activées

Caillot solide

Le fibrinogène circulant est converti en fibrine insoluble, un filament collant qui adhère fortement aux plaquettes et consolide le caillot. L'obturation de la brèche est solide.

D'autres cellules du sang (les globules rouges et les globules blancs) sont prises elles aussi dans le filet de fibrine pour former un caillot compact à partir duquel la paroi de l'artère est réparée (« organisation » cicatricielle).

Fig. 5
Première théorie alternative expliquant l'athérosclérose

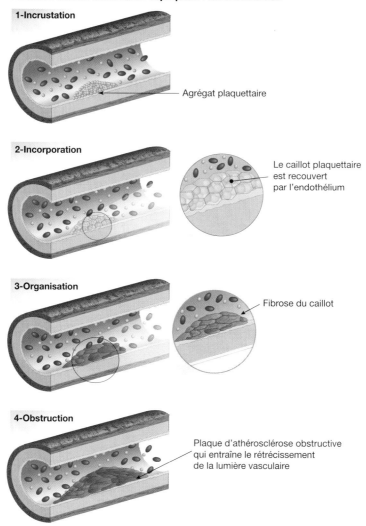

1-Incrustation

Agrégat plaquettaire

2-Incorporation

Le caillot plaquettaire est recouvert par l'endothélium

3-Organisation

Fibrose du caillot

4-Obstruction

Plaque d'athérosclérose obstructive qui entraîne le rétrécissement de la lumière vasculaire

Il y a de nombreuses théories alternatives à celle du cholestérol pour expliquer la genèse des plaques d'athérosclérose.

Selon la théorie thrombogénique (ou théorie de von Rokitansky), les plaques d'athérosclérose sont des caillots qui, après s'être incrustés sur la paroi artérielle et avoir été incorporés dans cette paroi, se sont « organisés » en suivant un processus de cicatrisation artériel classique (figure 4).

Schématiquement, un caillot se forme au niveau d'une zone érodée de l'endothélium, puis les actions dérégulées de la coagulation (stimulante) et de la fibrinolyse (permissive) permettent que ce caillot persiste et que la paroi artérielle l'incorpore (recouvrement par l'endothélium). Ensuite, un processus normal de cicatrisation va s'effectuer comme si l'artère devait être réparée.

En l'absence de régulation endothéliale, la cicatrice prend un aspect pseudo-tumoral potentiellement obstructif.

Fig. 6

Deuxième théorie alternative expliquant l'athérosclérose

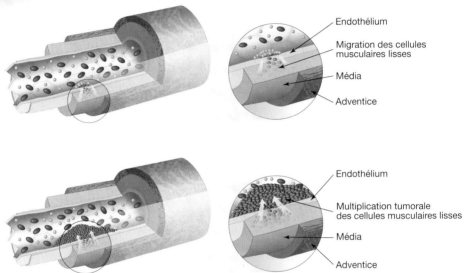

Endothélium
Migration des cellules musculaires lisses
Média
Adventice

Endothélium
Multiplication tumorale des cellules musculaires lisses
Média
Adventice

Selon la théorie proliférative (ou théorie de Russel Ross), il n'y a pas besoin d'une brèche ou d'une érosion de la paroi artérielle. Il suffit d'une dysfonction de l'endothélium pour que les plaquettes s'accrochent à la paroi et déclenchent la migration des cellules depuis la couche musculaire de la paroi artérielle, puis leur multiplication tumorale. On obtient ainsi les prémisses d'une plaque d'athérosclérose dans laquelle l'aspect prolifératif est prépondérant.

La randonnée en montagne est une bonne façon de faire de l'exercice physique tout en s'évadant dans un écosystème particulier. On découvre un environnement très diversifié en fonction de l'altitude atteinte mais ●●●

●●● il n'est pas indispensable d'aller vers les sommets enneigés (ici à plus de 4000 mètres) ou de marcher sur les glaciers avec piolet, cordes et crampons pour apprécier la montagne ou la randonnée. Certains préféreront les bords de mer et les paysages marins, d'autres les déserts, mais ce qui importe c'est ●●●

••• d'initier très tôt les enfants à ces plaisirs et joies de l'existence sans les brusquer. Ils apprennent ainsi à composer avec les caprices de la nature et du climat, à utiliser les équipements adéquats et à respecter l'environnement.

D'autres préféreront courir, seuls ou accompagnés. A condition d'être bien équipés (contre le froid et la pluie notamment). Rien ne devrait freiner nos envies de courir, y compris en milieu urbain, et plusieurs fois par semaine si possible, surtout avant 60 ans. Attention de bien s'échauffer (et se refroidir) avant (et après) un effort durable, surtout en prenant de l'âge, pour ne pas se blesser. Inutile d'être marathonien, à chacun selon ses aptitudes et ses préférences.

La promenade en vélo est une bonne alternative, surtout si on a la chance de vivre à proximité de pistes cyclables protégées. (Merci aux mairies d'y penser !) Le vélo est aussi un bon moyen d'aller travailler, tout en assurant sa dose d'exercice physique hygiénique quotidien mais attention de ne pas arriver épuisé au travail.

Il est important, quoiqu'on fasse, de le faire dans la sérénité. A partir d'un certain âge, et en cas de petits ou gros handicaps interdisant les sports aérobie consommant beaucoup d'énergie (course à pied, vélo, natation...), toutes les formes de gymnastique sont souhaitables, avec une préférence pour les activités (comme le yoga) qui ne sont pas seulement des postures et des mouvements, mais aussi des exercices respiratoires, de la relaxation, de la méditation et qui donnent du sens à la vie !

Pourtant s'il est essentiel de rester en bonne santé, ce n'est pas seulement pour se protéger d'un infarctus ou d'un AVC éventuellement mortels, c'est aussi pour échapper à la catastrophe personnelle et familiale de rester handicapé ; et une charge pour son entourage.

Bon ! Maintenant qu'on a dit ça, qu'est-ce qu'on fait ?

La priorité est certainement d'établir des priorités : la première serait de redonner **un sens à sa vie** (lire page 243). Un mode de vie protecteur comporte un entraînement physique, on ne peut pas y échapper. Donc, il faut y consacrer du temps, c'est une priorité morale ! Pas de fausses excuses, du genre qu'on ne veut pas laisser ses enfants à l'école après 16 h 30 ; au contraire, profitons de cette bonne excuse pour quitter le boulot plus tôt et aller faire un jogging plutôt que du shopping.

En effet, le temps passé à l'exercice physique n'est pas du temps perdu : on sera ensuite plus disponible, moins nerveux, plus *cool*, moins stressé avec les enfants, le conjoint ou les parents. L'exercice physique est excellent pour l'intellect (les fonctions cognitives). Il permet d'avoir un meilleur rendement professionnel à court terme et une moindre sensibilité aux petites maladies saisonnières, donc moins d'absentéisme ; le patron et les collègues vous diront merci.

Les sportifs n'ont pas besoin de moi : qu'ils continuent le plus longtemps possible à s'entraîner sans jamais interrompre. Ceux qui ont un travail pénible, usant mais très physique, n'ont pas non plus besoin de mes conseils. En revanche si ces derniers sont artisans ou techniciens spécialisés, ils doivent veiller à se protéger des toxiques qu'ils manipulent et des activités ou des positions qui traumatisent ou abîment à la longue.

Les personnes auxquelles je vais m'adresser maintenant sont celles qui ne pratiquent aucune activité physique.

Chaque lecteur aura compris la philosophie de base : modération, prudence, régularité tout au long de la vie… et plaisir ! Entretenir une bonne capacité à l'effort physique – ce qui n'est possible qu'avec un entraînement régulier – est aussi un moyen de maintenir une sexualité épanouie et de mieux gérer son stress, deux aspects du mode de vie cruciaux pour la prévention de l'infarctus et de l'AVC.

L'exercice physique entretient nos muscles et nos artères, stimule nos systèmes hormonaux et nous rend **résistants** aux épreuves de l'existence. Avec une meilleure résistance, on sera prêt à éventuellement affronter le « crash » que constitue l'infarctus ou l'AVC. On s'en sortira mieux si on n'a pas su y échapper.

Quelques mots à ceux qui, pour des raisons variées (choix personnels, aptitude médiocre, impossibilité matérielle) ne s'adonneront jamais à un vrai exercice physique. Si vous êtes dans ce cas, pensez à des activités comme certaines danses, les promenades, le yoga, le Tai-chi, le jardinage... Ce sont des activités plutôt douces – quoique le potager au printemps puisse laisser quelques courbatures – mais c'est mieux que rien ! D'autant que ces activités sont source de bien-être et de partage. Vous aurez aussi intérêt à saisir toutes les occasions pour exercer vos muscles et stimuler votre système cardiovasculaire : en prenant les escaliers plutôt que les ascenseurs, en renonçant à la voiture pour accompagner les enfants à l'école ou pour aller au travail, et en **marchant si possible de façon accélérée**, en se déplaçant à vélo – ne pas oublier de mettre un casque. Pour faciliter ces efforts physiques, il faut être équipé contre le froid en hiver et contre la pluie en toutes saisons (gants, bonnet, parka...). Par ailleurs, mieux vaut éviter les boulevards enfumés par les gaz de voitures ; choisir son parcours.

Finalement, si ces « incorrigibles » sédentaires se décidaient à adhérer à un programme d'entraînement physique, qu'ils sachent qu'il a été démontré que les convertis tardifs – y compris les seniors – bénéficient aussi d'une modification de leur mode de vie : diminution du risque d'infarctus et d'AVC et meilleure espérance de vie. Il n'est jamais trop tard pour commencer. Pas beau ça ?

CHAPITRE 2

UNE VIE SEXUELLE ÉPANOUIE

PENDANT LONGTEMPS, ON NE S'EST POSÉ AUCUNE QUESTION À PROPOS du rôle de la vie sexuelle dans la survenue de l'infarctus ou de l'AVC. Puis, des patients et leurs médecins se sont demandé s'il n'était pas contre-indiqué d'avoir des relations sexuelles lorsqu'on avait des artères un peu bouchées, comme si l'effort physique requis par la relation sexuelle pouvait déclencher une crise cardiaque. Un rapport sexuel « conventionnel » n'étant pas un exercice physique intense – on est en principe en position horizontale – les cardiologues ont pris l'habitude de rassurer les couples sous réserve de deux précautions :

• Les rapports sexuels avec des partenaires inhabituels pouvant être beaucoup plus perturbateurs qu'avec son conjoint dans la vie – on a ses habitudes – un patient en équilibre cardiaque instable ferait mieux de s'abstenir jusqu'au moment où un nouvel équilibre aura été trouvé.

• Si on tient beaucoup aux partenaires inhabituels ou si on est très anxieux, il est recommandé de prendre un comprimé de trinitrine, le médicament antiangine de poitrine, avant de commencer (lire page 183).

La notion d'équilibre cardiaque instable renvoie à la situation d'un individu dont la maladie artérielle est en évolution. Par exemple, un caillot est en formation au niveau d'une plaque d'athérosclérose et il suffit de pas grand-chose pour que cette situation évolutive se transforme en crise cardiaque. Une dispute, un effort un peu inhabituel, une rage de dent, une indigestion… et nous voilà en compagnie du SAMU ! Outre un rapport sexuel, ces déclencheurs sont fréquents au moment d'une crise cardiaque ou d'un AVC.

Chez un individu en bonne santé apparente, et qui a une activité physique habituelle minimale – par exemple la capacité de monter deux étages sans se presser mais sans s'arrêter – le stress provoqué par un **rapport sexuel est absolument sans danger**.

EST-CE QU'UNE ACTIVITÉ SEXUELLE ÉPANOUIE PROTÈGE DE L'INFARCTUS ET DE L'AVC ?

Que l'activité sexuelle soit favorable au maintien d'un bon état de santé, voire un facteur de longévité, n'est pas une idée nouvelle. Elle est même aussi vieille que la médecine égyptienne antique telle qu'elle est représentée sur des papyrus. De même, la vision chinoise et taoïste de la santé et de la longévité ne fait pas l'impasse sur les questions de sexualité.

Récemment, à l'époque de la médecine scientifique, ces idées ont été revivifiées. Que les résultats de certaines études concordent avec les philosophies et médecines antiques ne constitue pas le moindre de leur intérêt.

ARRÊTEZ LES STATINES, PAS VOTRE VIE SEXUELLE !

De nombreux médicaments (**surtout les statines** mais aussi les médicaments antihypertension) peuvent nous priver d'une vie sexuelle satisfaisante. Le grave problème provoqué par les statines c'est qu'elles ne se contentent pas d'induire des troubles de l'érection chez les hommes. Elles abolissent aussi le désir, chez les hommes comme chez les femmes. Autrement dit, ces médicaments inhibent l'activité sexuelle et en plus annihilent l'idée même de sexe. Double handicap ! Les victimes ne savent pas qu'elles sont victimes et n'ont pas l'idée de se plaindre, sauf exceptions. Ce qui explique que les médecins ignorent en général cette complication des traitements anticholestérol. C'est ce que j'ai appelé *un crime sexuel presque parfait* dans une de mes publications (*Un crime sexuel presque parfait : statines contre cholestérol*, éditions A4SET). On pourrait certes penser que l'absence d'activité sexuelle n'est pas un risque en soi. C'est ce que beaucoup de médecins pensent : mieux vaut un patient sous statine et sans activité sexuelle plutôt qu'un patient décédé parce qu'il a été privé de statine. C'est faux évidemment. Non seulement la statine ne nous protège pas mais une activité sexuelle satisfaisante constitue, quel que soit l'âge, un **bonus de l'existence** puisqu'elle peut avoir un effet positif majeur sur notre espérance de vie. Je ne peux rentrer dans le détail des effets biologiques, hormonaux et psychosociaux d'une vie sexuelle satisfaisante, mais cela est facile à trouver via Internet, dans mon livre électronique cité précédemment, ou simplement en s'observant soi-même.

Dans les années 1950 à 1970, plusieurs études ont montré que les hommes sexuellement actifs avaient une meilleure espérance de vie que les autres ; mais on ne pouvait pas exclure que c'était justement parce qu'ils étaient en bonne santé que ces hommes avaient une vie sexuelle active. On avait aussi observé que les femmes survivantes d'un infarctus se plaignaient plus souvent d'insatisfaction sexuelle – y compris de frigidité – que celles qui étaient indemnes de maladie des coronaires. A nouveau, ces résultats sont difficiles à analyser mais pouvaient laisser penser qu'une vie sexuelle peu satisfaisante favorisait l'infarctus.

Au début des années 2000, des arguments – meilleurs que les précédents mais encore un peu *aléatoires* – ont été publiés. Par exemple, dans une étude anglaise, des hommes d'âge moyen (entre 45 et 59 ans) suivis pendant 10 ans ont été classés en trois catégories en fonction de la fréquence de leurs rapports sexuels : au moins deux fois par semaine, moins d'une fois par mois et une catégorie intermédiaire. Le risque de décéder au cours des 10 années suivantes était inférieur de 50 % chez ceux qui avaient au moins deux orgasmes par semaine, et d'encore 30 % après 20 ans de suivi, ce qui renforce la crédibilité de ces données. La mortalité spécifiquement cardiaque était également réduite de 50 % après 10 ans ce qui n'est pas négligeable. J'invite tous mes lecteurs et lectrices à tenter l'expérience ; rien à perdre à la tenter.

MES CONSEILS

• Pour ceux qui pensent qu'avoir des relations sexuelles est devenu impossible du fait de leur âge, du manque d'habitude ou d'un quelconque handicap physique, je veux dire les choses suivantes :

- Ne vous découragez pas, un rapport sexuel n'est pas une performance sportive, c'est un jeu et rien d'autre : faites-vous plaisir !

- Faites-vous aider si vous avez des hésitations en consultant un médecin ouvert à ces questions ou un sexologue.

• Arrêtez les médicaments perturbateurs, inutiles et nocifs, notamment les statines, les bêtabloqueurs, après en avoir parlé avec votre médecin bien sûr.

• N'hésitez pas à avoir recours à des **aides variées**, surtout s'il s'agit d'une reprise après une longue interruption – films et documents suggestifs, les choix ne manquent pas ! – et éventuellement... un Viagra (ou une substance assimilée) pour monsieur, adaptée aux pratiques et habitudes du couple sachant que les contre-indications sont rares, y compris chez les patients survivants d'un infarctus. Là encore, il est important d'en parler avec son médecin et d'insister un peu s'il hésite car il peut, par ignorance, estimer que ce n'est pas bon pour vous.

J'ajouterai qu'une activité physique significative aura aussi un effet bénéfique sur la vie sexuelle : optimisation du bilan hormonal sexuel et de la fonction endothéliale – un des principaux médiateurs des érections pénienne et clitoridienne est l'oxyde nitrique qui est produit par l'endothélium – et vice versa. Ces interactions et renforcements mutuels sont un des secrets de la longévité en bonne santé ! Je répète : activité physique et activité sexuelle vont de pair !

CHAPITRE 3

APPRENDRE À MIEUX GÉRER SON STRESS

L E STRESS, SURTOUT LE STRESS PROFESSIONNEL, EST SOUVENT ACCUSÉ d'être un des principaux responsables de l'infarctus et de l'AVC. Si tel était le cas, il faudrait apprendre en urgence à gérer son stress de la même façon que nous apprenons à mieux nous nourrir. Certains préfèrent ignorer que l'infarctus est le résultat d'un mode de vie toxique (sédentarité, nutrition, pollution, tabac) et accusent le stress. Que faut-il penser de cette accusation ?

Il faut d'abord définir ce qu'est le stress. Certains voient le stress comme une situation assez banale de l'existence comme quelque chose d'inévitable et consubstantielle à la vie. C'est indéniable, mais trop simpliste. Ce qui est vraiment important, c'est la façon dont chacun gère les situations dites stressantes et comment chacun « fait face » et surmonte les événements abrupts ou offensants de l'existence. Pour un même événement (un deuil, un licenciement professionnel) certains d'entre nous se débrouillent mieux que d'autres. Ce que nous appelons stress, c'est notre incapacité à surmonter une situation difficile, ce n'est pas la situation difficile elle-même. Certains sont-ils plus aptes à gérer des situations difficiles ? Si oui, est-ce que cette aptitude à gérer les situations difficiles est transmissible ? Est-ce que ça s'apprend ? Je pourrais écrire des centaines de pages sur ce sujet, mais je veux me concentrer sur les aspects cardiovasculaires.

LE STRESS, UN PROBLÈME MULTIDIMENSIONNEL

L'inventeur du concept scientifique de stress est un chercheur canadien d'origine autrichienne, Hans Selye (1907-1982). Pour lui, ce n'est pas une condition exogène traumatisante – comme généralement compris aujourd'hui – mais l'ensemble des réactions de l'individu pour **s'adapter** à cette situation traumatisante. Si nous ne sommes pas capables de nous adapter – quelle qu'en soit la raison – cette situation ou cette circonstance devient pathogène, générateur du stress pris dans le sens commun.

Le grand mérite de Selye est d'avoir donné une traduction biologique à cette notion de réponse individuelle à une situation stressante. Il a montré l'importance de certaines glandes (notamment les surrénales) et du cerveau dans notre capacité à surmonter des situations stressantes. A sa suite, plusieurs équipes ont décrit les effets d'une multitude de substances hormonales et de neurotransmetteurs cérébraux lors du stress.

Des chercheurs en sciences humaines et des psychologues ont aussi décrit des facteurs psychosociaux liés au stress, et on est progressivement parvenus à une compréhension « biopsychologique » du stress. Ceci a donné naissance à des concepts originaux – comme celui de résilience, la capacité d'un individu à surmonter l'adversité avec succès – et a permis de combiner des approches du stress à la fois physiologiques (moléculaires et génétiques) et psychosociales.

Ces données scientifiques sont une véritable bénédiction pour tous ceux qui, de longue date, voyaient dans certaines médecines alternatives la solution à de nombreux problèmes médicaux, mais manquaient de concepts scientifiques pour soutenir leurs propositions. Des approches que la médecine conventionnelle classait (sans beaucoup de réflexion) dans la catégorie ésotérique se voient reconnaître une légitimité inimaginable quelques années auparavant (lire page 239). Posons-nous maintenant quelques questions.

UN STRESS MAL GÉRÉ EST-IL DANGEREUX POUR LE CŒUR ?

La réponse est oui. Je vais prendre **trois exemples**.

• Le premier concerne une situation stressante aiguë : les effets cardiovasculaires du **tremblement de terre** de Los Angeles le 17 janvier 1994. Je rappelle que ce fut le plus intense tremblement de terre jamais enregistré dans une zone fortement urbanisée. Depuis, il y a eu Haïti, et ce fut encore pire ! Des médecins ont étudié la mortalité spécifiquement cardiovasculaire avant, pendant et après le tremblement de terre de Los Angeles. La moyenne des décès cardiaques était habituellement de 73 par jour dans cette zone géographique. Le 17 janvier, jour du tremblement de terre, 125 décès cardiaques ont été enregistrés et dans les jours suivants (du 18 au 31 janvier), seulement 57 décès cardiaques chaque jour en moyenne avec une augmentation progressive et un retour aux normes saisonnières en février. Comment a-t-on interprété ces données ? Selon les auteurs de l'étude, le tremblement de terre aurait précipité un certain nombre d'infarctus mortels chez des personnes à haut risque. La diminution du nombre de décès cardiaques dans les jours suivants suggère qu'environ 40 % de ceux qui sont décédés le jour du tremblement de terre seraient sans doute morts les jours suivants s'ils avaient survécu au choc émotionnel provoqué par le tremblement de terre. Un événement très perturbant peut donc effectivement provoquer un infarctus ou un AVC, mais plutôt chez des personnes qui sont déjà au bord de l'infarctus ou de l'AVC.

• Le deuxième exemple concerne la mortalité cardiovasculaire dans le contexte d'un **événement sportif majeur** avec des comportements passionnés de certains supporters et des paris sportifs avec parfois des enjeux considérables.

Des cardiologues ont analysé s'il y avait une augmentation de la mortalité cardiovasculaire au moment des finales du championnat de football américain (le fameux *Super Bowl*) et si l'incidence des décès cardiaques dans une population variait en fonction des résultats (gagnants ou perdants) de l'équipe représentant cette population. Ils ont effectivement montré une notable augmentation des décès cardiaques au moment du *Super Bowl* mais cet excès est peu visible dans la population de l'équipe gagnante, comme si l'effet d'une émotion perdait de son intensité si elle était positive. La conclusion des auteurs était que le sport de compétition, vu par les spectateurs, n'est pas qu'un jeu ou un loisir du dimanche ! Drôle d'époque !

• Le troisième exemple est celui **syndrome du Takotsubo**, nom japonais d'un piège à poulpe et décrivant l'aspect du cœur après un faux infarctus du myocarde.

Ce syndrome cardiaque aigu, décrit il y a 20 ans au Japon et retrouvé dans d'autres régions depuis, survient à la suite d'un choc émotionnel violent, généralement chez une femme ménopausée. Il est attribué à une violente et massive décharge d'hormones du stress (les catécholamines) qui sidèrent la microcirculation du cœur chez une femme en manque d'œstrogènes. Effectivement, il y a des récepteurs des œstrogènes dans nos artères. Selon la majorité des auteurs, tous les signes de ce « faux infarctus » disparaissent en quelques semaines sans laisser de séquelles.

UN STRESS CHRONIQUE MAL GÉRÉ EST-IL DANGEREUX POUR LE CŒUR ?

Les situations de stress chronique existent évidemment. C'est le cas par exemple du *burnout*, un syndrome d'épuisement professionnel provoqué par une accumulation d'événements perturbateurs, sorte de dépression. Cependant, elles sont plus difficiles à analyser en termes de complications cardiovasculaires, à l'image de la dépression (lire page 157). Les maladies cardiovasculaires et la dépression sont souvent associées, mais les experts se disputent pour savoir quelle est celle qui provoque l'autre. Mes lecteurs connaissent déjà ma réponse : ces deux maladies vont ensemble non pas parce que l'une provoque l'autre, mais parce que le mode de vie délétère qui est à l'origine de l'une peut aussi provoquer l'autre. Un individu soumis à un harcèlement professionnel répond à cette situation en fumant plus, en expédiant ses repas, en cessant toute activité physique, en se scotchant devant la télé… et donc en augmentant son risque cardiovasculaire. C'est un exemple, on peut en trouver d'autres. Finalement, ce ne sont pas les contraintes perturbatrices, quelle que soit leur intensité, qui font problème, c'est notre réponse et nos comportements associés à ces contraintes qui sont mauvais pour le cœur.

PAR QUELS MÉCANISMES LE STRESS PROVOQUE L'INFARCTUS OU L'AVC ?

Par une réaction viscérale impliquant notre **système nerveux autonome** ; c'est-à-dire la partie de notre système nerveux qui échappe en grande partie à notre conscience et à notre contrôle (lire encadré ci-contre). Tous les êtres vivants développent un système de défense ou d'adaptation à un environnement hostile. Les Anglo-Saxons l'appellent le *fight or flight* – combattre ou s'enfuir – qui est un réflexe de survie. Pour échapper au prédateur, ou alternativement pour s'offrir une proie, l'animal mobilise ses énergies neurologiques, musculaires (y compris le cœur, les artères et le système respiratoire) et métaboliques via la stimulation immédiate du système sympathique (et en parallèle l'inhibition du système parasympathique) puis implique son cerveau, l'axe hypothalamus-hypophyse-surrénales. Une multitude de médiateurs hormonaux et cérébraux sont impliqués – qu'on ne saurait décrire ici : catécholamines, corticoïdes, sérotonine, dopamine, GABA – qui contribuent à la formation d'un caillot, diminuent la résistance du myocarde ou encore favorisent les arythmies, mais tout cela ne peut arriver que si un mode de vie délétère a préparé le terrain. C'est une cascade de réactions biologiques. Et si cette « hyper-réponse » est certes adaptée quand notre vie est menacée, elle l'est beaucoup moins dans la vie de tous les jours et lorsqu'elle est chronique. Et c'est là le problème.

Ainsi, certains individus, qualifiés de stressés, développent des réactions inadaptées (exagérées) à des situations apparemment bénignes pour la majorité d'entre nous. En fait, cette hyper-réponse ne peut mettre en danger qu'une personne fragilisée par une maladie préexistante. Un bon exemple est celui du tremblement de terre de LA qui a provoqué des décès chez des patients coronariens mal équilibrés alors qu'ils n'étaient pas menacés directement et matériellement par le tremblement de terre.

QUELQUES MOTS SUR LE SYSTÈME NERVEUX AUTONOME

Notre système cardiovasculaire est gouverné par deux branches du système nerveux autonome : le système **sympathique** qui excite et stimule le cœur – et permet d'aller au combat ou de s'enfuir – et le système **parasympathique** qui au contraire inhibe et relaxe le cœur et les artères.

L'idéal est que les deux systèmes soient en « équilibre instable », c'est-à-dire que l'un des systèmes prenne le dessus sur l'autre uniquement de façon appropriée, quand la situation l'exige. Le sympathique est parfois salvateur, mais il peut aussi être dangereux s'il prend le dessus dans des circonstances où il faudrait plutôt ralentir ou s'il est hyperactif de façon chronique. En effet, comment dormir si notre cœur et nos poumons sont constamment en surrégime, y compris la nuit, au rythme nécessité par un travail de force ou pour répondre à une situation traumatique ?

Pour des raisons variées (génétiques, culturelles, environnementales, nutritionnelles) beaucoup d'entre nous vivent avec un système nerveux autonome déséquilibré ! Et ça aussi ça se travaille.

Finalement, la manière que nous avons de répondre à une situation génératrice de stress et de la gérer dépend de notre vécu, de notre culture et finalement de notre équilibre psychologique. Cela signifie que la gestion du stress, ça peut se travailler, ça s'améliore éventuellement (lire page 244). Outre l'équilibre émotionnel, une autre forme d'équilibre joue un rôle dans les complications cardiovasculaires liées à une situation stressante, c'est celui du système nerveux autonome (lire encadré).

Je résume : nous pouvons avoir un risque de complications cardiovasculaires élevé pour trois raisons différentes : 1. parce que notre cœur est déjà fragilisé par un infarctus précédent ou une autre maladie ; 2. parce que nous exagérons émotionnellement la situation vécue ; 3. parce que notre système nerveux autonome « sur-réagit » à la situation vécue.

Si **les trois conditions sont réunies**, quelle que soit la situation perturbatrice (banale de la vie quotidienne ou réellement tragique) notre risque de crise cardiaque augmente.

LES SOLUTIONS POUR GÉRER LE STRESS

Comment se protéger d'une situation perturbatrice, dite stressante ? Comment retrouver nos équilibres neuropsychique et émotionnel ? Comment retrouver un système nerveux autonome équilibré ? Autrement dit : **comment faire pour se protéger de soi-même** ?

La première chose est d'**adopter en urgence un mode de vie protecteur** : exercice physique et nutrition protectrice en sont les deux éléments primordiaux. D'une part, parce que ce mode de vie est la base générale de la prévention de l'infarctus, et d'autre part de manière plus spécifique, parce que nous savons qu'une personne active physiquement a un système nerveux autonome mieux équilibré, plus adapté pour répondre à une situation perturbatrice. Les déficiences en certains nutriments (en vitamines B ou en oméga-3) modifient l'équilibre sympathique-parasympathique de façon défavorable. L'équilibre émotionnel est aussi perturbé.

Pour rééquilibrer notre émotionnel et déplacer le système sympathique-parasympathique vers le parasympathique, outre l'exercice physique, le yoga est très utile (lire page 240) tout comme le Tai-chi (lire page 254), le Qi gong et d'autres techniques… À chacun de trouver ce qui lui convient le mieux.

Des médecins font un peu la même chose quand ils prescrivent des médicaments : par exemple, les bêtabloqueurs (qui inhibent le système sympathique) chez des personnes avec HTA ou après un infarctus ; ou encore les antidépresseurs et les anxiolytiques chez des personnes dépressifs ou incapables de gérer leur stress. Mais ces médicaments ont des effets secondaires parfois très importants, notamment à long terme, et éludent la question de la cause de ces déséquilibres. Ceci dit, les médicaments peuvent être utiles parfois, mais de façon transitoire.

La deuxième chose est d'apprendre à mieux contrôler les situations stressantes en apprenant à ne pas exagérer la dangerosité d'une situation et à surmonter l'adversité (concept de résilience). Ceci peut se faire par exemple à travers une **psychothérapie**. Le yoga est une autre solution qui permet d'agir à la fois sur la perception de la situation stressante et sur la réaction émotionnelle; et encore sur les aspects neuro-végétatifs de notre réaction. Lire à ce sujet l'ouvrage du Dr Lionel Coudron, *Le yoga : bien vivre ses émotions* (éditions Odile Jacob). Certaines communautés sont plus aptes à surmonter des situations difficiles. C'est le cas par exemple des habitants d'Okinawa qui ont un mode de vie très socialisé. Vous pouvez lire à ce sujet notre article paru en 2011 dans *World Review in Nutrition and Dietetics*.

La troisième chose est d'apprendre à mieux équilibrer notre système nerveux autonome. Outre l'entraînement physique et la correction d'anomalies nutritionnelles, il existe des techniques d'équilibrage avec des exercices comme ceux de **la cohérence cardiaque** ou d'autres basés sur la spiritualité (lire page 244).

CHAPITRE 4

LES MÉDECINES ALTERNATIVES

J
E M'AVENTURE MAINTENANT SUR UN TERRAIN QUI M'EST PEU FAMILIER puisque mes métiers (cardiologue et physiologiste du cœur et de la nutrition, avec une approche scientifique « dure ») ne m'y prédisposent pas. Je sais pourtant par expérience que la médecine conventionnelle et scientifique ne permet pas toujours d'apporter aux patients ce dont ils ont besoin. Je peux passer beaucoup de temps à expliquer les méfaits du tabac et à entendre mes patients fumeurs me dire qu'ils feront leur maximum pour rompre avec leur dépendance, je sais malheureusement que trop souvent ils échoueront et je reste généralement désarmé pour les aider. Dans ces cas, je les encourage à se tourner vers d'autres médecines car je sais qu'elles peuvent rendre service, et pas seulement pour cesser de fumer. Il ne s'agit pas d'abandonner la médecine conventionnelle mais de la compléter par des solutions alternatives.

Il est difficile de s'orienter dans ce qui ressemble à un maquis. Il n'y a pas de guide pour trouver sa voie dans les médecines alternatives et on peut tomber sur de vrais charlatans ! Il faut essayer, réessayer et on finit par trouver ce qui convient à chacun, le thérapeute avec qui on se sent à l'aise et qui possède « la » technique alternative qui soulage.

QU'ENTEND-ON PAR MÉDECINES ALTERNATIVES ?

Les définitions sont variables d'un pays à l'autre mais celle que je préfère est celle du NIH (*National Institute of Health*, l'institut national de la santé américain) qui les définit comme des médecines alternatives et complémentaires (MAC) et les regarde comme des médecines à part entière contrairement à la France, pays où l'on est mal à l'aise vis-à-vis des MAC.

Les MAC sont généralement peu ou pas enseignées dans les facultés de médecine – où nos illustres professeurs les regardent d'un œil méprisant – mais elles intéressent de plus en plus les médecins praticiens qui sont de plus en plus souvent « un peu » homéopathes et/ou « un peu » acupuncteurs. Les plus répandues en France sont l'homéopathie, l'acupuncture, l'ostéopathie, la chiropractie et les techniques dites énergétiques (généralement d'origine asiatique) : yoga, Qi gong, Tai-chi, par exemple.

Si les MAC peuvent sans aucun doute rendre service à de nombreux patients, les données scientifiques restent en général fragiles et de qualité discutable. Mais qu'importe puisque les approches dites scientifiques de la médecine conventionnelle sont elles-mêmes de moins en moins rigoureuses, voire franchement biaisées. Avec le regard du scientifique « dur », c'est le yoga et l'acupuncture qui ont montré les résultats les plus probants.

• **L'acupuncture** est connue depuis des siècles en Chine comme un traitement efficace des palpitations notamment via la stimulation de ce qu'on appelle le *Neiguan spot*, un point situé un peu au-dessus du poignet. Des investigateurs de la faculté de médecine de Milan ont montré qu'il était possible de réduire les récidives de fibrillation auriculaire (FA) (après une conversion en rythme normal par un choc électrique) par l'acupuncture de façon à peu près équivalente à celle de notre meilleur médicament, la Cordarone. Tous les médicaments antiarythmiques ayant des effets secondaires importants (proportionnels aux doses), c'est une excellente nouvelle, même si elle demande encore à être confirmée.

• **Le yoga** est aussi parfois classé dans les MAC. Certains professeurs de yoga comme Lionel Coudron ont en effet conçu des stratégies globales de « yogathérapie ». Je n'aurai pas la prétention dans ce livre sur la prévention de l'infarctus de faire un chapitre sur le yoga, mais la littérature scientifique s'enrichit depuis quelques années de documents donnant une véritable crédibilité au yoga pour le traitement ou la prévention de certains troubles cardiovasculaires.

LE YOGA À L'ÉPREUVE DE LA SCIENCE

Par exemple, des cardiologues de l'Université du Kansas aux Etats-Unis ont conçu un programme de prévention de la FA (the *Yoga My Heart Study*) dont les premiers résultats sont encourageants. Ils montrent une réduction du risque de récidive de FA de 50 %, donc mieux qu'avec les médicaments ! En plus, le yoga aurait permis de réduire l'anxiété, la tendance dépressive et le mal-être général qui souvent accompagnent les récidives de FA. Comment expliquer ces résultats ? Le yoga n'est pas seulement une gymnastique posturale. C'est aussi une méthode de relaxation comportant des exercices de respiration et un apprentissage à la méditation. Toutes ces techniques ont un effet majeur sur le système nerveux autonome (l'équilibre sympathique-parasympathique) qui probablement joue un rôle dans la FA.

Toutefois, si des patients victimes de FA – notamment la forme paroxystique la plus encline à produire des caillots qui sont envoyés vers le cerveau – trouvaient un réel bénéfice avec le yoga, je leur recommande de continuer à prendre leurs médicaments anticaillot, car pour empêcher une embolie cérébrale, il ne suffit pas d'être très efficace, il faut l'être à 100 % !

Un autre exemple est celui d'une étude allemande où des hommes jeunes ayant survécu à un infarctus ont bénéficié de séances de yoga de 30 min, 5 fois par semaine pendant 3 semaines dans le but de diminuer leur pression artérielle. On a observé une diminution de la pression de 8 mm de mercure, un effet équivalent à celui d'un médicament antihypertenseur, ce qui est loin d'être négligeable.

Des investigateurs népalais ont étudié une technique respiratoire du yoga dite *slow pace bhastrika pranayama* (5 min au rythme de 6 respirations par minute) et ont obtenu une diminution significative de la pression artérielle. Cet effet était aboli si les patients prenaient un médicament qui bloque le parasympathique démontrant que l'effet antihypertenseur du *pranayama* passerait par une stimulation du parasympathique ou un nouvel équilibre sympathique-parasympathique.

Des techniques de relaxation ont été utilisées pour traiter l'hypertension artérielle. Celle dite de *progressive muscle relaxation* (PMR de Jacobson) qui alterne des contractions-tensions musculaires (de 10 sec) et des relâchements de 20 sec, pendant 30 min les yeux fermés, plusieurs fois par semaine semble avoir un effet significatif sur l'anxiété et la pression artérielle avec une efficacité comparable à celle d'un médicament antihypertenseur.

MES CONSEILS

Le yoga c'est bien plus que des exercices de gymnastique (postures) ou respiratoires ou encore des méthodes de relaxation ou de méditation. Il est associé à une philosophie et un sens de la vie (lire page 243). Je recommande de faire cette démarche en compagnie d'un enseignant si on a des difficultés à modifier son mode de vie.

CHAPITRE 5

DONNER UN SENS À SA VIE

COMME JE L'AI DÉJÀ DIT, L'INFARCTUS ET L'AVC SONT DES MALADIES du mode de vie. Pour s'en protéger, la tactique la plus efficace est d'adopter un mode de vie protecteur afin de corriger les vraies causes de ces maladies. On pourrait croire cela facile : on arrête de fumer, on s'installe dans une zone non polluée, on adopte une diète méditerranéenne et on privilégie une vie quotidienne non sédentaire et peu stressante. C'est vrai, ça l'est pour certains. Mais pas pour tout le monde ! Pourquoi ? Parce que, pour des raisons professionnelles, familiales, culturelles, l'idée que le mode de vie puisse être protecteur peut paraître irréaliste voire folklorique. Alors, on préfère ne pas y croire ou bien dire que c'est impossible, irréalisable.

Depuis deux décennies, la plupart des sommités médicales persistent à ignorer le concept de mode de vie protecteur. Elles préfèrent le confort naïf et les fortes rétributions associées à l'usage intensif des médicaments et technologies modernes. De même on s'évertue, sur la base de rapports prétendument officiels, à démontrer que la consommation de vin même modérée est néfaste pour le système cardiovasculaire alors que toutes les études démontrent le contraire. Bref, c'est le monde à l'envers !

Pour comprendre l'importance du mode de vie dans la prévention de l'infarctus et de l'AVC, il faut abandonner toute idéologie pseudo-scientifique, regarder les faits et avoir une certaine vision de l'existence. En d'autres termes, pour changer son mode de vie et protéger sa santé, il faut savoir redonner un sens à sa vie. Ce n'est pas indispensable, on peut bien sûr changer ses habitudes alimentaires de façon parfaite ou devenir un sportif de loisir impeccable sans avoir à adopter une nouvelle philosophie de vie. Mais le changement nécessite souvent des adaptations de sa vie quotidienne qui vont immanquablement influencer d'autres aspects de sa vie et ainsi appeler d'autres changements.

DONNER UN SENS À SA VIE POUR RÉUSSIR À CHANGER DE MODE DE VIE

Prenons un exemple concret. Si nous décidons d'arrêter d'empoisonner notre famille avec des aliments chimiques ou assaisonnés de pesticides, nous faisons un choix éthique, médical et biologique parfaitement censé, mais c'est aussi une décision économique. Le budget que nous allons consacrer à des aliments de qualité ne sera plus disponible pour autre chose. Il faut donc que nous soyons persuadés de la justesse de cette décision.

Si je décide de consacrer tous les jours un temps déterminé à une activité physique salvatrice, il faut que j'organise mon emploi du temps et il y a de fortes chances pour que, ce faisant, je crée de fortes tensions dans mon environnement familial et professionnel. Pour résister à ces tensions, il faut donc que je sois persuadé de la justesse de cette décision.

Si en plus, je décide de préparer moi-même les repas de la famille (ou seulement les miens), à la fois pour sécuriser ma nouvelle cuisine et épargner mon budget, je vais être dans l'obligation d'organiser mon emploi du temps et donc mon travail, mes déplacements, mon logement et ma vie de famille de façon toute nouvelle. Pas sûr que ça plaise vraiment à mon conjoint, mon patron, mes collègues ou mes employés ! Il faut donc que je sois persuadé de la justesse de cette décision.

Si j'ai survécu à un infarctus, si je me remets d'un AVC ou si je suis – quelle qu'en soit la raison – menacé par une de ces maladies, ma décision est totalement justifiée mais… bonjour les dégâts ! Pour avoir la force de cette décision et s'y tenir, il me faut une certaine philosophie de la vie. C'est ce que j'appelle donner un sens à sa vie. Je donne des exemples.

SPIRITUALITÉ ET RELIGION

Donner un sens à sa vie peut consister à réinjecter un peu de spiritualité dans son existence pour ceux qui ont eu un minimum d'éducation religieuse – beaucoup d'entre nous sont dans ce cas. On peut aussi se remettre à réellement fréquenter les églises. D'ailleurs, on a montré que la fréquentation des églises apportait de la sérénité et était associée, de façon proportionnelle, à un meilleur équilibre du système nerveux autonome, sympathique-parasympathique (lire encadré page 234).

Des cardiologues de Pavie en Italie et d'Oxford en Grande-Bretagne ont montré que la récitation des Ave Maria en latin, le Rosaire, avait un remarquable effet sur le système nerveux autonome quand il se faisait selon un rythme calé sur une fréquence de 6 respirations par minute, c'est-à-dire le rythme le plus approprié à notre physiologie. Mais si on récite des mantras au même rythme que les Ave Maria, on obtient la même synchronisation de notre système nerveux autonome. Cela rappelle que le Rosaire a été introduit en Europe par les Croisés de retour de Palestine qui s'inspirèrent des prières des arabes de l'époque qui eux-mêmes les tenaient des Tibétains et des maîtres yogistes de l'Inde ancienne ! Que les Ave Maria et les mantras aient le même effet sur notre système nerveux autonome ne seraient pas une coïncidence.

Le yoga peut être aussi une philosophie donnant un sens à la vie. Il est parfois dit « science du mental » car il peut être vu comme une exploration de notre espace intérieur et de ses possibilités latentes par l'usage de techniques de concentrations (postures, techniques de respiration, méditation) et des techniques de purification. Cette exploration est d'ailleurs associée à des règles morales strictes (non violence envers soi-même et envers les autres, honnêteté, sincérité, non convoitise, humilité, ascèse) qui vont à l'encontre du mode de vie contemporain : effréné, consommateur, individualiste, superficiel, compétitif.

Pour certains, la pratique du yoga peut aussi conduire à revoir son modèle alimentaire (utilisation d'aliments non dénaturés) pouvant inclure une alimentation riche en plantes et proche de la diète méditerranéenne ou sensibiliser aux principes **ayurvédiques**.

Il arrive parfois que pour sauver sa vie – ou pour s'éviter de graves désagréments de santé susceptibles de nous handicaper pour le reste de notre vie – il faille faire des choix ! L'heure des choix est peut-être venue, il n'est jamais trop tard ! Un médecin californien, le Dr Dean Michael Ornish, essaie depuis plus de 20 ans d'appliquer ce type de concepts yogistes et ayurvédiques à des patients gravement malades, survivants d'un infarctus, insuffisants cardiaques ou cancéreux, avec un certain succès. J'ai beaucoup de sympathie pour ce médecin malgré la qualité scientifique discutable de ses études, le côté un peu rude de ses conseils diététiques (haricots au petit déjeuner, haricots au déjeuner, haricots au dîner) et son obsession anticholestérol. Je préfère la diète méditerranéenne qui nous est culturellement plus proche et surtout parce que les données scientifiques disponibles sont incomparablement plus solides

CHAPITRE 6

LES PROGRAMMES DE RÉADAPTATION CARDIAQUE

APRÈS UN INFARCTUS DU MYOCARDE, UNE CHIRURGIE CARDIAQUE, une angioplastie (avec ou sans *stent*) ou encore une simple alerte indiquant qu'on est malheureusement porteur d'une maladie artérielle, on peut bénéficier d'un programme de **réadaptation cardiaque** appelé parfois *réhabilitation* **cardiaque** ou **rééducation postinfarctus**.

En fonction de son état de santé et de la sévérité de l'épisode cardiaque qui motive cette réadaptation, on peut suivre ce programme soit lors d'une hospitalisation dans un service spécialisé, soit en externe – on rentre chez soi le soir ou après la séance – si on dispose d'une structure adaptée proche de son domicile. Un programme de ce type peut durer plusieurs semaines. Il est proposé aux patients après leur épisode cardiaque ou cérébral.

En Europe, la mise en place des programmes de réadaptation cardiaque date des années 1970. Ce fut une aubaine car ces programmes ont permis un réel progrès dans les soins qui étaient donnés aux malades après un infarctus ou une chirurgie cardiaque. Les patients qui en bénéficient ont une meilleure connaissance de leur maladie et une plus grande motivation pour adopter un mode de vie protecteur. Les programmes de réadaptation sont en principe remboursés par l'Assurance maladie et ont tous le même but général : **que les patients retrouvent une vie normale**, ou la plus normale possible, avec le second objectif d'empêcher une récidive (c'est ce que les médecins appellent prévention secondaire).

Tous les patients atteints d'une maladie cardiovasculaire devraient profiter de cette opportunité. C'est prioritaire chez ceux qui ont fait un infarctus ou qui ont été opérés, c'est également important pour ceux qui souffrent **d'insuffisance cardiaque** après leur infarctus (lire page 58).

POURQUOI LES PROGRAMMES DE RÉADAPTATION SONT SI IMPORTANTS

En sortant de l'hôpital chaque patient doit connaître sa capacité d'effort afin de savoir exactement sur quels acquis s'appuyer et de préparer le plus efficacement possible le retour à une bonne santé.

Le pire serait de rester comme paralysé par la peur de faire une récidive ou d'avoir des symptômes. Ceci est particulièrement vrai lorsque l'on se sent handicapé (fatigué et essoufflé lors d'un exercice) ou déprimé et angoissé, donc pas seulement lorsque l'on ressent une douleur d'angine de poitrine.

La meilleure façon de « remettre le pied à l'étrier » est de faire une réadaptation en milieu médicalisé, avec des professionnels de la réadaptation. C'est dans ces conditions que chaque patient pourra s'évaluer en toute sérénité – grâce à une épreuve d'effort avec enregistrement de paramètres cardiaques et respiratoires – et initier un programme d'entraînement adapté à son cas particulier.

Chaque patient, en fonction de son état physique et de ses capacités, pourra participer à des séances collectives, ou à une réadaptation individualisée. Ce n'est qu'après avoir suivi cette réadaptation médicalisée qu'il pourra « voler de ses propres ailes ».

Outre le retour médicalisé à l'exercice physique, la réadaptation comprend en principe un volet réinsertion sociale et professionnelle et un volet prévention des récidives. Ce dernier est souvent présenté comme prioritaire par les autorités de santé. Cela peut aisément se comprendre.

LA SCIENCE DE LA RÉADAPTATION CARDIAQUE

La Société européenne de cardiologie a créé une section spéciale traitant de la réadaptation cardiaque pour aider les cardiologues à améliorer leurs connaissances et leurs techniques.

Cette Société de cardiologie a publié un « textbook », c'est-à-dire un ouvrage écrit par les meilleurs spécialistes d'un domaine déterminé et destiné à servir de référence pour la profession.

J'ai été invité à rédiger le chapitre Prévention nutritionnelle de l'infarctus de ce textbook ainsi que celui des Facultés de médecine américaines (le Braunwald). Ces ouvrages rassemblent les recommandations dites « officielles » de prévention.

LES GRANDS PRINCIPES

Les **objectifs** affichés de la réadaptation cardiaque conventionnelle ont été bien définis dans différents documents aux Etats-Unis ou en France – documents que l'on peut consulter via Internet. Ils consistent à :
• limiter les effets organiques et psychologiques de la maladie cardiaque,
• diminuer le risque de décès cardiaque et de nouvel infarctus ou d'AVC,
• diminuer, s'il y a lieu, les symptômes tels que l'angine de poitrine, l'essoufflement de l'insuffisance cardiaque…,
• stabiliser le processus d'athérosclérose.
　　Les moyens mis en œuvre pour arriver à ces buts sont :
• la promotion d'un mode de vie visant à diminuer le cholestérol, le poids et le tabagisme,
• l'amélioration des performances physiques,
• l'amélioration du bien-être psychosocial.
　　En pratique, les experts font une petite liste de recommandations qui incluent :
• le contrôle de la pression artérielle qui doit être inférieure à 130/80 mm de mercure (13/8 pour les médecins français),
• le contrôle du pseudo-diabète avec pour objectif une hémoglobine glycosylée inférieure à 7 %,
• le contrôle du « méchant » cholestérol (LDL) qui doit être inférieur à 1 g/litre ou 2,6 mmol/litre,
• la détection et le traitement des syndromes dépressifs,
• la programmation d'exercices physiques 5 jours sur 7 à raison de 30 min par jour,
• l'arrêt du tabac,
• la parfaite adhésion aux médicaments prescrits,
• une perte de poids avec pour objectif un IMC inférieur à 25 (page 144).
　　L'ensemble de ces recommandations est intéressant sur le plan des principes… mais on doit faire beaucoup mieux ! On a montré que l'application de ce type de programme minimaliste permettait de réduire de 50 % la mortalité cardiovasculaire dans les années qui suivent un infarctus. Pour certains, c'est essentiellement grâce à l'aspirine, d'autres pensent que ce sont les statines, et d'autres encore pensent que ce sont les effets de l'activité physique retrouvée. Le mode de vie de certaines victimes d'une crise cardiaque est tellement altéré à la base qu'il n'est en effet pas étonnant que quelques modestes changements puissent avoir un réel effet

bénéfique. Si on peut avoir des effets très significatifs avec un programme aussi minimaliste, il est concevable qu'avec un programme comparable à celui préconisé dans ce livre, on puisse espérer des effets bien supérieurs !

LES REPROCHES QUE JE FAIS À CERTAINS CENTRES DE RÉADAPTATION CONVENTIONNELLE

Les programmes de réadaptation se résument trop souvent à un réentraînement physique : reprise d'une activité physique oubliée ou parfois – notamment chez les femmes – découverte de l'entraînement physique. C'est très bien mais ça ne suffit pas !

Certains centres ont un programme antitabac réellement professionnel mais malheureusement pas tous. Pareil pour l'éducation à un régime méditerranéen qui est rarement une priorité.

Autre reproche que je peux faire : l'abus de médicaments inutiles et toxiques – pouvant rendre terriblement difficile la reprise d'une activité physique – qui est très fréquent chez les patients suivant ces programmes. On sait par exemple que 95 % de ceux qui ont survécu à un infarctus sont religieusement mis sous statine, avec l'illusion de les protéger.

Un dernier problème vient du caractère collectif de ces programmes de réadaptation, alors que chaque individu est un cas particulier et que des activités spécifiques devraient être proposées.

Dans l'idéal, il faudrait qu'après la période de réadaptation que chaque patient « vole de ses propres ailes » mais avec le soutien d'un médecin traitant et d'un diététicien compétent. Pour vérifier et renforcer l'autonomie du patient hors de l'hôpital, je préconise au moins deux consultations avec un diététicien. Elles doivent être programmées avant la sortie de l'hôpital et prises en charge par l'Assurance maladie

LES BÉNÉFICES DE LA RÉADAPTATION PAR L'EXERCICE PHYSIQUE

Un entraînement physique adéquat permet de diminuer rapidement (ou de se passer de) beaucoup des médicaments prescrits après un infarctus : il permet une amélioration de la résistance du myocarde (lire page 70), avec une diminution du risque de décès cardiaque subit, une diminution des symptômes d'insuffisance cardiaque et une reconstitution de la force musculaire, ce qui n'est pas le moindre de ses bienfaits.

Concernant la capacité d'effort, les effets de l'entraînement physique (sans toucher à la sténose coronaire) sont au moins comparables à ceux de l'angioplastie (où l'on fait disparaître la sténose), c'est donc un effet absolument remarquable (page 221) obtenu sans médicament, et donc sans les effets indésirables de ces médicaments.

Le réentraînement physique induit une diminution de la fréquence cardiaque de repos et de la pression artérielle – via un rééquilibre du système nerveux autonome – et aussi un remarquable effet antidépresseur et anxiolytique, avec un effet quasi euphorisant chez ceux qui pratiquent un sport d'endurance, même modéré.

Les effets anxiolytiques et euphorisants sont probablement dus à la production par notre corps de molécules dites endocannabinoïdes – comparables à celles que nous apporte le cannabis – et à la sécrétion d'endorphines dont les effets sont comparables à ceux de la morphine ou de l'opium.

Les effets bénéfiques d'un entraînement physique soutenu et régulier sur le système nerveux autonome sont plus efficaces que les bêtabloqueurs et se doublent d'un effet bénéfique sur les plaquettes et la coagulation, et donc le risque de caillot.

Pourquoi s'empoisonner avec de l'aspirine ou des bêtabloqueurs ?

Autre chose importante à savoir : une « bonne » alimentation renforce les effets protecteurs de l'exercice physique. En d'autres termes, les bienfaits de l'entraînement physique seront d'autant plus importants que l'on aura des habitudes alimentaires protectrices. Par exemple, on a montré que les personnes qui avaient des concentrations d'acides gras oméga-3 optimales dans leur sang et leurs muscles amélioraient beaucoup plus, et beaucoup plus vite, la tolérance à l'effort, et donc la protection obtenue grâce à l'exercice physique. Ainsi, une **bonne nutrition** – c'est-à-dire des compositions chimiques optimales des muscles et des nerfs – et l'**exercice physique** vont de pair.

LE MENTAL, C'EST FONDAMENTAL

Les individus optimistes ont un meilleur pronostic que les pessimistes après un infarctus du myocarde ; surtout s'ils entrent dans un programme de **thérapie comportementale** – psychothérapies brèves pour éliminer des attitudes inadaptées dans la vie quotidienne – réduction de 40 % environ du risque de récidive. Dans une étude scandinave, la thérapie consistait en relaxation avec un apprentissage d'une meilleure gestion de l'agressivité.

En revanche, les résultats semblent beaucoup moins probants si les patients sont dépressifs ou diabétiques ; ce qui est fréquent chez les survivants d'un infarctus. Parmi eux, nous avons de plus en plus de **diabétiques** qui sont aussi **dépressifs**, notamment les femmes.

Et si le mental est fondamental, le « global » l'est encore plus ! Dans ces cas complexes (infarctus + dépression + diabète) mais fréquents, une approche **globale** – incluant une réadaptation nutritionnelle associée à la thérapie comportementale et au réentraînement physique – serait indispensable.

En effet, j'insiste à nouveau, l'infarctus, le diabète, et la dépression ne sont pas reliés par des causalités. Ils sont le résultat de modes de vie délétères : **ils sont associés** ! Chez certains, la première complication sera le diabète ou la dépression, tandis que chez d'autres, la première manifestation pourra être un infarctus ou un AVC.

Pour sortir de ce cercle vicieux, la psychologie comportementale et l'exercice physique isolément ne suffisent pas, et les médicaments n'y peuvent rien sauf à rajouter leurs effets secondaires ! C'est probablement la grande limite des centres de réadaptation conventionnels. Leurs programmes sont monotones – peu de variété et d'adaptabilité – et conventionnels.

C'est donc **le mode de vie** qu'il faudra revoir en urgence et, au préalable, redonner un sens à la vie, et de l'espoir à ces patients.

L'heure est sans doute venue de créer – ça existe ailleurs qu'en France – des **cliniques de psycho-cardio-nutrition** où les patients peuvent être réadaptés de façon globale après un infarctus, un AVC ou une intervention de revascularisation.

MES CONSEILS

- Demandez à votre médecin comment faire pour bénéficier d'un programme de réadaptation.
- Demandez à votre médecin comment faire pour bénéficier des conseils d'un diététicien pour adopter une diète méditerranéenne.

LA RÉADAPTATION DES INSUFFISANTS CARDIAQUES

Parmi les patients qui peuvent bénéficier d'une réadaptation cardiaque, il devrait y avoir de plus en plus d'insuffisants cardiaques (IC). Deux raisons à cela : 1. les personnes souffrant d'IC sont de plus en plus nombreuses et 2. elles peuvent en tirer un bénéfice considérable.

L'IC est une complication fréquente de l'infarctus. On sait aujourd'hui comment en ralentir l'évolution et en diminuer les symptômes. Quels symptômes d'IC la réadaptation peut-elle diminuer ? Outre l'anxiété et une fréquente dépression, ces patients présentent une grande fatigue et un essoufflement à l'effort (dyspnée). **Fatigue** et **dyspnée** sont les symptômes cardinaux de l'IC. Plus l'IC est sévère, plus la fatigue et l'essoufflement sont importants. En revanche, la sévérité de l'IC n'est pas proportionnelle à la dysfonction ventriculaire ou à la taille de l'infarctus. Comment expliquer ce paradoxe ?

Ces deux symptômes – fatigue et manque de souffle – résultent d'une incapacité à métaboliser (utiliser) l'oxygène transporté par le système cardiovasculaire jusqu'aux muscles. L'IC survient quand le cœur n'est plus capable d'apporter l'oxygène aux organes de façon proportionnelle à leurs besoins.

En plus, si nos muscles sont de mauvaise qualité, s'ils sont « désentraînés » et leur capacité à utiliser l'oxygène est médiocre, ils contribuent à augmenter les symptômes. Si au contraire, nos muscles sont bien nourris, entraînés et donc bons extracteurs de l'oxygène du sang, ils compensent l'incapacité du système cardiovasculaire à transporter l'oxygène jusqu'à eux en quantité suffisante. Ainsi, certains patients avec un gros infarctus n'ont aucun symptôme d'IC parce qu'ils sont bien entraînés et ont de bons muscles, tandis que d'autres sont très handicapés alors que la taille de l'infarctus est petite ; leurs muscles sont de mauvaise qualité.

C'est pour cette raison qu'il faut **entraîner** les muscles des insuffisants cardiaques, et les **nourrir** correctement de façon à ce qu'ils travaillent de façon optimale. Ils peuvent ainsi, jusqu'à un certain point, compenser la dysfonction cardiaque.

Avant tout, corriger les déficiences nutritionnelles

Il faut veiller à ce que tous les insuffisants cardiaques bénéficient d'un bilan nutritionnel exhaustif, puis d'une correction systématique de toutes leurs déficiences afin qu'aucun défaut nutritionnel ne vienne perturber le travail des muscles.

Lorsque nous avons étudié les bilans nutritionnels des insuffisants cardiaques, nous avons été frappés par les déficiences nutritionnelles de ces patients (lire page 55). Nous avons montré qu'il était possible de les corriger ! Mais pourquoi n'est-ce pas fait actuellement de façon systématique ?

D'abord parce que tous les cardiologues ne connaissent pas la nutrition et le métabolisme des muscles. Il faudrait en effet une consultation spécialisée en nutrition et un bilan biologique complet, et coûteux. Ensuite, parce qu'il faut être patient et insistant. Il s'agit en effet d'un cercle vicieux typique : plus on est fatigué, moins on bouge, moins on se nourrit et plus la probabilité de déficience nutritionnelle augmente, moins on a envie de bouger, etc. Il faut rompre ce cercle vicieux.

Lutter contre la dépression avec des méthodes naturelles

Il faut aussi aider ces patients à surmonter leur dépression, et si possible sans médicament. Place aux médecines alternatives (page 239) dont on commence à découvrir les effets bénéfiques sur la santé mentale ! Une étude publiée récemment dans une grande revue américaine a démontré les effets positifs du Tai-chi sur des patients souffrant d'IC. Cette gymnastique d'origine chinoise comporte un ensemble de mouvements continus et circulaires exécutés avec lenteur et précision dans un ordre préétabli. Elle met l'accent sur la maîtrise de la respiration. La pratique vise à améliorer la souplesse, à renforcer les muscles et à établir un bon équilibre spirituel. Des patients souffrant d'IC ont suivi durant 12 semaines un entraînement au Tai-chi. Si les auteurs ne décrivent pas d'effet significatif sur la capacité à faire un effort physique après cette période, ils montrent une amélioration sensible la qualité de vie et de l'état dépressif. On trouvera une excellente description du Tai-chi sur le site Internet Wikipedia.

MES CONSEILS

Je n'ai pas d'expérience personnelle de cette approche mais j'encourage les patients et leurs médecins traitants à s'engager sinon dans le Tai-chi, au moins dans des techniques de réadaptation combinant exercice physique, renforcement musculaire et relaxation. Mais, attention, aucun bénéfice significatif ne sera possible si on laisse se perpétuer des insuffisances nutritionnelles.

PARTIE 6

LA NUTRITION ANTI-INFARCTUS ET ANTI-AVC

INTRODUCTION

L A SEULE NUTRITION ANTI-INFARCTUS (ET ANTI-AVC) QUI AIT ÉTÉ TESTÉE selon des protocoles rigoureux est la *diète méditerranéenne*. Et on a montré qu'elle était extraordinairement efficace. En plus d'être protectrice du système cardiovasculaire (des artères + du cœur, ce qu'aucun médicament n'est capable de faire), elle nous protège aussi de toutes sortes de maladies notamment le diabète, les cancers, les démences type Alzheimer, les maladies des yeux et même la dépression. Et évidemment, elle est associée à une meilleure espérance de vie ! Chers amis, vous n'avez donc pas le choix !

Ou plutôt : le seul choix rationnel est celui de la *diète méditerranéenne*.

Avant de continuer, deux mots concernant l'expression diète méditerranéenne, qui fait un peu penser à une privation ou une punition. Certains utilisent le mot *régime*, plutôt que *diète* ; ce n'est pas mieux à mon avis en termes de connotations négatives. Il ne s'agit pas de se priver ou d'être privé de quoi que ce soit, il s'agit simplement de faire des choix appropriés. De meilleures expressions seraient *habitudes alimentaires* ou *modèle alimentaire* méditerranéen ; mais c'est un peu long et lourd, alors on utilise *diète méditerranéenne*.

Les librairies regorgent de livres de nutrition, de diététique, voire de nutrithérapie, et sans ironie aucune, on y trouve à boire et à manger ! On y trouve des choses intéressantes, et mêmes passionnantes, mais on y trouve aussi beaucoup d'erreurs et de confusion. L'usage des concepts scientifiques les plus fondamentaux est parfois – même sous la plume de grands universitaires – plus distrayant que rigoureux ; et le mercantilisme éditorial tient lieu de boussole. Il suffit d'observer les livres décrivant les régimes amaigrissants à l'approche de chaque été pour comprendre le processus.

Soyons clairs : dans les chapitres qui suivent vous ne trouverez pas les dernières recettes à la mode pour maigrir, faire baisser le cholestérol ou la pression artérielle, aller à la selle ou faire disparaître les rides du visage. Et pourtant, de tout cela vous aurez un peu – et parfois beaucoup – mais à trois conditions :

• **être patient** car la moisson viendra à point nommé,

• **être fidèle** car il n'y a pas de miracle en médecine, y compris en médecine nutritionnelle,

• et **être enthousiaste** car on ne fait rien de formidable sans énergie ; et protéger sa santé c'est formidable !

Plus vous ferez d'efforts, plus les bénéfices en termes de santé seront importants. Et pas seulement en termes de santé cardiovasculaire ! En améliorant votre nutrition, vous ferez moins d'infarctus, et aussi moins d'AVC, moins de cancers, moins de démences, moins de maladies inflammatoires, vous prendrez moins de poids, vous aurez moins de cholestérol et de pression artérielle, et enfin un meilleur moral et plus d'énergie !

Si je dis qu'il n'y a pas de miracle en médecine c'est parce qu'en prenant de l'âge, tout se dérègle et s'abîme de façon inéluctable. Et donc, à long terme, le risque zéro n'existe pas. Ce que je propose ici ce n'est évidemment pas une assurance sur la vie pour plus d'un siècle ; c'est seulement – mais c'est déjà beaucoup – **une massive réduction des risques**.

En médecine scientifique, on parle en probabilités. Ce que l'on peut obtenir c'est donc une **diminution de la probabilité de faire** un infarctus, un AVC ou un cancer. Dans l'Etude de Lyon, nous avions obtenu une **diminution de 70 % du risque**. On a parlé de miracle dans les médias tandis que d'autres – dont l'unique référence était médicamenteuse – prétendaient que c'était *trop beau pour être vrai* ! Réactions totalement opposées, et amusantes dans les deux cas ! On était en effet loin du miracle, puisque sur une période de 4 ans, un risque important persistait. Mais, aujourd'hui, nous savons qu'il est possible de faire beaucoup mieux et cela pour deux raisons principales :

• La première, c'est que nous avons beaucoup appris au cours des quinze dernières années, nous – et bien d'autres chercheurs dans le monde – ne sommes pas restés inactifs ; nous avons appris à mieux discerner l'essentiel du secondaire en matière de nutrition préventive.

• La deuxième raison est que nous savons maintenant que l'approche nutritionnelle de la prévention doit s'intégrer dans une modification plus générale du mode de vie. Dans l'Etude de Lyon, nous n'avions testé que la diète méditerranéenne, c'était notre but, pas de regret. Mais si on additionne les effets cumulés des modifications nutritionnelles, d'une amélioration de l'activité physique, de la gestion du stress, de l'arrêt du tabac et de la diminution des pollutions atmosphérique et alimentaire, on peut effectivement s'**approcher du risque zéro**. J'ai dit s'approcher ! Bref, si on s'y prend bien, il faudra trouver autre chose que l'infarctus pour mourir précocement.

Mais ce livre n'est pas construit pour répondre à la problématique très personnelle de chaque lecteur. N'importe quel médecin ou scientifique sérieux sait que nous sommes tous très particuliers et différents les uns des autres. Donner des consignes précises pour tant de personnes différentes dans un seul et unique livre est une dangereuse illusion.

Ce livre vise donc à **donner une vision générale** qui devra ensuite être adaptée avec l'aide d'un professionnel à chaque individu en fonction d'une multitude de facteurs : l'âge, le sexe, le gabarit, l'activité physique, la culture, la religion, évidemment les goûts de chacun, et surtout l'état de santé. On l'aura compris, le problème n'est pas le même si on est survivant d'un récent infarctus ou d'un AVC ou si on est en pleine santé et que l'on décide, à juste raison, de ne pas attendre d'être malade pour prendre sa santé en main. Mais beaucoup d'autres facteurs individuels doivent être pris en compte à la consultation, qu'il est impossible d'énumérer ici.

C'est pourquoi, quelles que soient les circonstances, **je recommande de consulter un vrai professionnel de la nutrition**, médecin ou diététicien, pour se faire conseiller et pour adapter à chaque individu les conseils généraux que l'on trouve dans ce livre. Une ou deux consultations, ce n'est pas très coûteux même si la consultation chez le diététicien n'est pas remboursée. Ce ne sera pas du temps perdu, au contraire, mais à condition de bien faire savoir d'emblée à ce professionnel ce que l'on veut, c'est-à-dire non pas un régime amaigrissant, anticholestérol, antidiabétique ou un autre régime, mais réellement et seulement **la diète méditerranéenne** modernisée adaptée à sa propre personne et sa famille. Et pour guider ce professionnel, il faut soi-même avoir bien compris ce que l'on veut, c'est-à-dire avoir bien lu ce livre – et certains chapitres plusieurs fois s'il le faut – surtout, évidemment, sa partie nutrition car c'est là qu'on peut faire des erreurs et c'est là aussi que se trouve la garantie du succès.

Et si on manque d'imagination pour élaborer des menus gastronomiques pour recevoir ses amis, ou pour de simples recettes de la vie quotidienne – car ce livre n'est pas un livre de cuisine – on trouvera en voyageant, y compris sur Internet et grâce à quelques magnifiques livres souvent bien illustrés, toutes sortes d'idées et pratiques méditerranéennes que j'encourage chacun à expérimenter avec curiosité…

Il est maintenant temps d'aller faire un petit tour en Méditerranée !

CHAPITRE 1

LES GRANDS PRINCIPES DE LA DIÈTE MÉDITERRANÉENNE

TOUTES LES POPULATIONS ET SOCIÉTÉS, À CHAQUE ÉPOQUE, DÉVELOPPENT des modes de vie – et donc des habitudes alimentaires – particuliers qui dépendent du climat et de l'agriculture de la zone géographique considérée, du niveau économique et technologique bien sûr, et enfin des facteurs comme le passé historique, la culture et la religion caractéristiques de chaque population.

On a ainsi défini **les habitudes alimentaires méditerranéennes** qui se distinguent clairement des habitudes alimentaires d'autres régions du monde comme celles du nord de l'Europe, de l'Asie ou de l'Amérique du Nord. Le bassin méditerranéen est en effet le berceau de la civilisation occidentale – avec en particulier le développement des religions monothéistes – au croisement des influences asiatiques et européennes, et la culture et les pratiques nutritionnelles de cette zone sont uniques.

L'espérance de vie dans la zone méditerranéenne reste une des meilleures du monde même si aujourd'hui les choses changent avec une tendance à la dégradation de ce mode de vie protecteur. Cette longue espérance de vie associée à une excellente qualité de vie – car il ne suffit pas de vivre vieux, il faut aussi une vie agréable et riche socialement – est liée en grande partie à une faible fréquence des maladies cardiovasculaires, des cancers, du diabète et de l'obésité, des maladies inflammatoires chroniques (des os, des articulations, du système digestif) et des maladies neurologiques comme la maladie d'Alzheimer.

NE PAS OUBLIER LES LEÇONS DU PASSÉ

Les populations méditerranéennes, **pourvu qu'elles conservent leurs habitudes alimentaires traditionnelles**, sont protégées contre ces maladies. Certains ont contesté cette interprétation des faits. On a voulu faire croire que les Méditerranéens bénéficiaient d'un patrimoine génétique protecteur, ou que c'était le climat méditerranéen, ou encore les sécurités sociales étatiques – souvent présentes dans les pays méditerranéens notamment sur la rive Nord de la Méditerranée – qui étaient protecteurs. Tous ces arguments ont été balayés par des études scientifiques incontestables.

A contrario – et malheureusement c'est ce à quoi nous assistons aujourd'hui dans certaines parties du bassin méditerranéen – quand ces populations méditerranéennes oublient ou négligent leurs habitudes alimentaires traditionnelles, elles développent très rapidement ces maladies, omniprésentes ailleurs, avec parfois une sévérité qui dépasse celle observée dans d'autres zones. Un exemple est celui de l'obésité et du diabète de l'enfant et de l'adolescent qui se développent de façon très inquiétante dans certaines régions méditerranéennes, notamment en Grèce et dans le sud de l'Italie. Un autre exemple est celui des maladies cardiovasculaires (infarctus et AVC) dont la fréquence augmente rapidement dans les pays d'Afrique du Nord. Ces populations ont globalement modifié leur mode de vie – et pas seulement oublié leurs habitudes alimentaires – et si le paramètre nutritionnel semble prépondérant, il s'agit de modifications globales ; et je ne saurais trop insister à nouveau sur l'**importance de considérer le mode de vie dans son ensemble** et pas seulement les habitudes alimentaires.

Pour toutes ces raisons, les scientifiques et notamment les médecins se sont particulièrement intéressés aux habitudes alimentaires des populations méditerranéennes qui sont aujourd'hui parmi les mieux étudiées et donc les mieux connues, en particulier pour ce qui concerne leurs effets sur la santé. Les scientifiques sont ainsi arrivés à la conclusion que si les Méditerranéens ont une des meilleures espérances de vie au monde, ce n'était pas à cause du climat de la région (un des plus agréables de la planète) ou d'autres aspects culturels ou religieux du mode de vie, mais c'était vraiment grâce à leur mode de vie, et notamment à leurs habitudes alimentaires traditionnelles.

Cela ne signifie pas évidemment qu'il faille vivre comme nos ancêtres ; mais il est impératif de respecter les grandes lignes de ce que la tradition nous a transmis car des siècles de pratique et donc d'expérience acquise sont irremplaçables.

Par ailleurs, si comme le proverbe le dit, « *nous sommes ce que nous mangeons* », alors nous devons aussi manger en *respectant ce que nous sommes*. En d'autres termes, nous devons être fidèles à nos prédécesseurs puisqu'ils nous ont transmis leurs gènes, c'est-à-dire intrinsèquement ce que nous sommes, nos aptitudes physiologiques et nos capacités de métaboliser préférentiellement certains aliments et pas d'autres.

Prenons un exemple : nous sommes prédisposés à métaboliser certains acides gras très présents dans les plantes dites sauvages, les acides gras oméga-3, et beaucoup moins les acides gras oméga-6 qui se trouvent en grande quantité dans les plantes oléagineuses (maïs, tournesol) développées par l'agriculture industrielle mais en faibles quantités dans les plantes sauvages, celles que consommaient nos ancêtres. Pour être en bonne santé, nous devons être en harmonie avec nos capacités métaboliques : nous devons trouver dans notre alimentation un bon équilibre entre les oméga-3 et les oméga-6. Il faut éviter les huiles riches en oméga-6 – notamment les huiles de maïs et tournesol – dont la consommation quotidienne entraîne un déséquilibre en faveur des oméga-6, une des caractéristiques de la diète des Américains et des Canadiens. Pas besoin de beaucoup de science pour comprendre ça !

> *Les Méditerranéens ont des apports importants – sans être massifs – en oméga-3 et un bon équilibre entre les oméga-3 et les oméga-6.*

Mais attention : s'il ne faut pas abuser des oméga-6 – tendance actuelle – il ne faut pas non plus s'en priver car ils nous sont utiles pour nous défendre contre certaines infections. Nous reviendrons à cette question à propos des huiles à consommer pour respecter les traditions culinaires méditerranéennes. Plutôt que d'inventer de nouvelles règles alimentaires, souvent basées sur de la fausse science, il est hautement préférable de copier les habitudes de populations qui sont *intrinsèquement* en bonne santé. J'ai entendu à plusieurs reprises certains experts dire que ce n'était vraiment pas le moment d'adopter les habitudes méditerranéennes puisque les Méditerranéens eux-mêmes les abandonnent et voient leur état de santé se détériorer. J'en tire la conclusion exactement inverse !

LES GRANDES CARACTÉRISTIQUES DE LA DIÈTE MÉDITERRANÉENNE

- Les principaux aliments, mais pas exclusivement, sont des **plantes**.
- Les produits animaux sont consommés sans aucune exclusivité – les Méditerranéens ne sont pas végétariens – mais de façon modérée, c'est le principe de **frugalité**.

• Ces habitudes méditerranéennes sont d'une extraordinaire **diversité**.

• Avec un grand respect des cycles saisonniers, chaque saison a ses aliments caractéristiques, c'est le principe de **saisonnalité**.

• Les principales plantes consommées sont les céréales, les légumes, les légumes secs (ou légumineuses) et les fruits. Dans nos climats tempérés, et à condition de respecter le principe de saisonnalité, on peut se procurer une grande diversité de plantes comestibles produites localement. C'est le principe de **nutrition localisée.** On consomme les produits de chez soi, pas uniquement certes, mais de préférence, car ce sont eux que nous métaboliserons le mieux grâce aux gènes transmis de nos ancêtres.

POURQUOI ET COMMENT FAIRE ENCORE MIEUX

Mettre en pratique des traditions alimentaires ne signifie pas pour autant devenir rétrograde ou sectaire. Bref, il faut nous adapter à notre époque, même si bien de ces *pseudo-nouveautés* nous rebutent.

L'agriculture moderne et l'industrie agroalimentaire ont inventé de **nouveaux aliments**. Parmi eux, certains peuvent nous être utiles, d'autres n'ont aucun intérêt ou sont potentiellement nuisibles. Un exemple est celui des margarines qui – à condition d'être fabriquées selon des technologies appropriées (sans hydrogénation) et à partir de matières grasses brutes correctement sélectionnées – peuvent être d'utiles substituts *solides* au beurre et à la crème. Mais quand on s'avise d'y ajouter des phytostérols, sous prétexte de faire baisser le cholestérol, ces margarines *enrichies* sont franchement nuisibles !

Par ailleurs, il y a des modèles alimentaires autres que le modèle méditerranéen – c'est vers l'Asie que mon regard se porte en écrivant ces mots – qui méritent notre attention et dont nous pouvons nous inspirer pour aménager et même améliorer la diète méditerranéenne traditionnelle. De bons exemples sont les modèles japonais et d'Okinawa.

En d'autres termes, il faut sélectionner les aspects positifs de la modernité mais aussi des **autres traditions alimentaires** afin d'enrichir cette diète méditerranéenne traditionnelle. Cette approche doit être individuelle – fonction de notre culture et de notre histoire personnelle – mais aussi collective via l'industrie agroalimentaire, les médias, les grands chefs gastronomes, les diététiciens et même les médecins et scientifiques nutritionnistes.

Les progrès techniques réalisés par l'industrie agroalimentaire au cours des dernières décennies ont eu, certes, des conséquences néfastes sur l'équilibre alimentaire. Mais tout n'est pas à rejeter. Il serait en effet absurde de ne pas profiter de certains d'entre eux.

Prenons l'exemple très simpliste du **sel** (chlorure de sodium) pour illustrer cette idée. Tout le monde est d'accord pour dire aujourd'hui qu'il faut diminuer nos apports en sel. Traditionnellement, le sel était utilisé – y compris dans la zone méditerranéenne – pour la **conservation des aliments**, en particulier les poissons.

L'arrivée des réfrigérateurs a permis de conserver les aliments grâce au froid et d'avoir moins recours au salage. On voit ici que le progrès technique est bénéfique pour la santé puisqu'il permet de diminuer la charge en sel de nos repas quotidiens. Je reviendrai plus loin sur la question du sel et sur celle du sodium, deux problématiques qu'il ne faut pas confondre.

MES CONSEILS

• L'adoption d'habitudes alimentaires méditerranéennes passe par la **sélection d'aliments de qualité**, goûteux et ne nécessitant pas des apports importants en sel pour les rendre comestibles ou attractifs. Mais les aliments de qualité sont souvent chers de nos jours à moins de respecter quelques règles basiques que je résume en une phrase : **suivre les saisons**, c'est-à-dire ne pas vouloir consommer des fraises des bois ou des haricots verts frais en hiver !

• Il est essentiel et plaisant de **varier son alimentation**. En hiver, on pourra par exemple s'offrir des haricots verts (ou d'autres légumes) surgelés, de préférence bio, qu'on commence à trouver à des prix très abordables, même si ce n'est pas la saison. Il faut trouver un compromis réaliste entre le **coût** et le **goût** des aliments et entre **variété** et **saisonnalité**. Un bon moyen d'y arriver est de consommer le plus possible des fruits et légumes de **saison** et provenant de **sa région** !

• La diète méditerranéenne anti-infarctus et anti-AVC est une façon de se **nourrir avec plaisir**, dans la joie et l'amitié. On mange **dans la sérénité**, sans la crainte ou la superstition que nos aliments soient nocifs pour notre santé. On mange peu, jamais seul (si possible), des produits de qualité, non pollués et goûteux ; et jamais en principe au-delà d'un premier sentiment de satiété.

S'APPROVISIONNER SI ON HABITE AU NORD DE LA FRANCE

Si on peut manger – donc s'approvisionner – méditerranéen sans trop de difficultés au sud de la Loire, ça peut devenir difficile plus au nord, du côté de Quimper ou d'Amiens. C'était vrai, mais ça ne l'est plus. On peut aujourd'hui faire pousser un peu partout des variétés qui se rapprochent des plantes méditerranéennes. Certes, vous n'aurez pas une juteuse tomate provençale en janvier à Brest, mais à Aix-en-Provence non plus ! Si vous ne trouvez pas de pourpier devant votre porte, mangez de la mâche ! De la bio évidemment. Ce n'est pas parce qu'elle pousse sous serre en Pays Nantais qu'il ne faut pas la consommer.

Autre exemple, l'**artichaut** : il n'y a pas de plante plus méditerranéenne que l'artichaut ! Plutôt le violet, celui de Grasse ou de Rome. Les plus grands producteurs et consommateurs au monde sont les Espagnols et les Italiens. Ne soyons pas jaloux, nous produisons en Bretagne parmi les plus beaux artichauts. Et l'artichaut, à cause de sa richesse en nutriments essentiels (notamment polyphénols) est un cadeau du Bon Dieu. Bref, il est possible aujourd'hui de s'approvisionner dans chaque région en aliments goûteux ; et qui dit goûteux et colorés dit riches en nutriments essentiels. En conjuguant les souvenirs et pratiques de nos vieux jardiniers et semenciers traditionnels avec les progrès de l'agronomie et de la botanique moderne, on peut donc un peu partout dans nos pays tempérés se concocter pour des coûts acceptables des menus *très méditerranéens* !

Je résume : on peut faire mieux que la diète méditerranéenne **traditionnelle**, grâce au frigidaire notamment, mais celle-ci doit rester notre guide – théorique et pratique – dans toute approche diversifiée de notre alimentation. Si on mange pour se nourrir, on peut aussi le faire **pour le plaisir**. Mais si on s'engage dans cette voie, qui peut être périlleuse, je recommande de l'emprunter avec un petit bagage philosophique d'inspiration épicurienne. Avant d'aborder le chapitre suivant qui traitera notamment des boissons alcoolisées, et sans aucune connotation moralisante, je voudrais dire que la notion de diète méditerranéenne s'oppose à cette vision très contemporaine des plaisirs et fêtes massifs et surdimensionnés.

La diète méditerranéenne telle que nous la voyons, telle que nous l'avons testée scientifiquement et enseignée autour de nous, c'est un ensemble de petits plaisirs simples et maîtrisés, la satisfaction de désirs presque naturels, une sorte d'*ascétisme raisonné*, dirait un philosophe épicurien.

Nous allons maintenant passer en revue les grandes catégories d'aliments en commençant par les boissons.

À la fin de chaque chapitre on trouvera un résumé de mes recommandations pour deux cas de figure : les *survivants* d'une crise cardiaque ou d'un AVC et les *autres*.

• Soit on est **survivant d'une crise cardiaque ou d'un AVC**, autrement dit on a eu de la chance – je rappelle qu'environ 50 % des infarctus avérés sont mortels – et il est impératif de ne plus jouer avec le feu. La stratégie préventive doit être ferme et sans concession. Ces recommandations sont les mêmes lorsque l'on n'a pas eu de crise cardiaque mais qu'on est considéré à risque très élevé pour une raison quelconque.

• Soit **on n'a jamais eu de crise cardiaque ou d'AVC mais on a décidé de prendre sa santé en main**, pour la raison évidente qu'on veut rester en bonne santé. Ce sont les *autres* dans mon langage particulier dans ce livre, par opposition aux *survivants*. Dans ce cas, on peut être plus libéral, mais pas laxiste, sachant qu'en principe – par le simple jeu des probabilités – c'est dans cette énorme population des gens apparemment bien portants que se recruteront la majorité des futurs infarctus et futurs AVC.

Se nourrir, c'est manger certes, mais c'est aussi boire. C'est par les boissons que je vais commencer à décrire les fondations de la diète méditerranéenne, version modernisée.

CHAPITRE 2

QUE BOIRE ? COMMENT BOIRE ?

L A SEULE BOISSON INDISPENSABLE EST L'EAU. IL FAUT EN BOIRE beaucoup car **plus on boit, plus on urine**, et plus on urine, mieux on élimine les déchets produits par notre organisme et les toxines que l'on aurait absorbées par mégarde. Il est hautement préférable que toutes ces substances soient diluées dans de grandes quantités d'urines et ne stagnent pas. C'est la fonction du rein de produire des urines et, à moins d'être malade, produire beaucoup d'urine ne le fatigue pas. Boire beaucoup n'a donc que des avantages et aucun inconvénient.

Chez des patients recevant certains médicaments – par exemple des anti-inflammatoires – il faudra faire attention de **ne jamais être sous-hydraté**, notamment après un exercice physique inhabituel (et j'encourage mes lecteurs à se livrer à ce type d'exercice si leur état cardiovasculaire est équilibré) car ceci augmente la toxicité rénale de ces médicaments. Même chose avec les médicaments anticholestérol – que je déconseille, faut-il le répéter – et surtout ne pas espérer diminuer les douleurs musculaires qu'ils provoquent avec des anti-inflammatoires. Enfin attention aux médicaments du domaine cardiovasculaire qui ont la triste propriété de **diminuer la sensation de soif** et qui font que les patients boivent moins et se déshydratent d'autant plus vite qu'ils sont plus âgés, avec les terribles conséquences observées lors de la vague de chaleur de 2003 en France. Bref, buvons !

Quelle eau boire ?

Concernant les impuretés, certaines eaux du robinet sont à la limite du buvable tant parfois les nappes phréatiques sont aujourd'hui gravement polluées. Il faut donc y faire attention en se renseignant régulièrement à la mairie de sa commune. Inversement, certains ont la chance d'être servis par une ligne quasi directe d'un beau lac de montagne au robinet...

Certaines eaux sont riches en minéraux. C'est le cas des eaux calcaires (contenant beaucoup de calcium) que les plombiers critiquent en prétendant qu'elles encrassent les tuyaux. Je vous rassure, ces eaux qui salissent les chromes de vos robinets et encrassent les tuyaux, ce sont les meilleures eaux pour les artères, et pour les os. Si vous décidez d'installer des adoucisseurs d'eau chez vous, **arrêtez de boire cette eau** *adoucie* !

Si votre budget le permet, je recommande d'alterner eau du robinet et eaux minérales. Parmi ces dernières, on sélectionnera celles qui sont particulièrement **riches en magnésium** (facile à vérifier en lisant l'étiquette) parce que nous sommes tous plus ou moins déficients en magnésium. Par ailleurs, les eaux riches en bicarbonate – même si c'est du bicarbonate de sodium – diminuent l'acidité des apports alimentaires ; et surtout après (et même avant) avoir pratiqué un exercice physique intense, elles aident à la récupération des muscles. Les eaux minérales ont ainsi quelques vertus curatives, ou préventives.

Aller a *en cure* ou *aux Eaux* n'est pas un vain mot, et cela dans tous les pays, toutes les cultures, et depuis l'Antiquité ! Mais comme leur principal intérêt sanitaire n'est pas la prévention de l'infarctus, je m'arrête là. Les cures thermales pour diminuer le cholestérol – certains le disent – sont une pure escroquerie !

LES BOISSONS ALCOOLISÉES

Les boissons alcoolisées, et plus particulièrement le vin, sont mieux que des médicaments pour la prévention de l'infarctus et de l'AVC. Un cadeau du Bon Dieu ! Expliquer comment l'alcool protège le cœur et les artères est passionnant… mais un peu compliqué. En deux mots, la consommation d'alcool **diminue le risque de faire des caillots** dans les artères et **augmente la capacité du myocarde** à résister aux effets du manque d'oxygène. Dans la partie 2 de ce livre, je montre que la simple consommation d'alcool à doses modérées peut avoir plus d'effets bénéfiques que plusieurs médicaments, sans les effets toxiques (lire page 61).

Avec Patricia Salen, nous avons écrit en 2007 un livre intitulé *Alcool, vin et santé* (éditions Alpen). J'en recommande la lecture car on y trouve l'essentiel de ce qu'il faut savoir sur la question de l'alcool et de la santé. C'est un des livres qui nous a demandé le plus de travail. Nous avons procédé à une vérification minutieuse de toutes les données existantes. Nous avons donné la parole à des équipes qui abordaient la question de l'alcool sous un angle différent du nôtre – ce désastre personnel et familial qu'est l'*alcoolisme* – et produit une synthèse médicale et sociologique. A notre grande surprise, ce livre intéresse peu (lire l'encadré).

ALCOOL ET SANTÉ : UN THÈME TABOU

La question de l'alcool est rarement abordée de façon objective dans notre société. D'un côté il y a ceux qui produisent et font commerce de boissons alcoolisées et qui n'y voient que des bienfaits, négligeant les aspects négatifs. Et puis de l'autre il y a ceux qui ne voient dans l'alcool que la source de malheurs individuels et sociaux et se refusent à en voir les aspects positifs, ce en quoi ils ont tort (mais on les comprend quand même). Ces derniers éludent l'énorme dossier scientifique et médical, voire anthropologique, qui montre que la consommation d'alcool **à doses modérées** a des effets remarquablement protecteurs pour notre santé.

Ces attitudes illustrent la difficulté à parler objectivement de boissons alcoolisées et de santé, et à être écoutés. Certes, la majorité des buveurs boivent sans trop se préoccuper de ces discussions, mais ce n'est pas eux qu'on entend…

Comment boire l'alcool ?

L'alcool est, disais-je, un cadeau du Bon Dieu… sous réserve d'en faire un usage intelligent ! Et c'est là le problème. Comme avec l'automobile, les médicaments, les nouvelles techniques ou les vulgaires plantes de nos jardins et potagers, selon l'usage que l'on fait des choses, elles peuvent être bénéfiques pour les humains ou au contraire faire leur malheur. La question adéquate n'est pas : *faut-il boire pour se protéger de l'infarctus ?* Mais : *comment faut-il boire pour se protéger de l'infarctus ?*

De façon générale, la réponse est : **il faut boire comme les Méditerranéens, plutôt en mangeant et surtout modérément !** Mais, au niveau individuel, les réponses peuvent varier en fonction de celui ou celle qui pose la question. S'il est indispensable d'imposer des limites très strictes à la consommation d'alcool dans certaines circonstances ou pour certaines personnes – travail dangereux, conduite automobile, femmes enceintes, jeunes gens irréfléchis – il est difficile d'imposer des limites particulières à un (ou une) brave retraité(e) qui va se mettre à table pour son dîner. Et même si ce dîner a été précédé d'un petit apéro… Je ne vois aucun problème à ce qu'il (ou elle) finisse sa bouteille en état de joyeuse et légère ébriété ! Mais pas tous les jours évidemment !

J'encourage ceux qui ont eu une alerte cardiaque à ne pas oublier cette petite cérémonie vespérale. Ils n'ont rien à perdre, bien au contraire ! Il n'y a rien de mieux comme traitement préventif de la récidive de crise cardiaque, à condition d'être intégré au mode de vie méditerranéen.

Si je dis ça, ce n'est pas parce que je suis propriétaire d'un vignoble – je déclare solennellement n'avoir aucun conflit d'intérêt concernant la consommation d'alcool ! – mais parce que le dossier scientifique démontrant que l'alcool protège est probablement l'un des plus convainquant de la cardiologie préventive.

LE PARADOXE DE L'ALCOOL ET DU CHOLESTÉROL

Pour ceux qui resteraient sceptiques quant à l'innocence du cholestérol dans le déclenchement de l'infarctus, je rappelle que : d'une part, personne ne conteste le rôle protecteur de la consommation modérée d'alcool, et d'autre part, **la consommation d'alcool augmente le cholestérol** – le bon et le mauvais – dans le sang. Pas de la même façon pour tous, cela dépend de nos caractéristiques métaboliques (nous ne sommes pas égaux face à l'alcool !). Mais pour les adeptes de la théorie du cholestérol, c'est une contradiction insoluble sauf à s'inventer de tortueuses histoires à dormir debout… Je le répète : il est urgent d'abandonner la *théorie du cholestérol*, qui est en contradiction avec la simple réalité des faits, y compris ceux concernant l'alcool.

Est-ce l'alcool qui protège ou d'autres substances des boissons alcoolisées ?

L'alcool, à doses modérées, protège **quelle que soit la boisson alcoolisée dans laquelle il se trouve** ! Ce fait est confirmé par les plus belles études épidémiologiques – chez les humains de tous les continents, toutes les races et tous les niveaux sociaux – et aussi par les plus convaincantes études expérimentales (sur l'animal). Voilà un point acquis et indiscutable. Ceci étant dit, certaines boissons alcoolisées contiennent des substances qui sont un autre cadeau du Bon Dieu. Comme ce livre n'est pas un bréviaire d'alcoologie, je vais restreindre mon propos au vin.

Le vin contient, outre l'alcool, des **polyphénols**. On peut même dire que le vin c'est de l'alcool plus des polyphénols. Cela ne veut pas dire que d'autres boissons alcoolisées – bière, whisky, etc. – ne contiennent pas des substances intéressantes pour la santé, mais dans le contexte de la diète méditerranéenne, c'est réellement **le vin** qui est le **champion toute catégorie**.

ALCOOL ET CANCER : QUELS SONT LES VRAIS RISQUES ?

On reproche à l'alcool (et au vin) de favoriser les cancers. En dehors de consommations importantes ou disproportionnées par rapport à notre poids, notre activité physique et donc nos apports énergétiques, c'est globalement faux. Nous ne partageons pas les conclusions de certains rapports – notamment ceux de l'Institut National du Cancer (INCa), prétendant que même un verre de vin augmente le risque de cancer – comme nous l'avons expliqué dans notre **article** publié dans le journal *Le Monde* du 21 Mars 2009.

Il y a apparemment une exception, c'est le **cancer du sein**. Il semble – ce n'est pas une certitude – que mêmes des faibles consommations d'alcool (avec le vin, on ne sait pas) puissent augmenter le risque. On dit que chaque verre ou chaque 12 g d'alcool augmente ce risque de 10 % sur une vie de femme adulte. C'est un petit risque certes, mais il n'y a pas de raison de le négliger. Cependant, nuance. Ces mêmes études démontrent que **ce risque s'annule** si les femmes consoment des quantités significatives de végétaux contenant des vitamines du groupe B. En d'autres termes, puisque la diète méditerranéenne est riche en végétaux contenant des vitamines B, les femmes méditerranéennes fidèles à leurs traditions alimentaires peuvent boire tranquillement leur verre quotidien de vin sans augmenter leur risque de cancer du sein. Si un risque persistait dans ces conditions, il serait négligeable, quoiqu'en disent les experts de l'INCa.

Deux remarques à propos des vins : d'une part, nous avons beaucoup de données scientifiques nous permettant de faire des recommandations précises ; d'autre part, la consommation de vin chez les Méditerranéens est consubstantielle à ce modèle alimentaire ; en d'autres termes, un repas sans vin n'est pas vraiment méditerranéen. Chez les Méditerranéens, **on boit en mangeant**. C'est un aspect crucial de cette façon de boire car cela permet aux composés présents dans le vin et dans les aliments méditerranéens d'interagir ensemble, et positivement, sur la santé.

Prenons l'exemple des polyphénols. Le vin est très riche en polyphénols, chacun le sait, et aucun autre aliment ou boisson n'en contient autant sous une forme aussi aisément consommable, et **douze mois sur douze,** à l'exception du thé évidemment (lire page 276). Nous avons montré que certains polyphénols du vin – des pigments appelés **anthocyanidines** – stimulent la synthèse par nos propres tissus des acides gras oméga-3 que normalement on ne trouve presque que dans les poissons gras. Autrement dit, nous sommes capables de fabriquer du gras de poisson grâce aux anthocyanidines du vin. Parallèlement, certaines plantes méditerranéennes (noix et légumes verts surtout) que les Méditerranéens consomment en grandes quantités favorisent aussi cette fabrication, grâce à un acide gras qu'elles renferment, le très fameux acide alpha-linolénique. Cela explique que certaines populations qui ne consomment pas de poisson gras ne soient pas déficitaires en acides gras marins qui sont eux-mêmes indispensables à la santé de notre cœur, de nos yeux et de notre cerveau. Cela veut dire que des aliments exclusivement végétaux nous aident à faire « *comme si* » nous mangions des produits animaux et notamment marins ! Pas beau, ça ? Je résume : noix, pourpier ou mâche, œufs de poules nourries aux graines et herbes sauvages ou aux graines de lin… (grâce à l'**acide alpha-linolénique**) + vin (grâce aux **anthocyanidines**) = **gras de poisson** ! La diète méditerranéenne est vraiment un cadeau des Dieux !

Quelle quantité d'alcool est-il raisonnable de consommer pour n'en avoir que les avantages ?

Avant tout, je rappelle que quels que soient le type de boisson et la quantité consommée, l'alcool peut diminuer notre vigilance et donc provoquer un accident. Il faut garder ceci à l'esprit et s'abstenir de boire si on doit prendre la route ou se déplacer dans un environnement difficile.

L'effet bénéfique est observable dès le premier verre quotidien ou même hebdomadaire, ça dépend de la nationalité des populations observées dans les études épidémiologiques. En termes de probabilités, on peut comprendre que même un verre par semaine puisse protéger, mais si on raisonne en biologiste ou physiologiste, une si faible dose ne peut pas avoir un effet significatif, évidemment. Comme nous ne sommes pas des fourmis dans une fourmilière et que nous voulons être protégés à l'échelon individuel, je recommande de façon générale **de boire un verre par jour au minimum**, c'est-à-dire 10 à 12 g d'alcool : un verre de vin, une canette de bière, une dose de pastis ou de whisky. Voilà pour la dose minimale. Et la dose maximale ?

Quand on raisonne en termes de mortalité, **l'effet protecteur maximal correspond à 3 verres par jour** en moyenne. Mais si vous mesurez 2 m, que vous pesez 120 kg, que vous êtes bucheron dans le grand Nord canadien et que vous travaillez en force 12 heures par jour 6 jours sur 7, vous voyez bien que vous pouvez dépasser cette dose sans inconvénient. Par contre, si vous mesurez 1,50 m, pesez 45 kg et menez une vie de bureau sédentaire, un verre sera préférable. Inutile que je détaille le raisonnement, je pense…

Pourquoi faut-il rester modéré ?

Il n'y a apparemment pas de doses maximales, c'est-à-dire de doses à ne pas dépasser, pour la prévention de l'infarctus. Mais, il faut savoir se protéger d'autres complications. Au-delà d'une certaine dose d'alcool on constate une augmentation de la pression artérielle. Combiné à l'effet anticaillot de l'alcool, cet effet sur la pression artérielle peut augmenter le risque d'hémorragie cérébrale et d'AVC hémorragique ; d'autant plus si les parois des **artères sont fragilisées par un cholestérol abaissé**. Ce serait dommage de mourir d'un AVC hémorragique en voulant se protéger de l'infarctus ou d'un AVC ischémique !

J'insiste sur ce point : la fréquence des AVC hémorragiques est en augmentation dans nos pays, et ce n'est probablement pas sans rapport avec les millions de traitement anticholestérol prescrits à tort et à travers et avec les traitements anticoagulants (ou antiplaquettaires) prescrits de façon plus ou moins appropriée.

Si nous voulons boire sereinement, gastronomiquement et sans complication, il est préférable, en plus de rester modéré dans les quantités d'alcool, de ne pas consommer des médicaments en même temps, surtout ceux cités ci-dessus. Et pour ne pas avoir besoin de médicament, il faut se préoccuper de sa santé le plus tôt possible dans sa vie. Non pas pour s'en gâcher les plaisirs mais tout au contraire pour en tirer le maximum de plaisirs le plus longtemps possible. Principe de base de l'épicurisme !

Chez certaines personnes sensibles, la consommation d'alcool en quantité peu importantes peut entraîner des arythmies cardiaques – en particulier la fibrillation auriculaire (lire page 187). Toutes ces observations mises ensemble conduisent à la conclusion que la consommation d'alcool, y compris sous forme de vin, **doit être modérée**. Chacun d'entre nous, en fonction de ses propres contextes professionnels, familiaux et sanitaires, devant décider ce que *modéré* veut dire pour lui-même. Il faut **boire intelligent**, pas d'autres solutions !

Dans la tradition méditerranéenne, boire – et aussi manger – est un acte culturel, de communication et de socialisation. Rien de mieux que de boire ensemble pour sceller une nouvelle amitié ou signer un contrat. Il y a une grande variété de procéder, et on peut en inventer des nouvelles : les uns boivent ensemble le champagne, le pastis ou l'ouzo ; et le mieux est de manger en buvant s'il s'agit d'alcool, les **antipasti** des uns et les **tapas** des autres, des olives pour tout le monde ! C'est bon la Méditerranée !

Mais beaucoup d'autres boiront le **café** en bavardant, d'autres encore le **thé** avec ou sans menthe ou sucre. Tout ça pour dire que les Méditerranéens socialisent en buvant bien d'autres choses que des boissons alcoolisées.

LE CAFÉ

Contrairement à des opinions communes, le café est une boisson excitante – à cause de la caféine qu'il contient – et riche en polyphénols. Le robusta, la deuxième variété de café la plus consommée dans nos pays après l'arabica, est plus riche en caféine et donc plus excitant que l'arabica mais il est moins riche en polyphénols. La caféine, en plus d'être un vrai excitant cérébral avec des effets stimulants intellectuel et antidépresseurs – augmentation de la dopamine intracérébrale – est aussi un excitant cardiaque ; ainsi, le café à fortes doses peut provoquer des arythmies auriculaires.

Bien que nous ne disposions pas d'essai clinique construit spécifiquement pour tester l'effet des boissons riches en caféine – surtout café et thé – de bonnes études épidémiologiques indiquent une relation inverse avec le risque de dépression, et parfois de suicide. Si vous vous sentez un peu déprimé, et que votre médecin vous propose un médicament antidépresseur – connu pour augmenter le risque d'infarctus (lire page 157) – peut-être pourriez-vous lui suggérer de commencer par augmenter votre consommation de café et de thé – si elle n'est pas déjà trop élevée – ce sera probablement plus efficace et certainement moins toxique.

De façon générale (pas pour les déprimés), **je conseille de ne pas boire trop de café** ! Et pour ceux qui sont sensibles à la caféine, jamais de café au-delà de la mi-journée. Je préfère l'arabica, comme presque tout le monde, mais le robusta sera plus stimulant.

LES THÉS

Le thé aussi contient de la caféine – théine et caféine sont la même substance – mais en moyenne trois fois moins que le café à portion égale. Selon certains experts, si on boit le thé rapidement au cours des premières minutes de l'infusion, on absorbe plus de caféine, car ensuite les tanins du thé inhiberaient l'absorption de la caféine. Si vous avez tendance à la déprime, ne laissez pas infuser votre thé (voir ci-dessus à propos de la caféine et dépression). Les thés sont ainsi moins excitants que le café et ils sont très riches en polyphénols, notamment le thé vert qui est moins oxydé que le thé noir. Le polyphénol le plus connu du thé est l'épigallocatéchine. On dit de lui qu'il protégerait l'endothélium des artères en plus de diminuer le risque de cancer de la prostate. A confirmer !

Donc : buvons du thé, il n'y a aucune contre-indication ! De mon point de vue – scientifique et non gastronomique en l'occurrence – il n'y a pas grand intérêt à différencier les grands types de thé (le vert, le noir et l'Oolong) si on aime le thé. Ils contiennent tous des polyphénols et, à ce titre, ils ne peuvent avoir que des effets bénéfiques sur notre santé.

Le thé se différencie du vin surtout par l'élément dans lequel les polyphénols sont dissous : de l'éthanol pour le vin, de l'eau avec le thé ! Autrement dit, les Méditerranéens sont de grands consommateurs de polyphénols qu'ils soient musulmans – et peu enclins à consommer du vin – ou chrétiens. Pour ces derniers comme pour les Juifs, le vin a une très forte charge symbolique et religieuse : pour les Catholiques, le vin n'est rien moins que le *sang du Christ* ! Ce n'est pas rien ! **Méditerranée au nord comme au sud = polyphénols**.

Il est recommandé de **ne pas ajouter du lait au thé**, comme font les Britanniques et les Indiens, car cela semble neutraliser les effets des tannins et polyphénols ; ce qui en contrepartie pourrait laisser la caféine exercer son effet excitant…

LES SODAS

Il est difficile de comprendre l'origine du mot (*soda water* se traduit par *eau gazeuse*) sans faire référence au *sodium* ou aux sels de sodium que contiennent les eaux gazeuses. Les sodas se distinguent des limonades qui ne sont presque que sucrées. Certes, la quantité de sel par volume n'est pas gigantesque, mais certaines personnes en boivent vraiment beaucoup et leurs teneurs en caféine en font de réels stimulants dans cette époque de dépression épidémique. Ces **boissons non méditerranéennes** ont un extraordinaire succès auprès des jeunes générations qui y sont conditionnées dès le plus jeune âge via notamment la fréquentation des fastfoods, McDonald's et autres. Voilà une calamité très contemporaine et typiquement *made in USA* ! Hautement énergétiques, ces boissons donnent presque soif ! Elles jouent probablement un rôle majeur dans l'épidémie d'obésité et de diabète qui aujourd'hui frappe la planète. Pour parler simplement, elles sont le symbole absolu de la « malbouffe » qui ravage nos sociétés.

De façon directe, on ne peut pas incriminer les sodas dans l'infarctus du myocarde mais les apports énergétiques qu'ils constituent – ce sont typiquement des *calories vides* – peuvent contribuer à déséquilibrer les habitudes alimentaires et à s'éloigner de la diète méditerranéenne. A éviter !

MES CONSEILS

• Les *survivants* (cardiaques avérés) comme les *autres* peuvent boire autant d'**eau** qu'ils veulent (plutôt boire beaucoup) et de préférence des **eaux fortement minéralisées** (notamment calcium et magnésium).

• Les *survivants* comme les *autres* peuvent boire du **café** et du **thé**, mais pour le café, on évitera de dépasser les 3 tasses par jour, et d'en boire après la sieste. A partir de 16 h (et même avant si on aime), place au thé. Pour le café comme le thé : **sans sucre** et **jamais de lait** !

• Les *survivants* comme les *autres* peuvent consommer des **boissons alcoolisées** en quantités modérées, mais **de préférence du vin** et pendant les repas. À moins de souffrir d'un dégoût pour l'alcool ou d'avoir un problème d'addiction incontrôlable, les *survivants* devraient boire **au moins 1 verre par jour**, c'est mieux que les médicaments. Pour tout le monde, il est préférable – sauf les jours de fête – de ne pas dépasser 2 verres par jour (3 ou 4 pour les gros costauds qui font un travail de force...). Pour en savoir plus, le mieux est de lire *Alcool, vin et santé* (éditions Alpen, 2007).

• A ceux qui, pour des motifs religieux ou autres, renonceraient aux boissons alcoolisées riches en polyphénols, je conseille le thé pour avoir leurs polyphénols toute l'année.

• Les sodas – surtout ceux contenant du fructose – doivent être prohibés et les autres boissons sucrées évitées.

CHAPITRE 3

LE LAIT ET LES PRODUITS LAITIERS

D ANS LE CONTEXTE PARTICULIER DE LA PRÉVENTION DE L'INFARCTUS et de l'AVC, deux questions se posent à propos du lait et des produits laitiers :

• Sont-ils recommandés ou déconseillés ?

• Comment les Méditerranéens (qui sont le modèle à suivre) utilisent-ils ces aliments ?

Je vais utiliser la deuxième question pour répondre clairement et sans ambigüité à la première. Commençons par analyser les termes de **la première question**.

FAUT-IL CRAINDRE LE LAIT ?

Aux premiers temps des études épidémiologiques cherchant les causes biologiques de l'infarctus et de l'AVC, le lait et les produits laitiers ont été présentés comme des coupables idéaux. Explication *simplette* proposée par certains investigateurs : les **graisses saturées** présentes dans le lait augmentent la concentration de cholestérol dans le sang et sont ainsi responsables d'une augmentation du risque de crise cardiaque. Je ne souscris évidemment pas à ce genre de théorie bâtie sur du vide.

D'autres investigateurs – William Connor aux Etats-Unis et Serge Renaud en France, par exemple – prétendaient que la nocivité des graisses saturées était plutôt due à leurs effets sur le risque de caillot et leur propension à induire un état prothrombotique (lire page 91). Ces investigateurs avaient été capables de reproduire la formation des caillots induite par les acides gras saturés sur d'élégants modèles expérimentaux.

Mais lorsque des études épidémiologiques de meilleure qualité ont été conduites, la responsabilité du lait et des produits laitiers sur le risque d'infarctus est devenue beaucoup moins évidente. Je ne vais pas raconter en détail cette interminable controverse car la subjectivité des protagonistes était, et reste, confondante. Elle était animée d'un côté par les défenseurs de la *théorie du cholestérol* – Unilever et l'industrie des statines main dans la main – pour lesquels les graisses animales, très saturées, donc le lait, sont obligatoirement toxiques car ils augmentent le cholestérol. Pour eux, il faut manger de la margarine de tournesol (je caricature un peu) et prescrire des statines. De l'autre côté, les syndicats de producteurs de lait et de viande – de très puissants lobbys dans les pays occidentaux via les ministères de l'Agriculture – et l'agrobusiness allié des précédents, Nestlé et Danone par exemple, disaient que les produits laitiers sont bons pour la santé, celle des os des seniors et celle des enfants, notamment les bébés, en général.

LE LAIT, UN PRODUIT COMPLEXE

La controverse était, et reste, sans intérêt dès que l'on prend la peine d'analyser le lait et les produits laitiers non comme des marchandises, mais comme des aliments, et avec une approche scientifique. En effet, ces aliments sont d'une extrême complexité.

• D'abord, ils ne sont pas que du gras. Ils contiennent aussi des glucides (le lait surtout), des protéines, des hormones, des oligoéléments ; et chacune de ces catégories peut avoir des effets biologiques spécifiques.

• Ensuite, parmi les graisses du lait, il n'y a pas que des acides gras saturés ; il y a aussi des acides gras *trans* produits par la rumination et ayant des effets opposées, en termes de risque cardiovasculaire, de celles des *trans* produits par l'industrie agroalimentaire. Je rappelle aussi que selon la façon dont l'animal a été nourri, du pays où il vit, de la saison et même de son cycle de reproduction, cette composition en acides gras peut varier avec des teneurs plus ou moins importantes en oméga-3 et en oméga-6, par exemple.

• Par ailleurs, les laits de brebis ou de chèvre sont très différents du lait de vache ; de même il existe de grandes différences entre les produits laitiers bruts (lait), peu travaillés (beurre, crème) ou beaucoup travaillés (yaourts, fromages) en simplifiant beaucoup...

• Enfin, entre un lait de vache écrémé ou demi écrémé – dont la concentration en acides gras saturés est faible – un beurre, hautement concentré en graisses saturées, et un fromage fermenté de lait de chèvre, il n'y a plus aucun rapport ! Ce sont des aliments très différents et les classer dans une catégorie unique est peu scientifique.

Tous ces facteurs rendent l'analyse des effets du lait et des produits laitiers difficile à comprendre et les études visant à l'expliquer difficiles à interpréter… voire ininterprétables ! Il suffit de jeter un œil rapide sur les données de consommation des produits laitiers dans différentes populations européennes – par exemple celles publiées par la *European Prospective Investigation Into Cancer and Nutrition* (EPIC) – pour comprendre que la relation entre la consommation de produits laitiers (au sens large et peu scientifique dont je parle ci-dessus) et le risque d'infarctus a peu de chance d'être comparable en Grèce (où l'on consomme presque exclusivement du fromage de brebis – la célèbre **féta** – et du yaourt) et en Grande-Bretagne (où la consommation de fromage est 7 fois moins importante, celle de yaourt 3 fois moins, mais celles de beurre et de crème 10 fois plus importantes). Il est difficile ensuite d'établir des corrélations entre les produits laitiers en général et le risque d'infarctus ou d'AVC. Certains s'y risquent, leurs analyses doivent être considérées avec la plus grande prudence surtout s'ils travaillent sous contrat avec des industriels ou des groupements commerciaux.

VACHE AMÉRICAINE *INDUSTRIELLE* N'EST PAS VACHE ALPINE

Les vaches américaines étaient autrefois différentes des vaches européennes parce qu'elles étaient nourries de façon différente, mais c'est probablement moins vrai aujourd'hui avec l'industrialisation forcenée de l'élevage européen : soja et maïs pour toutes désormais… La vache alpine elle-même paissant dans ses alpages estivaux ne produit pas le même lait que la même vache dans son étable hivernale dans la vallée et nourrie aux granulés. Les laits des alpages estivaux sont riches en acide gras oméga-3, important de le savoir quand on va acheter son comté, son beaufort ou son gruyère… On a appelé ça en anglais l'*alpine paradox* .

QUE FONT LES MÉDITERRANÉENS ?

Ne pouvant répondre à la première de mes questions initiales – *faut-il conseiller ou pas les produits laitiers ?* – mais en m'appuyant sur des données scientifiques incontestables, je vais répondre à **ma deuxième question** à propos des Méditerranéens, sachant qu'ils sont notre référence puisque leur mode de vie les protège de l'infarctus de l'AVC : *comment les Méditerranéens utilisent-ils les produits laitiers ?*

J'y ai déjà un peu répondu à la page précédente en comparant les Grecs et les Britanniques. Je continue. Contrairement à de nombreux pays – par exemple les Etats-Unis ou les pays d'Europe du Nord où le lait est un aliment (liquide) de première importance – les Méditerranéens ne sont pas des grands amateurs de lait dans sa forme liquide brute, ni de beurre ou de crème de lait d'ailleurs.

Et quand ils boivent du lait, c'est rarement du lait de vache ! Ils préféraient – je l'écris au passé car les temps ont changé et les habitudes alimentaires aussi – les laits de brebis et de chèvre. Des études épidémiologiques (par exemple en Albanie) montrent que la mortalité cardiovasculaire augmente au fur et à mesure que l'on s'éloigne des bords de mer (régions d'oliviers) pour prendre de l'altitude et trouver des vertes prairies et une civilisation plutôt tournée vers la vache, son lait et sa viande.

En général, les **Méditerranéens sont donc des consommateurs modérés de produits laitiers**, mais ils consomment – c'est un point capital – des **produits laitiers fermentés**, fromages et yaourts. Et généralement de brebis ou de chèvre. Et ça change tout ! Pourquoi ?

En effet, la composition en acides gras des laits de chèvre et brebis est différente de celle du lait de vache : ils contiennent notamment plus d'acides gras saturés à **chaîne très courte** qui sont très vite (dès la digestion) utilisés par les muscles et qui n'ont donc pas le temps d'être nocifs. Enfin parce que le gras des fromages fermentés est moins bien absorbé que celui du beurre et du lait, ce qui fait des fromages de bonnes sources de protéines animales associées à relativement peu de gras, et beaucoup de calcium et magnésium.

Vu comme ça, le fromage de brebis ou de chèvre apparaît presque comme un aliment protecteur contre l'infarctus, surtout si on l'accompagne d'un bon vin et d'un bon pain fait d'une bonne céréale complète : **du pain, du vin et du fromage, que demande le peuple ?**

Certains Méditerranéens accompagnent leur fromage de **noix**, de **miel** (plutôt avec le yaourt), de confiture ou de **fruits secs** (raisins secs, figues sèches), tandis que d'autres mettent du fromage dans beaucoup de mets, par exemple les Grecs, sans que cela nuise à leur santé, mais c'est dans le contexte de la diète méditerranéenne…

Le fromage, en apportant du calcium, du phosphore, du magnésium, de la **vitamine K** et des **protéines** est sans doute utile aux os mais permet éventuellement une diminution de la pression artérielle, quand il est inclus dans un modèle alimentaire global, comme nous l'avons vu avec le régime DASH (lire page 136). Ce sont aussi des aliments hautement gastronomiques, dont il serait dommage de se priver. Mais il est **déconseillé d'en abuser**, ne serait-ce que pour répondre à cette règle basique de la diète méditerranéenne : la variété.

En pratique, un adulte sédentaire de 70 kg peut très bien consommer une bonne part de fromage (entre 30 et 50 g) et un ou deux laitages fermentés par jour. Si c'était un peu plus, je n'en ferais pas une maladie, surtout si on est physiquement très actif ou qu'on n'aime pas les viandes ! En effet, du temps où les Grecs mangeaient des grosses portions de féta à chaque repas – y compris dans des mets cuisinés – elles n'étaient pas accompagnées ou suivies d'un plat de viande ou d'une autre protéine animale. Bref, il faut choisir !

Je vais maintenant donner mes conseils. Ils vont peut-être surprendre car ils sont mal soutenus par une bibliographie un peu étriquée. Mais ils ne tombent pas du ciel ! Ils ont en effet été testés avec succès dans l'Etude de Lyon. Et ils correspondent à ce que faisaient traditionnellement les Méditerranéens ; et les Méditerranéens étaient, et restent, protégés. Alors, prudence et modestie, répétons ce que d'autres ont fait avec succès avant nous.

MES CONSEILS

- Les *survivants* (cardiaques avérés) doivent **éliminer le beurre, la crème** et aussi le lait entier de leurs menus. Quand je dis éliminer, ça ne veut pas dire *jamais de beurre, de crème et de lait entier* évidemment – c'est impossible dans notre société – ça veut dire *jamais à la maison*, y compris pour cuisiner et dans les pâtisseries. Cette façon de procéder – très stricte en apparence – permet de s'autoriser une fois par semaine un repas festif en famille, au restaurant ou chez des amis.
- Les *autres* doivent comprendre que les acides gras saturés à longue chaîne présents en grande concentration dans le beurre et la crème favorisent les caillots, même s'ils n'en sont pas la cause unique. La consommation de beurre et de crème doit donc être évaluée en fonction des autres facteurs favorisant les caillots. Sans ironie, si vous persistez à fumer, le beurre ne doit pas rentrer à la maison !
- Les *survivants* peuvent consommer du **fromage et des yaourts**, mais de façon modérée comme des Méditerranéens. Les autres aussi évidemment ! Les *survivants* qui souhaitent malgré tout boire du lait et d'autres produits laitiers non fermentés les choisiront écrémés.

• Les *survivants* et les *autres* préféreront les fromages et yaourts de **chèvre et de brebis** aux fromages et yaourts de vache, mais toujours modérément.

• Les *survivants* et les *autres* préféreront les fromages si possible **bio** ! Ils en feront une fête, en bons épicuriens, mais pas un festin, et sauront les accompagner comme ils le méritent de bon pain et de bon vin !

• On ne se laissera pas abuser par des yaourts contenant des phytostérols et ayant des propriétés anticholestérol ; ce genre de produits *marketing* ne doit pas rentrer à la maison ! Je ne me souviens pas si je l'ai déjà dit mais la c*hasse au cholestérol* est une aberration contemporaine !

CHAPITRE 4

LES MATIÈRES GRASSES MÉDITERRANÉENNES ET LES AUTRES GRAISSES

L ES Méditerranéens se différencient des peuples et civilisations voisines par le type de matières grasses qu'ils utilisent. Contrairement à ce que certains prétendent, notamment aux Etats-Unis où on fait la *chasse au gras*, la **diète méditerranéenne traditionnelle n'est pas pauvre en graisses**. La quantité totale de gras (exprimée en pourcentage des calories totales) varie entre 30 % en Sicile et 40 % en Grèce. Dans l'Etude de Lyon, nous avons obtenu 27 % environ mais ce n'était pas un point important dans notre stratégie anti-infarctus.

Avant de décrire les huiles ayant des caractéristiques méditerranéennes, nous allons définir **un profil des matières grasses méditerranéennes** en tenant compte de l'ensemble des graisses susceptibles d'être ingérées au cours d'une journée ou d'une semaine. Ce n'est pas simple car si les Méditerranéens ont des préférences – l'huile d'olive évidemment – ils savent trouver du plaisir gastronomique avec une grande palette de matières grasses.

QUELLES GRAISSES CONSOMMENT LES MÉDITERRANÉENS ?

Schématiquement, et de façon qualitative par rapport aux habitudes alimentaires occidentales – je ne vais donner aucun chiffre précis mais chaque mot compte – on peut dire que les Méditerranéens consomment :

• peu de graisses saturées animales (viandes, beurre et crème) ;

• très peu de graisses saturées végétales : huiles tropicales (palme, coprah, noix de coco) et beurre de cacao, par exemple ;

• beaucoup d'acides gras monoinsaturés végétaux – comme l'acide oléique – provenant essentiellement de l'huile d'olive, mais aussi d'amandes et de noisettes par exemple ;

• peu de graisses monoinsaturées d'origine animale (le gras des viandes) ;

• très peu d'acides gras *trans* d'origine végétale et industrielle ; je vais y revenir ;

• plutôt peu d'acides gras *trans* d'origine animale (issus du processus de rumination) ;

• peu d'oméga-6 végétaux (huiles de maïs et de tournesol, par exemple) ;

• très peu d'oméga-6 animaux (par exemple l'acide arachidonique des viandes) ;

• beaucoup d'oméga-3 végétaux issus des noix, du lin, du colza, des légumes à feuilles vertes, des plantes sauvages que l'on allait cueillir en famille pour nourrir les cueilleurs, certes, mais aussi les poules et les lapins ;

• beaucoup d'oméga-3 animaux : produits de la mer mais aussi de tous les aliments venant d'animaux se nourrissant de graines et plantes sauvages (lait, yaourt, fromages, œufs, viandes et abats).

LES GRANDES FAMILLES DE LIPIDES

• **Les acides gras saturés** : surtout présents dans les graisses animales (viande, produits laitiers…) mais certains aliments végétaux (huile de palme, chocolat…) en contiennent aussi.

• **Les acides gras monoinsaturés** : on les trouve dans le gras des viandes – car c'est le mode de stockage préféré du gras (en vue de l'hiver) par beaucoup d'animaux – mais aussi dans les huiles d'olive et de colza, l'avocat, les amandes, les noisettes.

• **Les acides gras polyinsaturés** : on les trouve dans les huiles végétales (tournesol, maïs, pépins de raisin, soja) et certains produits animaux : les marins surtout (huile de poisson) mais aussi les terrestres s'ils ont été nourris avec des oléagineux contenant des polyinsaturés. Parmi les nombreux acides gras polyinsaturés, deux d'entre eux doivent impérativement être apportés par l'alimentation car nos cellules ne savent pas les fabriquer : un oméga-3 (l'acide alpha-linolénique) et un oméga-6 (l'acide linoléique). Ils sont dits *essentiels*, on pourrait dire *indispensables*.

• **Les acides gras *trans*** sont aussi apportés par l'alimentation. On fait la différence entre ceux produits par l'industrie et ceux résultant du processus de rumination dans les estomacs des animaux ruminants.

Bien qu'il ne soit pas un vrai lipide mais un stérol, on a pris l'habitude de mettre le cholestérol dans la catégorie des lipides. Il y a du **cholestérol** dans nos aliments mais exclusivement dans les produits animaux. Ses équivalents dans les plantes sont des **phytostérols** qui sont eux, à juste titre, classés dans les stérols… La phobie du gras traduite en médicaments ou régimes anticholestérol est simplement un non-sens biochimique.

Je résume : la diète méditerranéenne comporte une grande variété de matières grasses ; mais les monoinsaturés (huile d'olive) et les oméga-3 (graines de lin et colza, noix, légumes à feuilles, abats, poissons, fruits de mer…) caractérisent les graisses alimentaires des Méditerranéens. Et surtout celles d'origine végétale ! Seul le modèle traditionnel asiatique (Okinawa, par exemple) lui est proche.

Nous voilà ainsi prêts à prendre nos dispositions à la fois pour **faire le marché** et pour **organiser nos menus**.

L'HUILE D'OLIVE

La Méditerranée, c'est l'huile d'olive, et cette huile est à la base de la cuisine de la région. C'est **un trésor** pour la santé cardiovasculaire, pour deux raisons principales :
• sa composition en acides gras est unique parmi toutes les huiles,
• elle contient des polyphénols spécifiques.

La **composition en acides gras** peut varier légèrement d'une région à l'autre, sans que cela interfère avec son goût qui dépend d'autres facteurs comme de la qualité des olives et l'art du maître huilier. C'est un métier, comme celui faiseur de vins. Mais une huile de grande qualité est, comme les vins, coûteuse. Si le porte-monnaie est en berne, on peut se passer des grands crus. Comme pour les vins, on doit en consommer tous les jours, mais pas forcément un Saint-Emilion 1959, et pas forcément en grandes quantités.

L'huile d'olive de qualité est produite à partir de fruits d'oliviers sélectionnés par des générations d'agriculteurs méditerranéens en fonction des caractéristiques de leurs terroirs,

> *Je déclare solennellement ne pas être propriétaire d'un champ d'oliviers ou d'un moulin à huile ; et n'avoir aucun conflit d'intérêt à propos de l'huile d'olive (et de l'huile de colza).*

particuliers dans chaque zone méditerranéenne. On peut presque la considérer comme un aliment-médicament.

L'huile d'olive est, avec l'huile de colza, très riche en acides gras monoinsaturés – caractéristique unique parmi toutes les huiles alimentaires – avec l'avantage de ne pas favoriser les caillots (contrairement aux saturés et aux oméga-6, qui sont les acides gras les plus courants des régimes occidentaux). Ces huiles se conservent très bien à température ambiante et sont résistantes aux effets de la cuisson à condition que celle-ci reste à des températures modérées (inférieures à 180 °C, l'huile ne doit pas fumer dans la poêle) et que cette huile ne soit pas réutilisée. Autre avantage de l'huile d'olive (comme l'huile de colza) : elles sont encore plus pauvres en acides gras saturées que l'huile d'arachide et beaucoup plus pauvres en oméga-6 que l'huile de tournesol ou de maïs.

Mais l'huile d'olive ce n'est pas seulement des acides gras. C'est aussi **des polyphénols**. Ces derniers sont multiples et, bien qu'en faibles quantités par rapport à d'autres aliments ou plantes, ce sont eux qui confèrent leurs propriétés gastronomiques aux huiles d'olive et certainement l'essentiel de leurs propriétés bénéfiques pour la santé ; de façon un peu comparable aux vins ! Les polyphénols de l'huile d'olive ne sont pas seulement des antioxydants, comme on le croit souvent, mais ils ont d'autres propriétés – notamment anti-inflammatoires et protectrices des cellules en cas de stress d'origine variée – qui sont en cours d'investigation dans de nombreux laboratoires de recherche.

Au moment de l'achat au magasin, il faudra faire attention – ce doit être indiqué sur l'étiquette – à la provenance et au mode de production de l'huile d'olive : il faudra acheter uniquement des huiles produites par première pression mécanique à froid (huile d'olive extra vierge). Ce n'est pas forcément une garantie de très haute qualité gastronomique mais c'est le minimum qualitatif à exiger. Arôme et faible acidité requis par les gastronomes sont à ce prix. Quand à la provenance d'un terroir spécifique, cela garantit qu'il ne s'agit pas d'un mélange d'huiles de plusieurs origines qui seront, par définition, indéterminées.

HUILES D'OLIVE ET DE COLZA : LES DEUX SEULES INDISPENSABLES

Nous avons l'habitude de dire à nos patients qu'ils ne doivent consommer comme huiles de base (celles de tous les jours) que deux types d'huile : **l'huile d'olive** et **l'huile de colza**. Pourquoi cette recommandation ? En effet, l'huile de colza n'est pas spécifiquement méditerranéenne.

La première raison c'est que de nombreuses personnes n'aiment pas l'huile d'olive. C'était le cas dans l'Etude de Lyon. Or, parmi toutes les autres huiles végétales, l'huile de colza est la seule qui ait une composition en acides gras proche de celle de l'huile d'olive : beaucoup de monoinsaturés (acide oléique), très peu de saturés et relativement peu de polyinsaturés, le tout à un coût raisonnable.

Toutefois, l'huile de colza raffinée – celle que l'on trouve dans la plupart de commerces – diffère de l'huile d'olive par l'absence des polyphénols spécifiques de l'olive. Par contre, elle contient des **quantités non négligeables d'un acide gras oméga-3**, l'acide alpha-linolénique. C'est un **grand avantage par rapport à l'huile d'olive** qui n'en contient pas. Aussi, par précaution chez des patients porteurs de maladies dangereuses ou invalidantes qu'il nous faut à tout prix protéger, nous estimons que la consommation d'huile de colza constitue une source quasi assurée et bon marché d'oméga-3 d'origine végétale.

L'huile de colza consommée en France est généralement raffinée. Elle est donc en grande partie privée de ses polyphénols. Cependant, on trouve dans certains magasins de l'huile de colza bio non raffinée ; elle a plus de goût, ce qui peut rebuter certains.

En conclusion, si l'huile d'olive est l'huile des gastronomes méditerranéens, on peut de façon habituelle consommer aussi de l'huile de colza. Si on vit dans un pays où l'huile d'olive est très coûteuse, on peut utiliser ces deux huiles de façon alternée car l'huile de colza est généralement plus abordable. Pour les très petits budgets on se contentera de l'huile de colza. L'huile de noix, de noisette, d'amande ou de pistache, qui ont des qualités gustatives spécifiques, peuvent être consommées, mais de façon vraiment ponctuelle, pour diversifier les menus.

Je ne discuterai ici aucune autre des huiles du commerce que je conseille d'éviter pour un usage chronique.

LES MÉDITERRANÉENS MANQUENT D'OMÉGA-3 DÉSORMAIS

Il y a dans la diète méditerranéenne traditionnelle de nombreuses sources d'oméga-3 mais dans certaines zones géographiques – par exemple en France – il est devenu difficile et/ou dispendieux de se procurer ces aliments riches en oméga-3 (abats, lapins, poulets, œufs bio, produits laitiers, etc.). Pourquoi ? Parce que les conditions modernes d'élevage ont entraîné un appauvrissement considérable de ces aliments en oméga-3. Les Français, par exemple – mais aussi d'autres populations comme les Italiens et probablement aussi les populations d'Afrique du Nord – sont ainsi devenus globalement déficitaires en oméga-3 d'origine végétale. Je reviendrai sur cette question en parlant des noix. Je vais revenir aussi sur l'importance du lin.

LES ACIDES GRAS *TRANS*

Les acides gras *trans* sont produits soit par des procédés industriels (hydrogénation partielle de matières grasses insaturées) afin de rendre les huiles plus résistantes à l'oxydation et solides à température ambiante (par exemple pour faire des margarines), soit par les bactéries des estomacs des animaux ruminants (vache, brebis, chèvre). On a même donné le nom d'acide ruménique à l'un des *trans* d'origine animale.

On les appelle *trans* pour les distinguer des acides gras *classiques* qui ont une structure différente appelée *cis*. Bref, c'est *trans* contre *cis*, mais ça n'a rien à voir avec le transgénique.

Les **acides gras *trans* industriels** étaient certainement toxiques – principale mais pas unique complication : induction d'arythmies ventriculaires malignes – lorsqu'ils étaient apportés à fortes doses sous forme de margarines dans lesquelles leurs concentrations pouvaient atteindre les 50 %, comme ce fut le cas aux Etats-Unis avec les margarines fabriquées à partir d'huile de coton. Aujourd'hui, les acides gras *trans* industriels sont essentiellement présents dans certains plats préparés, viennoiseries, pâtisseries, biscuits, pâtes (à pizza), pains industriels, barres chocolatées. Leurs concentrations dans les aliments sont beaucoup plus faibles – presque plus rien dans les margarines modernes qui sont fabriquées selon des procédés ne nécessitant plus d'hydrogénation – et si on a adopté des habitudes alimentaires correctes (peu d'aliments transformés) ou mieux, si on a adopté la diète méditerranéenne, je ne pense pas que les *trans* industriels constituent une menace significative désormais.

ANECDOTE

Les acides gras *trans* des ruminants et les acides gras *trans* industriels ont un effet identique sur le cholestérol sanguin : ils l'augmentent ! Pourtant, les premiers n'ont pas d'effet sur le risque d'infarctus et d'AVC tandis que les seconds ont été accusés de terriblement augmenter ce risque. Nouvel argument solide en faveur de l'innocence du cholestérol !

Les **acides gras *trans* des ruminants** sont chimiquement différents des *trans* industriels. Les producteurs de lait et leurs syndicats se démènent pour faire croire qu'ils sont antiobésité ou antidiabétiques et parfois anticancéreux, ce qui est peu convaincant, à mon avis. Inversement, leur toxicité me paraît improbable, à moins de se nourrir exclusivement de lait et de viandes de ruminants et d'en absorber des doses massives, ce qui est sans doute assez rare lorsque l'on a des habitudes alimentaires *raisonnables* ; ou surtout, recette magique, si on a adopté la diète méditerranéenne.

MES CONSEILS

• Concernant la consommation de beurre et de crèmes, mes recommandations sont les mêmes qu'au chapitre précédent. Les *survivants* (cardiaques avérés) doivent éviter le beurre et la crème (ces produits doivent rester très occasionnels) et les *autres* (qui n'ont pas fait de crise cardiaque) doivent ajuster cette consommation à leurs autres facteurs de risque, c'est-à-dire leur mode de vie.

• Les *survivants* ne doivent utiliser au quotidien que **l'huile d'olive** et **l'huile de colza**. Contrairement à ce que certains ont prétendu, l'huile de colza peut être chauffée comme les autres huiles, mais jamais surchauffée... comme les autres huiles mais l'huile d'olive est un peu plus résistante au chauffage ! Pour chauffer, cuire, assaisonner ou accompagner les salades, les deux huiles font l'affaire. On peut associer ces huiles soit à du vinaigre – dont l'acide acétique pourrait avoir des propriétés antidiabétiques – soit à du citron, également très riche en polyphénols. J'encourage les *autres* à suivre exactement les mêmes principes !

• Si on a besoin d'une matière grasse solide – pour *beurrer* ses tartines au petit déjeuner ou pour toute autre raison culinaire, notamment pour la pâtisserie – la solution n'est pas le beurre, désolé, mais de se procurer une **margarine** fabriquée majoritairement à partir **d'huile de colza**. Ou bien d'utiliser une purée d'oléagineux (noisette, amande, arachide) à choisir de préférence bio et sans sucre ajouté. Ceci est valable pour les *survivants* et pour les *autres*.

• Encore pour les *survivants* et pour les *autres*, toutes les autres huiles, notamment celles extraites d'oléagineux issus d'une agriculture industrielle (maïs, tournesol...) ne doivent pas être consommées de façon habituelle, pas plus que les mélanges artificiels de ces huiles, et quels que soient les arguments marketing (effets sur la mémoire, sur le cœur...). Toutes ces huiles – et les margarines fabriquées avec – contiennent des acides gras oméga-6 qui, en excès, augmentent le risque d'infarctus et de décès cardiaque, alors même qu'elles contribuent à diminuer le cholestérol. Je ne me souviens pas si je l'ai déjà

dit mais la *chasse au cholestérol* est une aberration contemporaine !
• Le choix d'une margarine ne doit pas se faire sur la base des arguments marketing (anticholestérol, richesse en oméga-6 ou en oméga-3 ou en oméga-9) et les margarines contenant des **phytostérols** ne doivent pas rentrer à la maison, comme pour les yaourts de la même espèce ! La seule margarine acceptable est celle qui est fabriquée majoritairement d'huile de colza, à laquelle il faut ajouter un peu de graisses saturées (huile de palme souvent) pour faciliter la solidification.

CHAPITRE 5

LES VIANDES ET LES ŒUFS

L ES MÉDITERRANÉENS NE SONT PAS VÉGÉTARIENS. ILS MANGENT DE LA viande et des produits d'origine animale, sans scrupule mais de façon particulière. En d'autres termes, si elle se fait avec prudence et réflexion, la consommation de viande n'est pas contre-indiquée dans une stratégie de prévention de l'infarctus et de l'AVC ! Inversement, il n'y a pas de raisons médicales à se forcer à manger de la viande... mais pas non plus à s'abstenir d'en manger, sauf à se priver volontairement d'une opportunité gastronomique.

Deux restrictions toutefois :

• Les consommations importantes de viande ne sont pas seulement antiécologiques – l'élevage intensif est à l'origine d'importants rejets de gaz à effet de serre – elles déséquilibrent les proportions de nutriments de la ration alimentaire : *si je mange trop de viande, je ne mange pas assez d'autres aliments*. Elles peuvent ainsi induire des déficiences relatives en certains nutriments essentiels.

• Certaines viandes peuvent être contaminées (hormones, métaux lourds, pesticides, etc.). Le foie des animaux par exemple peut être à la limite du consommable car c'est un organe qui sert à épurer l'organisme des produits toxiques provenant de l'environnement. Si vous décidez de consommer du foie, ce à quoi je vous encourage, choisissez-le bio !

LES ABATS

Au temps où les pénuries alimentaires étaient fréquentes, la viande était une denrée rare, réservée aux riches. Cependant, les morceaux dits « bas de gamme » étaient moins onéreux tout en étant aussi pourvoyeurs de nutriments indispensables. C'est le cas des **abats** que l'on consomme beaucoup moins depuis la tragédie de la vache folle, ajoutant ainsi un inconvénient supplémentaire aux conséquences de notre imprudence agro-industrielle.

Les abats – on dit aussi triperie – étaient traditionnellement consommés des deux côtés de la Méditerranée. Ils contiennent de grandes quantités de certains nutriments indispensables à la santé. Bien que certains abats soient riches en graisses (cervelle, langue, andouillette…), d'autres sont peu gras (foie, rognons, tripes). La peur du gras ne doit donc pas être une raison de ne pas en consommer, et encore moins avec le prétexte de régimes amaigrissants ou anticholestérol !

On a de moins en moins tendance à cuisiner des abats chez soi, et on a tort ! Une tranche de foie de veau ou quelques foies de volaille revenus à la poêle avec de l'huile d'olive, de l'ail et du persil frais, c'est vite fait et bien pratique pour les jours où on est pressé, rentré tard, où les enfants sont affamés et monsieur fatigué. Servis avec une belle laitue et deux pommes de terre cuite à la vapeur ou des brocolis parfumés à l'huile d'olive et agrémentés de noix concassées, c'est un délice très méditerranéen !

Une ou deux fois par quinzaine, on devrait se préparer une portion d'abats de qualité ; et de temps en temps, même s'ils sont plus gras, on se fera plaisir avec un boudin aux pommes ou une andouillette à la moutarde. Traiteur et boucher bio à privilégier !

LES VIANDES

On a toujours pensé que la viande contenait des substances favorables à la santé, et on avait raison ! **Les protéines animales** sont de la plus haute qualité : elles apportent TOUS les acides aminés indispensables à la construction de nos tissus (lire encadré), ce qui n'est pas le cas des protéines

PROTÉINES ANIMALES VERSUS PROTÉINES VÉGÉTALES

Les protéines que l'on trouve en grande quantité dans la viande mais également dans les légumes secs sont constituées d'acides aminés. Certains acides aminés sont dits « essentiels » : ils doivent être apportés par notre alimentation car nous sommes incapables de les fabriquer, un peu comme les vitamines. Les viandes – de même que les œufs et les poissons évidemment – sont la meilleure source possible d'acides aminés essentiels. En revanche, les protéines des légumes secs ou des céréales sont déficientes en certains acides aminés essentiels. Si on n'aime pas la viande, un bon moyen pour être sûr d'avoir tous les acides aminés essentiels est d'associer les légumineuses (lentilles, pois chiches, haricots…) aux céréales (maïs, blé, riz, orge…) dont les teneurs en acides aminés essentiels se complémentent parfaitement.

végétales. Par ailleurs, la viande nous apporte bien d'autres nutriments qui protègent notre santé parmi lesquels le **fer** et la **vitamine B12** ; mais aussi les **acides gras oméga-3** à condition que ce soit de la viande de cheval ou issue d'animaux nourris avec des aliments riches en graines de lin (filière Bleu-Blanc-Cœur, lire page 300).

POURQUOI CERTAINS SE PRIVENT DE VIANDE ?

Pourquoi la majorité des scientifiques et des médecins ont (ou ont eu) la conviction que les viandes, toutes les viandes, et les œufs favorisent l'infarctus, l'AVC et certains cancers ?

La nocivité potentielle des viandes a été démontrée pour de fortes consommations dans des études anglo-saxonnes où les investigateurs faisaient seulement la différence entre viandes *blanches* et viandes *rouges* d'une part ; et d'autre part les viandes consommées à l'état brut et les viandes préparées industriellement (hot-dog et corned-beef, pour faire simple). Selon ces études, ce seraient surtout les grands consommateurs de hot-dogs qui auraient un risque très élevé de faire des infarctus, mais pas les petits consommateurs de volailles (viandes dites blanches par les épidémiologistes américains). Bref, à condition d'être un consommateur *modéré* – je vais expliquer ce que *modéré* veut dire – et d'éviter les viandes préparées industrielles, il n'y a pas de raison de se priver de *bonnes* viandes ; je répète : à condition de consommer des *bonnes* viandes, et comme des Méditerranéens… Facile à comprendre !

Un dernier souci, non négligeable, vient des modes de cuisson agressifs des viandes avec un principal accusé à la barre : le barbecue. Quand on fait cuire sa viande à haute température – **rôtir, griller ou brûler** au barbecue par exemple – on peut générer la formation de **composés toxiques**, parmi lesquels la vedette revient aux benzopyrènes qu'on trouve aussi dans la fumée de cigarette. Il vaut donc mieux éviter ce type de cuisson, même si on peut y trouver quelque avantage gustatif et préférer les cuissons douces. Dans les viandes *carbonisées* et la fumée de cigarette, outre les benzopyrènes, on peut trouver des **nitrosamines** – aussi présents dans certaines charcuteries, et les produits *fumés* – mais les données démontrant la toxicité cardiovasculaire des nitrosamines ne sont pas convaincantes à mon avis, contrairement à celles rapportant leur toxicité sur l'estomac. Mieux vaut donc quand même éviter les aliments fumés !

ET LE PORC ?

Quand on pose la question du **type de viandes** consommées par une collectivité méditerranéenne, surgit immédiatement la question du porc et des interdits religieux. En outre, les pays musulmans et francophones d'Afrique du Nord vivent actuellement une épidémie d'infarctus du myocarde et d'AVC, et ce livre leur est aussi adressé. De façon générale, le porc n'est pas différent des autres viandes : si vous aimez, vous pouvez en manger ; si vous n'aimez pas, mangez une autre viande… Mais si vous aimez le porc, ne vous privez pas sous prétexte que c'est une viande grasse. L'essentiel est de choisir judicieusement les morceaux à cuisiner et de rejeter le gras périphérique. Dans le cochon tout est bon, comme dit le dicton, mais on préférera le filet mignon, le filet, la côte première et la côte filet.

Ces généralités ayant été énoncées – les Méditerranéens, notre référence, mangent de la viande, et nous aussi en conséquence – passons aux choses pratiques.

QUELLES VIANDES LES MÉDITERRANÉENS MANGENT-ILS ?

En dehors du porc chez les Musulmans et les Juifs, les Méditerranéens mangent de toutes les viandes, y compris du cheval, du lapin et des grenouilles, ce qui insurge quelques Anglo-Saxons qui confondent lapin et *doudou* de bébé. Les Méditerranéens sont toutefois moins universalistes que la plupart des Asiatiques qui n'hésitent pas à manger du chien, du rat, du serpent et toutes sortes d'insectes… Les Méditerranéens mangent les viandes rouges (dont l'agneau), les viandes blanches (dont les volailles) et même les gibiers, mais ça devient rare. Ils ont toutefois **une nette préférence pour les volailles** – surtout le poulet – **et aussi le lapin**. Ne dit-on pas qu'autrefois en Grèce on tuait le lapin lors des visites impromptues pour faire honneur aux invités ?

En général, les Méditerranéens sont **peu portés sur les charcuteries** qui nécessitent des conditions de fabrication particulières qu'on ne trouve pas en bord de mer, à moins de vivre à la fois en altitude et à proximité de la mer, comme par exemple en Corse. Mais si les charcuteries corses sont réputées chez les gastronomes – et les Corses eux-mêmes en sont très fiers et en mangent apparemment beaucoup – cette consommation de charcuteries est peut-être en partie responsable de la surmortalité cardiovasculaire (+25 %) observée en Corse par rapport au reste de la France. Nous en déduisons que, par prudence, les **charcuteries** seront au menu **seulement les jours de fête**, et on sera d'autant plus prudent que l'on est un cardiaque avéré ! Il n'y aura donc pas en permanence dans le réfrigérateur un saucisson, un pâté ou une rillette, pour dépanner…

De même que, traditionnellement, les Méditerranéens ne consomment pas ou peu de lait de vache – faute de prairie pour nourrir les vaches à lait – ils sont **peu portés vers la viande de bœuf** pour les mêmes raisons : pas de prairie donc pas ou peu de bovidés !

Je résume : les morceaux de viande grasse (quel que soit l'animal) doivent être consommés rarement et en faible quantité. Traduction très pratique : à réserver aux jours de fêtes ou, au pire, une fois par semaine. Mais si on en veut tous les jours, il faut privilégier les morceaux maigres de bœuf, veau, cheval, agneau, porc, volailles (poulet, dinde, canard…) et de gibiers. On peut aussi manger des escargots mais pas cuisinés au beurre !

DES OMÉGA-3 DANS LA VIANDE

Avant l'industrialisation forcenée de l'agriculture et de toutes les formes d'élevage, les poules – généralement laissées en liberté – et les lapins dans leurs clapiers étaient nourris avec des herbes et plantes sauvages qu'on allait cueillir en famille (promenade, exercice physique), menu complété par quelques céréales sauvages riches en oméga-3. Et de fait, ces aliments (viandes et œufs) représentaient une source non négligeable d'oméga-3. Ainsi, une portion de lapin convenablement nourri pouvait apporter jusqu'à 1 g d'acide alpha-linolénique et deux œufs de poule bien nourrie renfermaient environ 0,5 g d'oméga-3. Quand il avait plu ou que le temps était à l'humide, on ramassait aussi les escargots, parfois en quantités astronomiques – avant qu'ils ne soient décimés par les pesticides, on en trouvait de grandes quantités dans la nature – et encore une source d'oméga-3 car nourris avec des herbes sauvages. En effet, dans la vie sauvage, les plantes sont riches en oméga-3 et pauvres en oméga-6, contrairement aux plantes de l'agriculture industrielle (maïs, soja et tournesol) qui sont beaucoup trop riches en oméga-6 et très pauvres en oméga-3. Et c'est un point important, notre métabolisme préfère les oméga-3 pour des raisons ancestrales et de sélection génétique. Qu'il s'agisse de petites portions de viande ou d'œufs, cela ne fait pas forcément beaucoup d'oméga-3, mais plusieurs fois *un peu*, ça finit par faire *suffisamment*, selon le principe *les petits ruisseaux font les grandes rivières* ! Facile la nutrition méditerranéenne.

COMMENT LES MÉDITERRANÉENS MANGENT-ILS LEURS VIANDES ?

Réponse : en petites quantités, accompagnées de beaucoup de légumes et de féculents

D'un point de vue quantitatif, les habitudes alimentaires méditerra-néennes sont caractérisées par la **frugalité**, ce qui veut dire qu'ils mangent peu de viandes, mets riches et coûteux par définition. Je le répèterai à propos des légumes, le repas méditerranéen traditionnel est d'abord conçu à partir des céréales et des végétaux. Les viandes, comme le poisson ou les œufs, servent à accommoder ou accompagner les précédents, c'est-à-dire à leur donner du goût. Quand on fait une omelette aux pommes de terre, il y a beaucoup plus de pommes de terre que d'œufs. C'est très différent de nos habitudes actuelles où on conçoit le légume pour accompagner la viande, les œufs ou le poisson. Cette façon de faire – primauté de l'aliment dispendieux – est concevable au restaurant, les jours de fête, mais de même qu'on ne fait pas la fête tous les jours, le repas à la maison n'a rien à voir avec le restaurant...

Certains plats italiens (à la sauce *bolognaise*, comme on dit) ou grecs (moussaka) nous rappellent ces pratiques ancestrales mais nous en donnent aujourd'hui la caricature dans de nombreux restaurants où l'on trouve plus de viande que d'aubergine dans la moussaka (y compris à Athènes ou Héraklion) et plus de viandes et d'huiles que de céréales dans nos macaro-nis *à la bolognaise*, y compris à Rome ou Naples. Comme si on servait un hachis Parmentier avec trois fois plus de viande que de pommes de terre... Plus de fromage que de pain dans la pizza contemporaine, un non-sens !

Si on consomme beaucoup de légumes très frais (crus ou très peu cuits), les Méditerranéens cuisent bien leurs viandes ! Le steak tartare n'est pas méditerranéen, comme son nom l'indique. Dans les pays chauds, bien cuire les viandes n'est pas une précaution inutile !

La viande est souvent débitée en petits morceaux et dorée dans l'huile d'olive puis mijotée à feu doux avec des oignons, des herbes aromatiques, de l'ail, et, selon les recettes, du bouillon, des légumes, des céréales ou des légumes secs. Le prototype serait le couscous évidemment dans lequel on peut mettre le type de viande que l'on souhaite, ou même du poisson, comme à Bizerte ! Mais il y a beaucoup plus de semoule et de légumes que de viandes ou de poisson dans un couscous *normal*, c'est-à-dire populaire, c'est-à-dire celui que le *cardiaque avéré* sélectionnera.

Ainsi, ce qui l'emporte ce sont les associations céréales + légumes + viande avec la viande pour donner du goût. On peut certes rôtir des portions de poulet, canard, pintade ou pigeon et servir avec un légume presque cru. De mon point de vue, rien ne vaut des petits morceaux d'un jeune poulet fermier revenu dans son huile d'olive et servi avec une ratatouille et trois grains de riz. Pour conclure, je verrais bien un pain *tradition*, aux noix par exemple, et au levain bien sûr, que je resservirais avec 10 ou 20 grammes d'un fromage de chèvre ou de brebis, bien de chez nous, bien sec, avec quelques grains de raisin en saison, et évidemment pour couronner le tout son petit verre de rouge. Avec ça, on sort de table rassasié mais sans être repu. Bref, on reste simple et épicurien.

Une **ratatouille** est si vite préparée ! Vous jetez dans la cocotte (après les avoir bien lavées) deux tomates, deux courgettes – laissez la peau c'est là que se trouvent les bons polyphénols, mais seulement si vous vous êtes servi chez le maraîcher bio – deux oignons, une aubergine bio coupée en quatre, une bonne rasade d'huile d'olive, sel, poivre, herbes de Provence, cumin (j'adore). Laissez mijoter à feu très doux, et c'est prêt ! Pour chaque personne, un œuf (riche en oméga-3 **et** bio évidemment) au plat ou à la coque (les enfants adorent) pour compléter au dernier moment, et vous pouvez songer à vous occuper des devoirs du petit après l'avoir douché en attendant votre amoureuse avec éventuellement un petit verre de quelque chose (et trois olives) mais seulement si vous n'avez pas l'intention de sortir après le dîner ! J'ai fait allusion aux œufs ! Parlons-en.

LES ŒUFS, MYTHE OU RÉALITÉ ?

Pourquoi parler des œufs dans le chapitre consacré à la viande ? Parce que les œufs sont des équivalents de la viande. De même qu'ils consomment de la viande et des produits laitiers de façon modérée, les Méditerranéens mangent des œufs. Y a-t-il un aliment qui ait été autant calomnié au nom de la baisse maximale du cholestérol que les œufs ?

Le mythe entretenu par certains *fanatiques* serait que contenant du cholestérol – environ 250 mg par œuf – les œufs augmenteraient le cholestérol dans le sang et donc augmenteraient aussi le risque d'infarctus et d'AVC. La réalité c'est que, effectivement, une très forte consommation d'œufs peut augmenter (un peu) le cholestérol dans le sang. Mais les œufs n'augmentent absolument pas le risque d'infarctus et d'AVC, et peut-être même ils diminueraient ce risque ! De belles études américaines le suggèrent fortement sans toutefois apporter une preuve indiscutable. A consulter (voir la bibliographie) pour les sceptiques ! Je pense qu'il est inutile que je fasse un commentaire supplémentaire à propos de la *théorie du cholestérol* qui montre, une fois de plus à propos des œufs, une contradiction flagrante avec la réalité des faits.

Ceci dit, les œufs sont, comme la viande, une excellente source de bonnes protéines (tous les **acides aminés essentiels** y sont) et aussi **de lipides essentiels** notamment la phosphatidylcholine. Ces nutriments sont indispensables pour garder notre cerveau en bonne santé.

Si les poules sont correctement nourries – avec des graines de lin, voir la filière Bleu-Blanc-Cœur), elles enrichissent leurs œufs avec des **oméga-3** végétaux et aussi ceux dits marins, notamment le célèbre DHA, le principal acide gras polyinsaturé de notre cerveau et de nos yeux. Attention, pour avoir et garder de bons yeux, il ne suffit pas d'avoir du DHA, il faut aussi les protéger et toute sa vie : avec des caroténoïdes, vitamines-pigments indispensables qu'on trouve dans les fruits et les légumes colorés.

Bref, pour entretenir votre santé cardiovasculaire, vous pouvez manger des œufs et même les utiliser pour remplacer la viande. Choisissez-les pondus par des poules nourries avec des graines de lin ; l'idéal serait des œufs bio de poules nourries avec des aliments enrichis en graines de lin. A éviter à tout prix : les œufs portant les codes 2 ou 3 (élevage en batterie).

LES ŒUFS AU QUOTIDIEN

Il y a de nombreuses façons de cuisiner les œufs. Quel plaisir de préparer une bonne omelette aux oignons pour sa famille ! Vous pouvez faire revenir quelques champignons ou quelques poivrons avec les oignons, et pourquoi pas y ajouter un reste de haricots verts ou de brocoli cuits à la vapeur, c'est encore meilleur et ça constitue la moitié d'un repas. Vous complétez par une salade ou une soupe, une faisselle de brebis, quelques morceaux de fruits de saison et un verre de rosé bien frais, et le tour est joué !

Avec les œufs battus, on peut accommoder toutes sortes de légumes, ajouter oignons, ail et tomates (si c'est la saison) et ne pas oublier un petit verre, de blanc pour changer !

MES CONSEILS

• Les *survivants* (cardiaques avérés) comme les *autres* peuvent manger de la viande, mais pas trop pour ne pas surcharger l'organisme en graisses saturées et en substances utilisées dans l'élevage industriel comme les antibiotiques et des hormones (viandes provenant d'Amérique du Nord notamment). Pour les *survivants* « pas trop » veut dire **une portion par jour** de viande ou d'un équivalent (poisson, œuf) ! On peut être un peu plus libéral avec les *autres* ; mais pas beaucoup plus. Je n'ai pas la preuve absolue que c'est la meilleure solution mais c'est ce que les Méditerranéens faisaient traditionnellement et c'est aussi ce qu'on a conseillé dans l'Etude de Lyon, et ce fut protecteur ! En d'autres termes, le menu saucisson ou rillettes en entrée, entre-côte/frites au milieu et crème brûlée pour terminer le repas doit être oublié.

• Privilégiez les **viandes maigres et de qualité**, la distinction épidémiologique *made in America* entre viandes rouges ou blanches étant sans intérêt, à notre avis. Si c'est possible, on essaiera de savoir comment l'animal a été nourri car l'aliment consommé par l'animal détermine la qualité et la composition – par exemple l'équilibre oméga-6/oméga-3 – de la viande et des œufs (voir la *Filière lin tradition*).

• Comme les Méditerranéens (traditionnellement), il faut appliquer **le principe de la viande-condiment**. La viande ne doit pas constituer un apport énergétique important. On ne se rassasie pas avec la viande mais avec ce qui l'accompagne !

• En cuisinant ou dans l'assiette, on enlève le gras visible, qu'il s'agisse de viande de bœuf, de porc ou de poulet ! Ce qui nous intéresse dans les viandes, ce sont les protéines. C'est pour cette principale raison que les *survivants* doivent s'abstenir de manger des charcuteries, sauf les jours de fête avec une exception pour les jambons maigres.

• Les œufs doivent être consommés « à la place » de la viande et du poisson et non « en plus » dans le même repas. En comptant ceux que l'on ajoute dans certaines recettes (gratin, tartes salées, pâtisseries…), on peut en consommer sans scrupules jusqu'à 7 par semaine, nous en recommandions 5 par semaine dans l'Etude de Lyon.

CHAPITRE 6

LES PRODUITS DE LA MER ET DE LA PÊCHE

QUAND ON ÉCRIT PRODUITS DE LA MER, ON PENSE POISSONS ET fruits de mer. C'est vrai mais c'est insuffisant car il y a aussi des poissons de rivière et de lac, et leur intérêt nutritionnel est au moins équivalent à celui de leurs cousins des eaux salées. Autrefois, on élevait des poissons magnifiques dans des étangs artificiels ou semi-artificiels que l'on transportait vivants jusqu'aux consommateurs urbains. Les tables des princes étaient ainsi bien garnies de poissons bien frais ! Ah la belle époque !

Quand vous aurez le *réflexe poisson* pour le dîner du soir – ce que je vous encourage à avoir aussi pour le déjeuner de midi – n'oubliez pas le poisson d'eau douce, et il n'y a pas que la truite meunière !

LA RÉFRIGÉRATION MIEUX QUE LE SALAGE

Tous les Méditerranéens ne vivent pas en bord de mer. Or le poisson s'abîme vite. Faute de transports et de chaîne du froid efficaces et économiques, la consommation de poissons frais a longtemps été réservée aux riches ou à ceux qui habitaient très près de la côte. Pour être transporté vers l'intérieur, le poisson de mer devait d'abord être séché et/ou salé. Mais une fois arrivé dans les foyers, il fallait le dessaler. Ainsi la célèbre *morue à la portugaise*, la non moins célèbre *brandade de morue* ou l'inoubliable *estouffade de morue* (à l'ail évidemment) comportent dans leur recette une première manœuvre de dessalage. Je ne vais pas donner les recettes de ces merveilles méditerranéennes dans ce livre, deux clics sur Internet et *Madame est servie* !

Nous avons beaucoup de chance de vivre au XXIe siècle, époque où l'on se plaint beaucoup de notre environnement pollué – ce en quoi on n'a pas tort – mais où nous pouvons manger du poisson frais, à la méditerranéenne, à plusieurs centaines (ou milliers) de kilomètres du lieu de pêche. Grâce à la chaîne du froid, plus besoin de saler le poisson pour le conserver. Conséquence : une diète méditerranéenne *modernisée* – comportant des apports importants en produits de la mer de haute qualité – est accessible à la majorité d'entre nous, et sans surcharge en sel.

MIEUX VAUT MANGER DU POISSON

Le poisson est un formidable aliment à la fois pour ses qualités nutritionnelles et pour son potentiel gastronomique. Les études épidémiologiques ont montré de façon très claire que même des petites consommations de poisson avaient un effet protecteur par rapport à l'absence totale de consommation. Il n'y a aujourd'hui à ce sujet aucune contestation. J'indique quelques références récentes dans la bibliographie mais il existe une somme considérable d'articles scientifiques concernant le poisson et le risque d'infarctus et d'AVC ; mais aussi d'autres maladies. Outre ses qualités propres, un des avantages du poisson, c'est qu'il peut avantageusement remplacer la viande. Coup double !

Le bassin méditerranéen étant par définition une zone maritime, les populations habitant dans sa proximité sont évidemment des consommateurs de produits de la mer. La mer Méditerranée communique par le détroit de Gibraltar avec l'océan Atlantique nord qui est un océan froid par rapport aux mers tropicales. Aussi, bien qu'elle soit une zone touristique chaude avec des plages surpeuplées en été, la mer Méditerranée est une mer profonde peuplée d'espèces marines plutôt caractéristiques des mers froides car ses eaux profondes sont froides. En conséquence, **les poissons méditerranéens les plus courants sont des poissons gras** typiques des mers froides : thons, sardines, maquereaux, bars, dorades. Mais au bord des côtes où les eaux sont moins froides, on trouve des poissons moins gras et plus fins (poissons de roche) d'un point de vue gastronomique. Les poissons méditerranéens sont donc d'une grande variété permettant une gastronomie marine unique au monde. Sans parler de la langouste corse ou de celle du Cap Bon en Tunisie.

LES NUTRIMENTS PROTECTEURS DANS LE POISSON

On a beaucoup insisté sur les acides gras oméga-3, mais je suis bien certain que ce ne sont pas les seuls à être très importants. Quelle que soit la façon d'analyser la **consommation de poisson**, les investigateurs trouvent toujours la même chose : elle est associée à une diminution du risque d'infarctus et d'AVC ischémique et à une **meilleure espérance de vie**.

Que trouve-t-on de si particulier dans le poisson ? Parmi les nutriments importants apportés par le poisson il y a des **protéines de haute qualité** que seuls les produits animaux peuvent apporter aussi facilement, des vitamines tout à fait cruciales pour la prévention des maladies cardiovasculaires (**vitamine D**), du **sélénium** et de l'**iode**, et enfin les fameux **acides gras oméga-3 marins**. Ces acides gras oméga-3 sont absolument cruciaux pour le fonctionnement des membranes cellulaires en général, mais surtout au niveau du cœur, organe générant une importante activité électrique.

LE POISSON, BONNE SOURCE D'OMÉGA-3...

Avec Patricia Salen, nous avons publié en 2007 aux éditions Alpen un livre *Le Pouvoir des Oméga-3*, où les lecteurs trouveront de nombreuses informations. D'un point de vue médical, comme je l'ai expliqué dans la partie 2 (lire pages 71 et 80), les oméga-3 sont à la fois anticaillot et inducteurs d'une meilleure résistance du myocarde à l'ischémie. Ce sont des cardioprotecteurs par excellence.

En conséquence, le cœur est particulièrement sensible à la moindre insuffisance d'apports, et susceptible de souffrir sévèrement de toute déficience, même relative, en oméga-3. La prévention des décès cardiaques passe par la **prévention des déficiences** en oméga-3. Mais, les oméga-3 ne sont pas des médicaments et ça ne sert à rien de s'en surcharger ; il est par contre crucial de ne pas être déficitaire. Je pense que tout le monde a compris !

Il y a de nombreuses façons de se prémunir contre ce type de déficience – je l'ai expliqué précédemment en parlant des œufs et des polyphénols méditerranéens – mais **le plus simple est de manger régulièrement (au minimum une fois par semaine, si possible deux ou trois fois) une bonne portion de poisson gras**.

Je ne suis pas sûr qu'à long terme, et dans le contexte écologique (épuisement des stocks) et aussi économique – renchérissement des produits de la mer et appauvrissement des ménages – cette solution restera réaliste. Je suis même sûr que non ! Il faudra trouver autre chose pour avoir sa ration d'oméga-3 marins.

... MAIS PAS LA SEULE !

Est-il indispensable de manger des produits de la mer si on veut avoir des apports suffisants en oméga-3 ? La réponse est non ! On peut s'en passer, et certaines populations méditerranéennes s'en sont longtemps passées faute de pouvoir se les payer. Il y a dans le monde de **nombreuses populations qui ne mangent jamais de produits de la mer et qui sont en excellente santé**. Ce qui veut dire que ce que le poisson nous apporte nous pouvons le trouver ailleurs, dans d'autres aliments ou d'autres combinaisons d'aliments et de nutriments. Il y a au moins **trois façons** de se procurer ces oméga-3 marins sans consommer des produits marins :

• La première est évidente : c'est en consommant **des poissons de rivière**.

• La deuxième, c'est en mangeant des **œufs de poule nourrie** avec des graines de lin qui contiennent des oméga-3 végétaux permettant aux cellules animales de synthétiser des oméga-3 marins (lire page 274). Je l'ai déjà dit : quand on achète des œufs, il faut sélectionner ceux qui sont riches en oméga-3 !

• La troisième façon d'avoir des oméga-3 marins est de **stimuler nos propres capacités de synthèse**. Nous sommes en effet capables de transformer les oméga-3 végétaux en oméga-3 marins mais à une cadence trop faible pour subvenir à nos besoins. Notre équipe a découvert récemment que si on consommait en même temps des oméga-3 végétaux et des polyphénols – notamment ceux présents dans le raisin et le vin, mais aussi dans d'autres aliments – on devenait des **producteurs très efficaces d'oméga-3 marins**. En d'autres termes, mangez et buvez méditerranéen et vous aurez des oméga-3 marins sans manger du poisson de mer !

Je conclus en disant à ceux qui n'aiment pas le poisson de se rassurer, ils peuvent s'en passer. Mais à ceux-là je dirais la même chose qu'aux végétariens à propos de la viande : il faudra faire attention de trouver ailleurs ce que la viande, et encore plus le poisson, peuvent apporter facilement et en grandes quantités, je vais y revenir au paragraphe suivant.

QUELS POISSONS DOIT-ON PRÉFÉRER ET COMMENT LES PRÉPARER ?

Les poissons gras de Méditerranée sont riches en oméga-3. Attention de **privilégier les petits poissons** (anchois, sardines, maquereaux, dorades par ordre de taille croissante dans la chaîne alimentaire) au détriment du plus gros prédateurs en fin de chaîne (le thon) car non seulement ils contiennent moins de mercure (lire encadré page 308) mais en plus ils ont moins de risque d'être en voie de disparition, comme c'est le cas avec le thon rouge. Ils ont également l'avantage d'être raisonnables au niveau du prix.

Pour trouver de bonnes recettes, comme la bouillabaisse qui a sans conteste ma préférence, tapez les mots clefs *recettes + poissons + méditerranéen* sur Internet et vous trouverez de quoi stimuler votre imagination. Il est possible de faire simple et vite, et d'échapper à la pizza surgelé : un plat à four, deux ou trois maquereaux de taille moyenne (attention aux petites arêtes), huile d'olive, sel et poivre, herbes de Provence, deux oignons, deux gousses d'ail, deux tomates ou deux poivrons, un bol de riz par personne, un petit blanc sec des Corbières (ou de Savoie, il faut savoir improviser !), et voilà un couple heureux qui va oublier la télé !

Une autre façon très simple et peu onéreuse de manger du poisson, c'est certainement d'ouvrir une (ou deux) **boîte de sardines** (toujours à l'huile d'olive évidemment) ou de maquereaux (au vin blanc évidemment). Servez-les dans un joli petit plat – pas servir dans la boîte, c'est vulgaire – trois pommes de terre à la vapeur par personne, un filet d'huile d'olive et une tonne de persil et de coriandre, bien poivrer, très peu de sel, un verre de rosé de Provence, un beau fruit, et voilà la bonne soirée entre copains qui n'aiment pas cuisiner ! Oubliez la bière, par pitié, mais pas une jolie fleur au milieu de la table, il faut de la couleur pour bien manger !

Pensez également aux **poissons surgelés** (non cuisinés, évidemment). Ils peuvent permettre de varier les menus même si leur teneur en oméga-3 est légèrement plus faible que celle des poissons frais.

Finalement, certains **poissons d'élevage** comme le saumon n'ont pas seulement des avantages gastronomiques. Ils sont riches en nutriments, et à faible risque de contamination par des polluants. Cependant, ils sont souvent chers et leur mode de production pas très écolo...

En effet, notre mer Méditerranée, *mare nostrum* disait les Romains, agonise et certaines espèces de poisson – comme le thon rouge pour prendre l'exemple le plus récent, qui faisait partie des habitudes alimentaires des populations – sont presque devenues introuvables sur les marchés et hors de portée des petites bourses.

Le **calamar**, le **poulpe** (*octopus*), la **seiche** et autres céphalopodes – comme disent les scientifiques – sont aussi devenus rares et chers sur nos marchés de poissons alors qu'ils sont de formidables aliments combinant des protéines de haute qualité et des oligoéléments (zinc, sélénium) en grandes quantités. Les **coquillages** (huîtres, moules, coques, palourdes…) contiennent aussi presque tous les ingrédients des poissons de mer, en plus d'une valeur gastronomique incomparable, à mon avis. Les habitants de bord de mer sont de ce point de vue particulièrement avantagés et je les encourage à en profiter.

DU SÉLÉNIUM CONTRE LES INTOXICATIONS AU MERCURE

La toxicité du mercure est exacerbée en cas de déficience relative en **sélénium** qui est le principal antidote (contrepoison) du mercure. Un pays comme la Finlande a connu une épidémie ravageuse de maladies cardiovasculaires dans les années d'après-guerre de 1950 à 1980. Cette épidémie a été en grande partie stoppée quand les autorités sanitaires ont, dans les années 1960, corrigé en même temps la déficience en sélénium de la population – qui était due à la très grande pauvreté en sélénium des sols finlandais – et l'intoxication au mercure due à la surconsommation des poissons des lacs finlandais qui étaient, et sont encore, naturellement contaminés par du mercure.

Oublions, s'il-vous-plaît, tout ce qui fut dit – par nos *prestigieux* experts en cholestérol – sur la haute teneur en cholestérol des **crevettes** et des autres **crustacés** et le danger que cela représentait. On sait aujourd'hui – personne ne le conteste – que ça n'a aucune importance. Ces aliments sont parfois chers à l'achat mais il n'y a pas de risque de pénurie puisque ce sont généralement des produits d'élevage de fermes marines (ou d'équivalents) avec l'avantage additionnel d'un strict contrôle vis-à-vis des contaminants et polluants, en principe. En plus, ils contiennent de précieux nutriments comme le **sélénium** et l'**iode** qui sont indispensables à un bon fonctionnement de la **glande thyroïde**, et donc du cœur car il n'y a pas de cœur en bonne santé sans une thyroïde en bonne santé !

Crevettes, gambas, crabes, tourteaux, araignées de mer, langoustes, langoustines et homards sont également riches en vitamines du groupe B (notamment la B12), en magnésium, en zinc et en cuivre, tous des nutriments indispensables à la bonne santé du cœur et du cerveau !

Rappelons – et ça n'est pas anecdotique – que l'*octopus* est l'aliment-animal symbole de la Grèce où la médecine moderne a été inventée.

MES CONSEILS

• Si vous aimez le poisson et les produits de la mer, vous devez en manger **au moins une fois par semaine mais deux ou trois portions c'est mieux**, surtout si vous êtes un *survivant* (cardiaque avéré), mais c'est bien aussi pour *les autres*. On préférera les petits poissons gras comme les sardines, les anchois et le maquereau, mais le saumon, la truite et le hareng, c'est bien aussi.

• Je ne vois aucune limite – si ce n'est le porte-monnaie – et aucun scrupule à consommer tous les aliments marins, les crustacés, les poissons de rivière, les produits de l'aquaculture.

• Si vous êtes un *survivant*, que vous n'aimez pas le poisson et que vous avez peu de goût pour les noix, l'huile de colza et les graines de lin (les trois principales sources sécurisées d'oméga-3 végétal) ainsi que pour le vin – comme principale source de polyphénols inducteurs de la synthèse d'oméga-3 marins à partir d'oméga-3 végétaux – je recommande fortement de prendre des capsules d'oméga-3. Choisir un mélange d'oméga-3 marins et végétaux.

CHAPITRE 7

LES CÉRÉALES ET PRODUITS CÉRÉALIERS

L A RÉGION MÉDITERRANÉENNE EST PRESQUE SYNONYME DE consommation de céréales, et plus précisément de **pain**. Et aussi de pâtes et de couscous ! La céréale méditerranéenne est le blé. Mais il y a plusieurs blés ! Enfin, les Méditerranéens consomment d'autres céréales que le blé – le riz et le maïs par exemple – mais dans des proportions très inférieures au blé.

Les céréales sont, avant toute autre chose, des **calories** ; mais des calories particulières puisqu'elles se trouvent essentiellement sous forme d'amidon contenu dans les grains. L'amidon est constitué de molécules de glucose accrochées les unes aux autres. Ce que l'amidon nous apporte c'est donc du **glucose** qui est lui-même l'aliment préféré du cerveau. Pour que notre cerveau fonctionne bien, il faut lui donner du glucose : si on manque de glucose, on se retrouve en hypoglycémie dont le principal symptôme est la fatigue physique certes – puisque le glucose est aussi un aliment des muscles – mais surtout **intellectuelle**.

A l'ère du tout-voiture, des écrans d'ordinateur et des longues heures en position assise au bureau, il est impératif de diminuer la quantité de calories quotidiennes de façon significative afin d'équilibrer les apports et les dépenses énergétiques.

Les céréales étant une des sources majeures de calories des Méditerranéens, une diète méditerranéenne *modernisée* devra comporter – par rapport à la diète méditerranéenne traditionnelle – moins de céréales, c'est-à-dire **moins de pain et moins de pâtes**. Ce faisant, et du fait de l'appauvrissement des aliments contemporains en nutriments indispensables (vitamines, minéraux et polyphénols, en simplifiant), il faudra sélectionner des aliments à farine complète et augmenter la consommation de fruits et légumes frais, noix et légumes secs afin d'être sûr d'avoir une quantité suffisante de nutriments indispensables à la santé.

LES DIFFÉRENTES CÉRÉALES

Commençons par le blé. Il y a différentes sortes de blé qui produisent des farines différentes permettant de produire des aliments différents. On distingue :

• Le **blé tendre** (ou froment), ou *triticum aestivum*, utilisé préférentiellement par les boulangers français pour faire, par exemple, la baguette et la flûte. C'est une des grandes vedettes de l'agriculture moderne car la productivité à l'hectare est excellente et il résiste bien au froid, ce qui permet de le cultiver dans des zones froides non méditerranéennes.

• L'**épeautre** est une sous-espèce du précédent plus ou moins abandonnée par les agriculteurs du fait du faible rendement à l'hectare et de l'absence de réponse aux engrais azotés. Il est par contre résistant au froid et aux moisissures (car il a une écorce épaisse et résistante), il peut pousser sur des terrains pauvres et secs – notamment en zone méditerranéenne – et il donne des pains très goûteux à haute qualité gastronomique. Toutes ces qualités font qu'il a été réhabilité par l'agriculture biologique.

• Le **blé dur**, ou *triticum durum*, est le blé méditerranéen par excellence, utilisé pour la fabrication des pâtes (à l'italienne), du couscous maghrébin, du taboulé libanais et aussi d'un excellent pain. Ce blé est sensible au froid – et ainsi peu répandu au nord de l'Europe – mais résistant à la sécheresse, et donc bien adapté à la zone méditerranéenne. C'était un peu le pain des pauvres car étant riche en protéines il permettait de pallier partiellement le manque chronique de protéines animales chez les pauvres.

• Le **petit épeautre** préfère les terres sèches et chaudes. Ses qualités gustatives et nutritionnelles – richesse en protéines, vitamines et oligoéléments – font du petit épeautre une céréale remarquable pour ceux qui aiment le pain, souhaite protéger leur santé et n'ont pas de problème grave avec le gluten.

• Le **riz** et le **maïs** – les deux autres céréales vedettes du trio de la mondialisation – et aussi le **seigle** et l'**orge**, par exemple, sont également consommés par les Méditerranéens, mais si peu par comparaison avec le blé que je n'en dirai pas plus ici.

LE PAIN

En zone méditerranéenne, le pain est au centre des repas. Dans les années 1950, un adulte pouvait manger plus d'un demi-kilo de pain par jour. Le blé traditionnellement utilisé par les populations méditerranéennes pour faire leur pain est un **blé rustique**, peu ou **pas raffiné** (c'est-à-dire qu'il est plus ou moins complet), produit **sans pesticide** et souvent **fermenté** (c'est-à-dire prédigéré) avec du levain naturel. Il y a plusieurs variétés de recettes de pain selon les régions méditerranéennes, certains pouvant prendre la forme de galettes, d'autres parfumés aux graines de lin, au cumin, au pavot et d'autres aromates.

Le consommateur moderne, s'il veut réellement consommer **un pain traditionnel** favorable à sa santé, va être confronté à une triple difficulté : il lui faut **un pain complet** ou semi-complet, **bio** (sans pesticide) et si possible au **levain naturel**. Il ne le trouvera pas dans toutes les boulangeries et quand il en trouvera, il lui sera vendu à un prix prohibitif.

Une solution c'est de faire son pain soi-même, éventuellement avec une machine à pain ce qui permet de choisir sa farine, son levain et même faire des **mélanges de farines** astucieux. Avec du **sarrasin**, du **quinoa** et du **petit épeautre** (en grain) qui ne contiennent pas ou peu de gluten, on obtient un pain dense et compact parfois très apprécié. De toute façon, ces céréales pauvres (ou totalement dépourvues) en gluten sont une bonne solution pour ceux qui ont des problèmes d'intolérance au gluten associée à des troubles digestifs, des douleurs articulaires et des tendinites, sans parler des allergies sévères comme la maladie cœliaque.

On peut y mettre aussi des mélanges de diverses céréales et graines parmi lesquelles la graine de lin semble être la plus traditionnellement méditerranéenne si l'on en croit des documents de l'Egypte ancienne. Ajouter de la farine de lin ou des graines de lin au pain est une très bonne idée puisque la farine de lin apporte des acides gras oméga-3 et quelques autres substances comme des polyphénols (appelés lignanes) que le blé ne contient pas en quantités significatives.

PRIVILÉGIER LES PRODUITS NON RAFFINÉS

Il faut ainsi revenir à des aliments traditionnels riches en nutriments essentiels. Pour ce qui est des céréales, cela revient à dire qu'il faut **privilégier les aliments à base de farine complète,** de préférence bio pour éviter les pesticides. Pourquoi des farines peu ou pas raffinées ? Parce qu'une farine complète – qu'elle soit consommée sous forme de pain ou de pâtes – **apportera beaucoup plus que des calories** : des polyphénols, des acides aminés et des acides gras essentiels, des sels minéraux, des vitamines et des fibres. Pour certains de ces nutriments, il y a d'autres sources que les céréales, mais pour les apports quotidiens en fibres, les céréales sont très importantes. 100 g d'une farine de blé complète apportent 60 g d'amidon et 11 g de fibres. C'est considérable, puisqu'on recommande environ 25 g de fibres par jour (certains disent que 30 g ce serait encore mieux, mais ça reste à prouver). Mais, attention aux trop grandes quantités de fibres qui peuvent entraîner ballonnements et gaz intestinaux. Pour s'en protéger, il faut **varier les sources de fibres** : les fibres solubles des fruits et légumes sont moins agressives pour l'intestin que les fibres insolubles des céréales complètes.

Pourquoi est-ce important de consommer des fibres ? Des études épidémiologiques suggèrent que les fibres diminuent le risque d'infarctus et d'AVC, et aussi le risque de devenir diabétique et obèse. Certaines études ont aussi montré que des apports en fibres sous forme de suppléments nutritionnels pouvaient diminuer la pression artérielle de façon similaire à celle d'un bon médicament antihypertension.

Ensuite, parce qu'en consommant les fibres de la céréale, on consomme aussi l'écorce du grain de blé – que les spécialistes appellent *aleurone* – qui contient les principales substances nutritives du blé autres que l'amidon, et notamment les **polyphénols du blé**. Les lecteurs ont compris combien ces substances sont importantes, et pas seulement celles que l'on trouve dans le vin.

Enfin, parce qu'une partie des fibres est métabolisée par des bactéries intestinales qui produisent des acides gras à chaîne courte que nos muscles adorent et consomment rapidement, et qui ne sont ainsi jamais stockés sous forme de gras sur notre ventre ou notre torse. Une bonne façon de lutter contre la prise de poids sans être constamment affamé !

La dernière, et la meilleure raison de manger des fibres – celles des céréales mais aussi celles d'autres plantes – c'est que traditionnellement les Méditerranéens en mangeaient beaucoup. Faisons comme eux, et aussi comme d'autres populations à longue espérance de vie : les Japonais et notamment les citoyens d'Okinawa.

COMMENT CONSOMMER LES CÉRÉALES

En Méditerranée, le blé se consomme sous forme de pains très différents selon la zone géographique mais aussi sous forme de **pizzas**, de **pâtes** et pas seulement de spaghettis à l'italienne. Les pizzas et les pâtes sont des sucres lents sources d'énergie pour le labeur quotidien et permettent, gastronomie oblige, de varier à l'infini les aliments végétaux ou animaux qui accompagnent le blé qui est lui-même le centre de gravité du repas car il est rassasiant.

Un des plats préférés des Méditerranéens, mais aussi désormais des habitants du centre et du Nord de la France : le **couscous**. C'est l'archétype de la gastronomie et des habitudes alimentaires méditerranéennes favorables à la santé. Le couscous est en effet l'association de deux plats : un plat de graine de couscous, obtenue par agglomération de semoule de blé dur, et un plat de légumes. Le couscous est cuit à la vapeur du bouillon dans lequel mijotent les légumes. Il est mangé avec un corps gras, généralement l'huile d'olive (mais parfois du beurre, ce que nous déconseillons), et simplement salé. Le plat de légumes – courgettes, oignons, carottes, navets, tomates, artichauts, courge, pois chiches, petits pois, raisins secs – est accompagné de viande (agneau, poulet) ou de poisson mais en faible quantité car c'est le couscous avec ses légumes qui doit être rassasiant et pas la viande. Légumes et viande (ou poisson) sont cuits ensemble, dans un bouillon épicé avec du cumin, du poivre rouge, de la coriandre, de l'ail... Il est facile de voir qu'avec le couscous, on retrouve un équilibre adéquat en sucres complexes (céréales et légumes), lipides et protéines végétales et animales, le tout associé à une multitude de substances végétales bioactives indispensables à la santé. Le couscous de blé peut accompagner une autre spécialité salée/sucrée typiquement méditerranéenne : les **tagines** ! Deux clics sur Internet, et vous saurez tout sur les tagines.

Parmi les céréales consommées autour de la Méditerranée, on retiendra aussi le **boulgour**, un sous-produit du blé débarrassé du son qui l'enveloppe, germé 2 à 3 semaines, précuit à la vapeur, séché et concassé. Le boulgour est très utilisé au Moyen-Orient. Il est l'ingrédient de base du **taboulé libanais** tellement riche en persil.

Cette façon d'accompagner les céréales et les légumes – y compris les secs – par de la viande ou du poisson (typiquement, outre le couscous, la paella) par opposition à la gastronomie française contemporaine où les légumes accompagnent la viande ou le poisson qui sont au centre du repas, est très **particulier à la diète méditerranéenne**. Il est probable que cette structuration des repas et des plats qui les composent fut un avantage (pour protéger sa santé) tant que les mangeurs avaient une activité physique – notamment au travail ou pour se déplacer – importante. Aujourd'hui, il est impératif de diminuer la ration calorique totale, donc **impératif de consommer moins de céréales qu'autrefois**, et aussi d'essayer d'augmenter son activité physique.

MES CONSEILS

• Le pain est un aliment central de la gastronomie et de la diète méditerranéenne mais il faut faire attention à **manger moins de pain qu'autrefois** pour compenser la diminution de l'activité physique.

• Se rapprocher autant que possible des produits méditerranéens traditionnels qui étaient moins raffinés que ceux d'aujourd'hui. Privilégier les produits fabriqués avec de la farine complète ou semi-complète issue de l'agriculture biologique (pâtes, farines...). Préférer les pains complets et fabriqués avec des mélanges de céréales et au levain.

• Eviter les plats de céréales (pâtes, pizzas) servis avec des montagnes de fromage, de la crème, des lardons... et toujours préférer ceux qui n'ont pour accompagnement que des légumes (tomates, poivrons, oignons...) et autres ingrédients méditerranéens (huile d'olive, légumes secs...).

• Si on fait son pain soi-même, ce qui est une excellente idée mais nous prive du souvent délicieux sourire de la boulangère, il faudra choisir soigneusement sa farine (ou son mélange de farines) et ne pas abuser du sel. On peut aussi incorporer des graines de lin entières ou même de « chia » – une céréale sud-américaine qui est elle aussi riche en oméga-3 mais un peu coûteuse – et parfumer le pain avec des graines de pavot, de sésame, des noix ou des épices (origan, cumin).

CHAPITRE 8

LES LÉGUMES

U N LÉGUME EST UNE PARTIE COMESTIBLE D'UNE PLANTE, CETTE PARTIE pouvant être la racine, la tige, la feuille, la fleur ou le fruit. Comme les jardiniers et les maraîchers connaissent tout ça beaucoup mieux que les docteurs, je ne vais pas faire l'expert en légumes. Je vais donner une énumération un peu naïve pour donner des idées à celles et ceux qui s'y connaissent encore moins que moi. Je recommande quelques lectures supplémentaires sur le sujet et la consultation d'un expert en potager ! D'autant plus que le sujet est inépuisable : heureux ceux qui cultivent leur jardin !

Parmi les **légumes-racines**, il y a la carotte évidemment, mais aussi le navet, le radis et même la betterave, pour ne citer que les plus méditerranéens.

Parmi les **légumes-tiges**, l'asperge est la vedette. On classe aussi dans cette catégorie les tiges souterraines comme le poireau ; et celles transformées en bulbe comme l'ail, l'oignon et l'échalote (chapitre 12, page 343) qui peuvent aussi être utilisées en médecine des plantes tant elles sont riches en substances qui protègent notre santé. Les tubercules sont également des tiges transformées et souterraines : pomme de terre, patate douce, topinambour...

Les **légumes-feuilles** comptent les salades – y compris l'endive, la mâche et des dizaines de sortes de laitues, cressons, batavia et roquettes... – mais aussi le céleri, les choux, les épinards, le fenouil, l'oseille et la bette, pour faire court.

Parmi les **légumes-fleurs** consommés par les Méditerranéens, il y a le chou-fleur, le brocoli, l'artichaut et les câpres. Eh oui, la câpre est un bouton de fleur, et aussi une grande spécialité de la cuisine maltaise !

Enfin, la catégorie des **légumes-fruits** comporte, en restant méditerranéen et traditionnel, l'aubergine, la courgette, toutes les variétés de courge, le concombre et le cornichon, le poivron et le piment, la tomate... et même le melon, quoique ces deux derniers et quelques autres soient parfois considérés plutôt comme des fruits Curieusement, le haricot vert et le petit pois se trouvent aussi dans cette catégorie ; ce sont des légumes-fruits consommés verts, avant maturité.

LES LÉGUMES MÉDITERRANÉENS

Le Méditerranéen consomme une grande quantité et une grande variété de légumes, toute l'année et au rythme des saisons : carottes, navets, artichauts, aubergines, courgettes, tomates, concombres, radis, endives, pommes de terre, fenouils, choux de toutes les sortes y compris le chou-fleur et le chou de Bruxelles (ainsi appelé en francophonie), épinards, asperges, pissenlits, pourpier, potiron, melon… et toutes sortes de salades, d'herbes sauvages et de jeunes pousses.

De façon générale, et à l'exception de la pomme de terre, de la patate douce, de l'igname – riches en amidon c'est-à-dire en sucre et ainsi plus caloriques – tous les légumes peuvent être consommés **sans restriction**, crus ou cuits, en salade ou en soupe, accommodés de façons variées avec de la viande, des œufs, des céréales ou des légumineuses (riches en protéines) par exemple. Seules recommandations : varier les couleurs, varier les plaisirs et suivre les saisons !

LÉGUMES ET RISQUE D'INFARCTUS OU D'AVC

Dans les études épidémiologiques, les investigateurs – souvent peu experts en potager – font rarement la différence entre les apports en légumes et les apports en fruits. En général – mais ça dépend des équipes et de leur nationalité – ils font une seule catégorie *fruits et légumes* et ils quantifient ces apports en portions de 80 à 100 g environ. Si je me réfère aux meilleures équipes européennes – je pense au consortium EPIC (*European Prospective Investigation into Cancer and nutrition*) – l'effet protecteur des fruits et légumes peut s'énoncer de la façon suivante : à chaque portion supplémentaire de fruits et légumes (80 g), on diminue son risque de crise cardiaque fatale de 4 % sur une période de 8 à 10 ans. En d'autres termes, par rapport à quelqu'un qui mange peu de fruits et légumes (2 portions par jour par exemple), un individu qui consomme 10 portions de fruits et de légumes (donc 8 portions supplémentaires) diminuera son risque de 32 % environ en 10 ans. Certes, ce sont des moyennes et nous ne sommes pas dans le contexte d'un régime méditerranéen global – ce qui amplifierait l'effet protecteur – mais ces chiffres *traduisent* un effet protecteur d'un régime riche en fruits et en légumes… sans pour autant que l'on sache à quel aliment particulier – légumes ou autre – attribuer le bénéfice !

C'est un point important à comprendre : c'est le **modèle alimentaire global** qu'il faut considérer et les chiffres mentionnés ci-dessus permettent seulement de *concrétiser* numériquement l'effet protecteur d'un aspect important, et même central de la diète méditerranéenne : la consommation massive de fruits et légumes. On mesure dans cette analyse toute la faiblesse de l'approche épidémiologique des effets de la nutrition sur la santé.

A QUELS NUTRIMENTS LES LÉGUMES DOIVENT-ILS LEUR EFFET PROTECTEUR ?

Les légumes contiennent des centaines de substances qui ont chacune un effet biologique et/ou physiologique dont l'intensité dépend de la dose. Or chaque aliment contient un peu de chaque substance et les effets biologiques éventuels sur un organisme entier sont le résultat de l'addition de multiples petits effets provoqués par de nombreuses substances. L'étude des interactions entre des nutriments dont on ne connaît pas forcément la concentration exacte dans chaque aliment et la forme métabolique active – beaucoup de polyphénols, par exemple, ne deviennent actifs qu'après avoir subi des modifications dans le tube digestif – est aussi très compliquée en médecine humaine. Il est donc assez présomptueux de prétendre identifier et quantifier les effets des légumes sur notre santé. Cependant, on peut essayer de tracer quelques lignes générales.

Par exemple, les légumes sont riches en **fibres**. J'ai parlé des effets bénéfiques des fibres au chapitre 7 à propos des céréales (page 314) ; je n'y reviens pas. Comme les légumes ne sont pas des sources importantes de calories, ils doivent être associés à des céréales et des légumes secs (ou légumineuses) pour satisfaire la faim du mangeur, quoique celle-ci puisse être transitoirement trompée par l'effet de remplissage de l'estomac provoqué par les fibres.

Les légumes sont riches en certaines **vitamines** indispensables à nos cellules : la vitamine C, évidemment, mais aussi les caroténoïdes et les folates (parmi les vitamines B), par exemple. Considérées isolément –

quand on les apporte sous forme de comprimé comme si elles étaient des médicaments, elles ne nous protègent pas de l'infarctus ou de l'AVC. Inversement, un déficit chronique, même relatif, est préjudiciable et doit être évité car il entraîne des anomalies biologiques multiples.

Ce qui est utile, et parfois indispensable comme nous l'avons vu dans nos études chez les transplantés et les insuffisants cardiaques (lire partie 1, page 34), ce n'est pas de supplémenter massivement, au risque de surcharger, c'est de corriger les déficits quand ils existent. J'espère que c'est clair !

COMPLÉMENTS NUTRITIONNELS : PAS DE SURDOSAGE !

Pour certaines vitamines, notamment l'acide folique et certains caroténoïdes, il semble préférable de ne pas exagérer les prises et risquer un surdosage car certains essais – qui ont testé ces vitamines sous forme de comprimés – laissent supposer que cela puisse favoriser certaines maladies, peut-être certains cancers. Cela ne veut pas dire qu'il ne faille pas, dans des conditions cliniques spécifiques (que seul un *bon professionnel* peut apprécier), utiliser des compléments nutritionnels contenant des vitamines – ou d'autres nutriments essentiels, comme les oméga-3 ou des oligoéléments – mais qu'il faille le faire à doses modérées et exclusivement pour corriger des déficiences susceptibles de mettre en danger la santé de patients fragiles. Nous n'insisterons jamais assez sur l'idée que pour qu'un nutriment essentiel de source végétale nous soit bénéfique, il doit être apporté à doses nutritionnelles et de préférence sous forme d'aliments – c'est-à-dire inclus dans sa matrice végétale – et de préférence dans le contexte d'un régime méditerranéen traditionnel.

Certaines recettes méditerranéennes très communes, comme la sauce tomate par exemple, concentrent les **caroténoïdes** – par exemple, le fameux lycopène qui semble protéger contre certains cancers – tandis que l'addition d'huile d'olive augmente la biodisponibilité des caroténoïdes. Si on ajoute enfin un cocktail d'herbes aromatiques, d'oignons et d'ail, on potentialise les effets de différentes substances bioactives. Et quelle saveur !

Certains légumes-feuilles contiennent des **oméga-3** végétaux, le désormais célèbre acide alpha-linolénique : le pourpier, la mâche, et certaines jeunes pousses cueillies en zone méditerranéenne. Certes, il faut en consommer beaucoup – nous ne sommes pas comme les vaches, des machines à concentrer les oméga-3 végétaux dans notre graisse – pour que les apports soient significatifs. Mais un peu tous les jours et associés à d'autres sources d'oméga-3 végétaux (quelques noix, quelques graines de lin, un peu d'huile de colza) et ça finit par être suffisant !

Les légumes sont une excellente source de **folates** (ou vitamine B9) particulièrement les légumes à feuille (*folia* signifie *feuille* en latin) – épinards, pissenlits, cresson, mâche – mais aussi les asperges, brocolis, choux-fleurs. La vitamine B9 est indispensable au bon fonctionnement de l'endothélium et nous protège de l'infarctus et de l'AVC notamment, mais pas seulement, par un effet anticaillot.

Les **polyphénols** sont probablement les substances les plus importantes des légumes (et des fruits) bien que les scientifiques et les nutritionnistes n'aient pas encore vraiment compris leur importance pour notre santé. Il y a des milliers de polyphénols à découvrir dans les végétaux, y compris dans les plantes comestibles et de nombreuses équipes travaillent à les identifier et à analyser leurs effets biologiques. Nous avons montré à Grenoble, par exemple – dans le cadre d'un financement de la Communauté Européenne qui encourage et subventionne ces recherches sur les flavonoïdes – que certains polyphénols méditerranéens (notamment les flavonoïdes) – induisent ce que j'ai appelé dans la partie 2 une forte **résistance du myocarde** au manque d'oxygène (page 71).

Les légumes sont enfin une source non négligeable de **sels minéraux** comme le calcium, le magnésium et le potassium et quelques autres minéraux et éléments-traces qui sont indispensables à la pompe cardiaque et ainsi rendent le myocarde plus résistant et moins susceptible de faire des arythmies. Certes, il y a des sources plus appropriées de ces nutriments dans notre alimentation et j'ai discuté de leur importance pour notre santé à propos des produits laitiers et des céréales.

FAIRE LE CHOIX DE LA QUALITÉ

Se ravitailler en légumes de qualité n'est pas chose facile. L'idéal serait de produire soi-même ses légumes dans son potager en choisissant des variétés adaptées au climat local et aux saisons. Double avantage : fraîcheur des produits et exercice physique.

Les légumes trouvés en magasin notamment dans la grande distribution sont pour différentes raisons (modes de production, contraintes de rentabilité et d'approvisionnement...) rarement satisfaisants. Une visite dans un petit marché local permet de mesurer la différence. Les légumes, surtout si on en consomme à chaque repas – et c'est ce que nous devons faire – devraient être achetés chez les producteurs bio si possible, tout comme les fruits. D'autant que les marchés locaux montrent des signes de reviviscence des pratiques traditionnelles ; on y retrouve des légumes anciens – oubliés mais plus adaptés aux écosystèmes locaux – et variés, salades de toutes saisons et herbes fraîches notamment.

Pendant l'hiver, pour compenser l'absence de certains légumes mais parvenir quand même à diversifier les menus, on aura recours aux surgelés et aux conserves de qualité. Préférer les produits non cuisinés, on les accommodera selon ses propres goûts ; ou bien faire sa sélection de produits cuisinés au moment de l'achat en lisant attentivement les listes des ingrédients.

Un excellent moyen d'avoir des légumes de qualité toute l'année pour pas (trop) cher est de faire soi-même des bocaux et des surgelés aux périodes favorables, c'est-à-dire quand les légumes sont à profusion et à maturité dans sa région. Certes, cela prend un peu de temps, mais n'est-il pas urgent de redonner un sens au temps qui passe, notamment à celui que nous consacrons au ravitaillement de la famille ? Soyons cigale, bien sûr, mais aussi fourmi !

LÉGUMES ET CUISINE MÉDITERRANÉENNE

Les Méditerranéens consomment leurs légumes soit crus avec une vinaigrette ou un mélange jus de citron/huile d'olive – qui peut être remplacée par de l'huile de colza pour ceux qui n'aiment pas le goût de l'huile d'olive – soit cuisinés. Les cuissons sont brèves (même pour des légumes durs comme les carottes et les choux) afin de préserver leurs contenus en vitamines et autres substances. La cuisson peut se faire dans l'eau, mais plus souvent à la vapeur ou encore à la poêle à feu doux dans de l'huile d'olive et même au four. Ces pratiques sont très variables en fonction des recettes et des régions de la Méditerranée.

Qu'ils les consomment crus ou cuits, les Méditerranéens accompagnent leur légumes de nombreux épices et aromates qui non seulement donnent du goût mais aussi apportent des substances qui protègent notre santé (lire chapitre 12, page 343).

Les Méditerranéens ont inventé une multitude de mets, de plats, de recettes mais rien n'empêche d'aller pêcher des idées ailleurs du moment que les règles basiques de la diète méditerranéenne sont respectées et que les recettes ont été modifiées en conséquence. Ces règles culinaires méditerranéennes sont suffisamment simples et souples pour nous autoriser à *inventer chacun pour* soi ses propres recettes. Pour son plaisir et sa santé.

MES CONSEILS

• Que l'on soit un *survivant* (cardiaque avéré) ou un *autre*, il faut consommer des larges portions de légumes tous les jours. Chaque repas principal comprendra au moins une portion de légumes, deux c'est encore mieux. Une soupe ou une belle salade – ou autre légume en fonction des saisons – en entrée, et une portion de légumes avec le plat principal.

• Les légumes – tout comme les autres aliments végétaux, céréales et légumineuses (chapitre suivant) – doivent être *la base du repas principal*. Ils doivent **être accompagnés** d'une viande ou d'un poisson et non pas **accompagner** la viande ou le poisson.

• Varier **les couleurs** dans l'assiette et au cours du repas : des légumes verts, certes, mais aussi des jaunes et des rouges, des oranges et des violets. Débrouillez-vous, les couleurs vous donnent une idée des substances qui s'y trouvent.

CHAPITRE 9

LES LÉGUMINEUSES

I L Y A QUELQUES MALENTENDUS ENTRE LES NUTRITIONNISTES, LES biologistes et les jardiniers concernant la définition de légumineuses. Les légumineuses – ou *légumes secs* en langage courant – sont assimilables à des graines issues exclusivement de plantes de la famille des Fabacées et récoltées à maturité pour la consommation humaine ou animale. Je ne parlerai dans ce livre que de consommation humaine évidemment. Les nutritionnistes anglo-saxons séparent les légumineuses – *legumes* en anglais – en deux classes : le **soja** et les *autres* légumineuses. On fera de même.

La consommation de légumineuses, dans le contexte d'une diète méditerranéenne, n'a que des avantages : haute qualité nutritionnelle, bénéfices pour la santé en général, apports protéiques à faible coût par rapport à la viande et facilité de conservation. S'y ajoute le fait non négligeable qu'elles sont issues d'une agriculture protectrice de l'environnement qui s'inscrit dans les programmes de développement durable.

LES DIFFÉRENTES LÉGUMINEUSES

Haricots secs, pois, lentilles, fèves et pois chiches sont les légumineuses les plus fréquemment consommées par les Méditerranéens.

Il y a une multitude de **haricots secs** groupés selon leur couleur : blanc, brun, jaune, rose, rouge et noir. **Plus ils sont colorés, plus ils contiennent des substances** d'un grand intérêt nutritionnel, les polyphénols, pour faire simple. Ceci dit, les Méditerranéens consomment plutôt des haricots blancs ou peu colorés et le flageolet (vert tendre). Mais chaque zone méditerranéenne a son haricot préféré et il serait fastidieux de les énumérer. Introduire de nouveaux types de haricots colorés dans nos menus – l'*adzuki* japonais par exemple – est une façon délicieuse de moderniser la diète méditerranéenne traditionnelle. Place à l'imagination et place aux haricots !

Parmi les pois, on trouve les **pois secs** ou **pois cassés** car la graine a été séparée de son enveloppe. Il y a aussi des **pois frais** (comme le petit pois), classés dans les légumes, et qui peuvent être stockés en conserve ou surgelés et donc consommés toute l'année.

Autre légumineuse que l'on peut manger fraîche : le **pois gourmand** ou **pois mange-tout** dont on ne mange pas seulement la graine comme avec le petit pois mais aussi l'enveloppe. Le mange-tout porte bien son nom mais il faut le consommer très jeune sinon il est trop fibreux et même filandreux.

Contrairement au pois, la **lentille** est un légume sec typiquement méditerranéen. On la consomme en soupe, en purée ou en salade. Riche en protéines, elle apporte également des polyphénols. La lentille est, parmi les légumineuses, celle qui apporte le plus de polyphénols, mais aussi de zinc, de sélénium et de fer.

L'**arachide** est une légumineuse un peu particulière pour deux raisons. D'abord, à la différence des autres légumineuses, elle est très grasse et souvent rangée dans la catégorie des oléagineux. Sa composition en acides gras est certes moins *méditerranéenne* que celle des huiles d'olive et de colza, mais c'est la moins mauvaise des autres huiles industrielles (page 285). Ensuite, elle contient la grande vedette actuelle des substances protectrices à structure phénolique, le resvératrol, présent aussi dans le vin. Un certain nombre d'études – qui attendent confirmation – attribuent à ce polyphénol des propriétés anticancéreuses, antidiabétiques, anti-infarctus et même anti-vieillissement. L'arachide n'est pas produite en zone méditerranéenne – zone trop sèche et trop froide, faibles rendements – mais les Méditerranéens en consomment de façon traditionnelle, dans certaines pâtisseries et confiseries – notamment au Maghreb – ou au moment de l'apéritif.

La **fève** est une légumineuse typiquement méditerranéenne, surtout consommée en Espagne, en Italie et au Proche-Orient (Egypte et Liban). C'est l'ingrédient de base du *foul*, l'un des mets les plus populaires d'Egypte : les fèves, partiellement ou complètement écrasées, sont lentement cuites et servies avec de l'huile d'olive, du persil, de l'oignon, de l'ail et du jus de citron.

Le **pois chiche** est aussi typiquement méditerranéen. Il est consommé chaud ou froid (en salade), comme l'un des légumes du couscous, ou enfin, après avoir été écrasé – et mélangé avec de l'ail, du citron et de la purée de sésame – sous forme d'une pâte crémeuse appelée *houmous*. Avec les pois chiches, on fait aussi des *falafels*, sortes de boulettes aromatisées à l'ail, au cumin et à la coriandre, frites dans l'huile.

LE SOJA

La graine de **soja** est, commercialement, la reine des légumineuses : elle est à la fois un excellent oléagineux – huile et margarine de soja sont consommées dans le monde entier – et la première source de protéines en alimentation animale sous forme de tourteau. L'huile de soja contient de l'acide alpha-linolénique – le principal oméga-3 végétal – en quantité à peu près équivalente à l'huile de colza. Cependant, il est moins bien absorbé dans le tube digestif que lorsqu'il est apporté par l'huile de colza. L'huile de soja est aussi trop riche en oméga-6 ; je ne la recommande pas. A partir de la graine de soja, on fait du lait de soja, des yaourts, de la crème, du tofu, du tempeh, du miso qui sont pour la plupart des bonnes sources de protéines (surtout le tofu). Le soja n'est certes pas une légumineuse méditerranéenne mais rien n'empêche de l'intégrer dans une diète méditerranéenne *modernisée*. On trouve sur Internet une multitude de recettes à base de tofu *régulier* ou *soyeux* qui permettent de diversifier les menus.

Le soja apporte aussi des polyphénols particuliers qui ont des effets hormonaux comparables à ceux des hormones féminines (œstrogènes). Ces substances étant consommées en grande quantité en Asie sans effet pervers évident, nous n'avons rien contre ; mais, les recommander dans nos régions avec des visées médicales ou préventives me paraît prématuré, vu l'état de la science du soja qui, au moins dans le domaine cardiovasculaire, reste faible.

Certains prétendent que des aliments à base de soja seraient utiles pour la prévention de l'infarctus parce qu'ils abaissent le cholestérol. Mes lecteurs n'ont pas besoin de s'entendre répéter que ce type de raisonnement est sans intérêt.

En résumé, le soja comme source de protéines végétales et de polyphénols, ou comme ingrédients d'un délicieux met asiatique : oui ! Le soja avec l'espoir de diminuer le risque d'infarctus via la diminution du cholestérol : non !

LÉGUMINEUSES ET INFARCTUS

Avant d'évoquer les vertus nutritionnelles des légumineuses en général, je précise à nouveau que manger une légumineuse – ou tout autre aliment favorable à la santé – en grande quantité ne protégera pas de l'infarctus. C'est l'**assemblage de nutriments et d'aliments spécifiques** dans le modèle nutritionnel méditerranéen qui est protecteur. Si je détaille chaque catégorie d'aliments dans cette partie du livre, c'est pour aider mes lecteurs à adapter leurs habitudes alimentaires et à se rapprocher le plus possible du modèle méditerranéen, ce n'est pas pour laisser croire qu'un aliment à lui seul pourrait avoir un effet significatif sur le risque d'infarctus. Revenons à nos légumineuses.

Quelques études épidémiologiques ont montré que la consommation de légumineuses était associée à une réduction du risque d'infarctus et d'AVC. L'une d'elles indique que consommer 4 fois par semaine des légumineuses est associé à une diminution du risque d'infarctus de 22 % par rapport à une consommation d'une fois par semaine. Cependant, aucun essai clinique n'a confirmé ces résultats jusqu'à présent, pour la simple raison qu'aucun essai de cette sorte n'a encore été conduit.

Pourquoi et comment les légumineuses peuvent aider à empêcher l'infarctus ? Par des effets indirects : en diminuant la tendance à faire des caillots – par la protection de l'endothélium – et en renforçant la résistance du myocarde au manque d'oxygène.

Les légumineuses sont très riches en **fibres** – dont les bienfaits ont été discutés page 314 – et en glucides complexes ; elles apportent de l'énergie sous une forme avantageuse, lentement assimilable, évitant les pics d'insuline qui favorisent la prise de poids et, à plus long terme, le diabète.

Par ailleurs, à la différence des légumes, les légumineuses sont riches en **protéines** ; en moyenne 25 % du poids cru de la graine est constitué de protéines. Toutefois, ces protéines ne sont pas aussi parfaites que les protéines animales (viande, œufs, produits laitiers) puisqu'elles sont déficientes en certains acides aminés indispensables. Pour s'assurer d'avoir **tous** les acides aminés, il faut les associer à d'autres sources de protéines complémentaires, par exemple des céréales : riz/haricots, pâtes/lentilles, boulghour/pois chiches… C'est particulièrement important pour les végétariens.

On trouve aussi dans les légumineuses une quantité appréciable de vitamines du groupe B et des minéraux comme le fer, le magnésium et le potassium, autant de nutriments indispensables à la bonne santé de l'endothélium et à la prévention de l'infarctus et des AVC ischémiques.

LÉGUMINEUSES ET DIÈTE MÉDITERRANÉENNE

Les Méditerranéens étaient, traditionnellement, des consommateurs de légumes secs sous des formes variées. La dégradation de l'état de santé des populations méditerranéennes a été parallèle à la diminution de la consommation de légumineuses. Bonne nouvelle, il semble qu'il y ait actuellement, notamment en Italie, une augmentation de leur consommation en relation avec un retour vers des plats traditionnels ; je vais donner quelques exemples.

Le *minestrone* n'est rien d'autre qu'une soupe épaisse avec des haricots blancs (souvent quelques petites pâtes), des oignons, des carottes, des tomates et du céleri ou du basilic. Je recommande aussi — recettes simples et faciles à trouver sur Internet — les *fagioli al pomodoro* (haricots à la tomate) et la *tuscan ribollita* (soupe aux haricots). Ne pas oublier la soupe aux pois cassés et la purée de pois chiches avec tomates, oignons (beaucoup) et ail !

À l'apéro, on peut s'inspirer des Espagnols et de leurs fameux *tapas* — haricots blancs aux seiches, pois chiches aux oignons frais en vinaigrette — ou encore de la *kémia* des Marocains, des Tunisiens et des Algériens (graines de lupin ou *tramousses*, pois chiches grillés…). Penser également à tous les plats méditerranéens connus comme le couscous et l'*houmous* (qui contiennent des pois chiches), la paella (pois), la soupe au pistou (haricots) ou le tajine (fèves).

Plus proche de nous, et pas vraiment méditerranéen, le cassoulet de Castelnaudary dont on n'abusera pas en raison de sa richesse en viandes grasses ; à réserver aux jours de fête. Que ceux qui n'ont pas encore été célébrer la *socca* — grosse galette à base de farine de pois chiches, à consommer chaude à la sortie du four à pizza — dans le vieux Nice se réjouissent, il est encore temps… Tout ça pour donner des idées !

MES CONSEILS

• La consommation de légumineuses, dans le contexte d'une diète méditerranéenne bien conduite, n'a que des avantages pour les *survivants* (cardiaques avérés) comme pour les *autres*.

• Deux à trois portions par semaine en moyenne et même plus si vous aimez ou si vous êtes végétarien.

• Pour varier les plaisirs, on peut introduire des légumineuses non méditerranéennes comme les haricots *adzukis* ou le soja. Mais il faut éviter l'huile de soja.

• Respecter les règles de préparation : trempage et cuisson prolongés qui éliminent des substances potentiellement nocives ou désagréables.

• Pour se faciliter la vie, on peut avoir recours aux conserves (lentilles, pois chiches, haricots rouges ou blancs) qu'il faut choisir de bonne qualité, et non préparées pour les cuisiner à sa convenance ; ou aux surgelés (fèves par exemple).

CHAPITRE 10

LES FRUITS FRAIS, FRUITS SECS ET FRUITS A COQUE

L ES MÉDITERRANÉENS MANGENT DES FRUITS ET LA ZONE méditerranéenne est productrice de nombreux fruits. Ils sont généralement succulents surtout s'ils sont consommés en saison et à maturité : melons divers, pêches, raisins, abricots, prunes, agrumes, figues, grenade et dattes.

Les fruits sont saisonniers par définition dans les climats tempérés : chaque saison apporte ses alternances, et ses fruits. Cela fait partie du *plaisir de vivre* dans les régions méditerranéennes.

La majorité des fruits méditerranéens donnent ainsi lieu à plusieurs sortes de consommation, soit frais en été au moment de la cueillette soit secs, soit en purée, compote, confiture ou fruits confits un peu plus tard à l'automne ou pendant l'hiver tels les abricots et les figues.

Certains fruits sont absolument typiques de la région méditerranéenne, tel **le raisin** qui est emblématique aussi des zones où prévalent les religions monothéistes. On peut consommer le raisin frais au moment de la cueillette – fin d'été et début d'automne – ou sec après l'avoir laissé sécher au soleil (les célèbres raisins de Corinthe, par exemple) ; et enfin sous forme de **jus** – brève conservation – ou sous forme de **vins** après fermentation, qui permet une longue conservation. Enfin, dans certaines régions, on prépare des confitures de raisin pour consommer pendant l'hiver.

D'autres fruits emblématiques de la région méditerranéenne sont **les agrumes** : citrons, oranges et mandarines. Ils sont typiquement méditerranéens car le climat de la zone est très favorable à leur culture, comme à celle de la vigne d'ailleurs. Comme la cueillette peut s'étendre sur plusieurs mois en fonction des types d'agrumes, les populations méditerranéennes peuvent consommer des agrumes frais pendant plusieurs mois.

Sur les rivages sud de la Méditerranée, c'est **la datte** qui tient la vedette quoique sa zone de culture spécifique soit les oasis sahariennes, c'est-à-dire à distance de la mer. Ce n'est pas seulement un fruit riche en sucres, donc énergétique (et dont il ne faudra pas abuser au risque de surpoids), c'est aussi un fruit qui contient des vitamines, surtout du groupe B, des sels minéraux, notamment du potassium. La datte est également riche en fibres et en chrome, substance de plus en plus utilisée dans la prévention du diabète.

Certains fruits, comme les pommes, les poires, certains agrumes et les kiwis – contrairement à beaucoup d'autres (pêches, cerises...) – se conservent très bien à l'état frais grâce à des procédés traditionnels au cellier ou à la cave (méthodes désormais qualifiées de bio par certains) ; et certes aussi avec les procédés modernes et industriels de maturation en chambre froide sous atmosphère contrôlée, ce qui rallongent encore la période de consommation à l'état frais. Malheureusement, la conservation *industrielle* des fruits est aussi souvent synonyme de pesticides, fongicides...

Quoique très utile, cette forme de consommation de fruits mûris artificiellement ne doit pas se substituer à celle de fruits cueillis mûrs sur l'arbre en saison car c'est dans ces conditions que le fruit apporte le maximum de substances goûteuses et protectrices.

FRUITS FRAIS

Un des avantages des fruits frais est leur grande teneur en eau ; ce sont par rapport à leurs poids et volumes des aliments très peu caloriques. Ils remplissent l'estomac, contribuent à rassasier sans apporter beaucoup de calories... On sait que les fruits sont relativement riches en fibres (lire page 314). Autre avantage potentiel, c'est la richesse des fruits, TOUS les fruits, en minéraux, vitamines et polyphénols.

Parmi les minéraux, il y a le **potassium** notamment. Parmi les vitamines, tout le monde le sait, il y a la **vitamine C**. On a longtemps pensé que cette vitamine C était la plus auguste représentante de nos *capacités antioxydantes* dans les fruits. En réalité, dans une pomme par exemple, la vitamine C ne porte que 10 % de ses capacités antioxydantes, les 90 % autres sont portés par les **polyphénols**. En fait, nous apporter des capacités antioxydantes n'est pas le seul avantage des polyphénols pour notre santé et il est probable que la majorité d'entre eux nous apportent bien d'autres choses. Par exemple, nous avons montré à Grenoble que les anthocyanidines augmentent la résistance du myocarde à l'ischémie (urgent de relire la partie 2 si on ne comprend pas ce que cela veut dire) et augmentent nos concentrations en acides gras oméga-3 dits *marins*, indépendamment de notre consommation de produits marins ; ça n'est pas rien !

On dénombre des centaines de polyphénols dans les fruits méditerranéens : les flavonols, les flavonones (l'hespéridine des agrumes), les anthocyanidines des prunes et des cerises, et du raisin noir, et des oranges sanguines, et le resvératrol du raisin…

On trouve aussi dans les fruits des **caroténoïdes** qui sont aussi des vitamines et qui donnent de la couleur aux fruits : si les anthocyanidines sont des pigments pourpres à noir, les caroténoïdes colorent en jaune, orange et rouge. Vive l'abricot !

Certains caroténoïdes jouent un rôle majeur dans la santé oculaire : non seulement ils servent de filtre à UV, mais ils protègent les oméga-3 de nos yeux qui sont eux-mêmes indispensables au maintien d'une bonne vision.

FRUITS SECS

Leur grand avantage est de se conserver beaucoup mieux que les fruits frais du fait de leur teneur réduite en eau. Je ne parle pas ici des fruits à coque (paragraphe suivant) mais seulement des fruits séchés, une pratique très méditerranéenne du fait du climat estival très sec de la zone. Et il n'y a pas qu'à Corinthe qu'on fait sécher les fruits ! Place à l'imagination. Autrefois, faire sécher les fruits au soleil de l'été était la façon la plus aisée et économique de faire ses réserves pour l'hiver.

Pour ceux dont le porte-monnaie est source d'inquiétude et qui n'habitent pas en zone méditerranéenne, je recommande d'investir dans un *déshydrateur*. Comme dans la fable, la fourmi prépare l'hiver au lieu de chanter et danser tout l'été : au moment où les fruits sont peu coûteux, on les achète en masse pour les sécher (au soleil), en faire des confitures – attention aux apports en sucre – des bocaux, des surgelés ; ou pour les déshydrater.

Les fruits secs sont denses d'un point de vue nutritionnel (minéraux, polyphénols) mais aussi caloriques – rien à voir avec les fruits frais – et si on les achète (au lieu de les faire soi-même), on les choisira *bio* et sans conservateur.

FRUITS A COQUE

Les Méditerranéens en consomment beaucoup et avec beaucoup de plaisir. Ce sont par exemple les amandes, les noisettes et surtout les noix. Ces fruits sont riches non seulement en acides gras de bonne qualité pour la santé (un peu comme l'huile d'olive), en protéines et en fibres mais contribuent aussi aux apports en de nombreuses substances – notamment certaines vitamines, minéraux (dont le magnésium) et polyphénols – qui protègent notre santé.

La noix classique porte de nombreux noms – qui diffèrent en fonction des pays : noix de Californie, *British nut*, noix de Grenoble, et d'autres – et présente un profil nutritionnel qui en fait presque un médicament, un cadeau du Bon Dieu. Et d'ailleurs, des études scientifiques montrent un effet bénéfique de la consommation régulière de noix sur la santé cardiovasculaire. Elle est en effet particulièrement riche en acides gras oméga-3, en acide folique et en polyphénols particuliers. On devrait manger, comme les Méditerranéens traditionnellement, quelques noix tous les jours, et pas seulement au moment du dessert.

Parce qu'ils sont une source d'énergie non négligeable, il est recommandé toutefois de ne pas dépasser une portion moyenne de 30 g par jour de fruits à coque et de toujours les choisir non salés.

Ils peuvent être consommés de différentes façons, par exemple dans les salades et les crudités : betteraves, endives et noix, c'est un classique ; mais aussi amandes grillées sur carottes râpées, dans les poêlées de légumes (brocolis aux noix) ; dans les tagines et autres plats chauds complets ; à la grecque avec un laitage fermenté (yaourt) et un peu de miel (pour le petit déjeuner par exemple) ; et encore dans les salades de fruits frais.

Ne pas se priver de la **tarte aux pignons** (graine du cône du pin parasol) si on passe par la Catalogne française.

FRUITS, INFARCTUS ET AVC

Contrairement aux idées reçues, les fruits **de façon générale** ne sont pas particulièrement protecteurs contre l'infarctus et l'AVC. Dans les premières études épidémiologiques au milieu du siècle dernier où on comparait les populations avec une grande fréquence de maladies cardiovasculaires (les Etats-Unis par exemple) avec celles à faible prévalence (pays méditerranéens, Japon), la consommation de fruits ne faisait pas partie des facteurs discriminants : en d'autres termes, les Américains ont toujours consommé beaucoup de fruits et ça ne les protégeait pas !

Je reviens toujours à la même idée, c'est un mode alimentaire global qui est protecteur et pas des aliments particuliers : ne pas faire l'erreur de se dire qu'après avoir mangé beaucoup de viande ou autres aliments animaux, on va se rattraper en mangeant des fruits, très mauvais calcul.

Dans les années 1960, le risque d'infarctus dans la population du Japon était 10 fois inférieur à celui trouvé dans la population américaine. Les Japonais consommaient 2 fois moins de fruits que les Américains mais aussi 30 fois moins de viande et 90 fois plus de légumineuses – sous forme de haricots et de soja-tofu – qui étaient leurs principales sources de protéines avec le poisson.

Ceci étant dit, toutes les populations protégées, ou relativement protégées, sont plutôt consommatrices de fruits, et la consommation de fruits à coque est une spécialité bien méditerranéenne.

MES CONSEILS

• Qu'on soit un *survivant* (cardiaque avéré) ou un *autre*, la consommation de fruits, dans le contexte d'une diète méditerranéenne, est une priorité : au moins deux portions de fruits frais par jour, ou plus selon la composition des menus, le gabarit du mangeur et son activité physique.

• On peut consommer les fruits en jus, en compote, cuits au four, mais attention au sucre que l'on ajoute.

• Si la célèbre formule « *one apple a day keeps the doctor away* » [une pomme par jour tient le docteur au loin] est amusante, il ne faut pas la prendre *au mot*. Il en faut beaucoup plus (et pas que des fruits) pour se passer des services du docteur.

• Privilégier à tout prix les **fruits de saison** !

• Laver soigneusement les fruits, surtout s'ils ne sont pas bio ! Ne pas consommer la peau des fruits non bio ! Se régaler de la peau des fruits bio, après nettoyage. Préférer le **bio** !

• Préparer l'hiver pendant l'été si possible (encore les bocaux et les surgelés) pour s'assurer variétés et saveurs toute l'année. Soyons fourmi !

• Pour agrémenter les mets méditerranéens, parfumer les yaourts ; pour les goûters des enfants, ou pour les « en-cas » des adultes : penser aux fruits secs (abricots, raisins, figues) et aux fruits à coque (noix, noisette, amande).

CHAPITRE 11

LES AUTRES ALIMENTS SUCRÉS

A VANT DE DÉTAILLER UN (TOUT PETIT) PEU LES GRANDS TYPES d'aliments sucrés les plus consommés de cette trouble époque – confiseries, produits chocolatés, pâtisseries – une question préalable : le sucre est-il d'une façon ou l'autre toxique pour le cœur ? À l'heure où sévit une extraordinaire épidémie mondiale d'obésité et de diabète – on parle maintenant de **diabésité** – et au moment où un consensus semble se dégager pour innocenter les graisses, il faut bien trouver un coupable. **Bref, faut-il faire la guerre au sucre** après avoir fait la guerre au gras ?

La réponse est évidemment négative, bien peu d'aliments *naturels*, sucrés ou gras, sont mauvais en soi ; ce sont les excès qui sont préjudiciables. Mais tout d'abord, quand on dit *sucre*, on parle de quoi ?

Pour la majorité des gens, sucre veut dire *sucre de table*. Ils ont raison. Mais il y a d'autres substances sucrantes : par exemple, le sucre dans les fruits, le lait maternel, celui des sirops, celui que les industriels utilisent dans les aliments transformés…

En fait, le sucre le plus simple, au point de vue chimique, pour les plantes qui le synthétisent et pour notre physiologie humaine, c'est le **glucose**. C'est le carburant préféré de notre cerveau et c'est lui qu'on mesure dans le sang (glycémie) ou dans les urines quand on est un diabétique avéré (glycosurie).

Une molécule de glucose peut être associée à un autre sucre simple : du **galactose** pour former le lactose (sucre du lait) ou du **fructose** pour former le saccharose (le **sucre de table**). Point trop n'en faut, certes, mais à doses modérées, méditerranéennes, pas de problème !

LE VRAI SUSPECT : LE FRUCTOSE

Le fructose fait, de nos jours, l'objet d'une surconsommation, et pas que dans les fast-foods ! Selon certaines études bien conduites à mon avis, une consommation importante de fructose (sous des formes variées) augmente le risque de syndrome métabolique et de démence sénile, il favorise l'obésité, certaines formes de maladies du foie, de maladies du rein et l'hypertension artérielle, le vieillissement et, probablement, il diminue la résistance du myocarde (lire page 71) ; ça fait beaucoup !

La consommation moyenne de fructose d'un citoyen occidental a en effet considérablement augmenté (on peut dire même explosé) au cours des trois ou quatre dernières décennies, une multiplication par 10 probablement aux Etats-Unis, au minimum, avec des pics épouvantables dans certaines classes sociales des nouvelles générations (multiplication par 100). C'est excessif, en effet, et il n'est pas étonnant que cela puisse avoir des effets sur la santé !

Si notre consommation de fructose se résumait à la consommation de fruits et de miel (fructose naturel), ce ne serait probablement pas un problème important pour la majorité d'entre nous, mais avec les proportions industrielles que cette consommation a prise, notamment chez les enfants (via les sodas, les biscuits et toutes formes de friandises et confiseries) les signaux d'alerte se sont multipliés.

Certains sirops industriels, les sirops de glucose-fructose issus du maïs (*high-fructose corn syrups* ou HFCS pour les intimes) contiennent jusqu'à 90 % de fructose alors que dans les fruits les plus riches en fructose, la part du fructose ne dépasse jamais 60 % du total des sucres (par exemple dans la poire ou le melon) et environ 50 % dans le raisin, l'orange, ou le kiwi et moins de 40 % dans la cerise ou la pêche. Sachant que les fruits sont composés d'eau à 80-90 %, la quantité totale de fructose absorbée en mangeant une poire ne représente pas grand-chose. Pas de panique avec le fructose des fruits dans le cadre d'une consommation raisonnable !

J'espère que tous les lecteurs font maintenant la différence entre le fructose d'un fruit et le fructose absorbé en excès via un aliment ou une boisson industriel.

Pourquoi le fructose ferait-il plus de problème que le glucose ? Simplement, parce que le métabolisme du fructose n'est pas régulé de la même façon que le glucose qui est contrôlé par notre système hormonal, notamment l'insuline.

LE CHOCOLAT

Gras et sucré, le chocolat devrait faire peur. Pourtant, il y a tous les jours plus d'amateurs, et mêmes des *addicts* au chocolat – je veux dire : des mangeurs de chocolat quasiment dépendants de leurs doses – un peu comme les consommateurs de cannabis. De quoi est fait le chocolat qui puisse ainsi stimuler la consommation et nous en rendre dépendants ? Outre que c'est bon, la réponse se trouve sans doute dans certains ingrédients du chocolat : acides aminés précurseurs de neuromédiateurs antidépresseurs, stimulants de type cannabinoïde ou autres alcaloïdes psychostimulants…

Les autres constituants du chocolat

Le gras du **vrai** chocolat – je ne vais parler que de celui-là – provient essentiellement du beurre de cacao dont le pourcentage est indiqué sur l'emballage. Le beurre de cacao est constitué à plus de 60 % de graisses saturées (dont environ 40 % d'**acide stéarique**) et de 30 % d'**acide oléique** (celui que l'on trouve dans l'huile d'olive). Certains prétendent que le chocolat ne présente pas de danger pour le cœur car l'acide stéarique, contrairement aux autres acides gras saturés, n'augmente pas le cholesté-rol, et l'acide oléique non plus. Ce raisonnement ne présente aucun intérêt pour ceux qui ont compris que le cholestérol est innocent. En fait, l'acide stéarique n'augmente pas le cholestérol mais il augmente notre propension à faire des caillots dans des modèles expérimentaux variés, et dans cer-taines études épidémiologiques. Mais il est vrai aussi que l'acide stéarique alimentaire est mal absorbé dans le tube digestif. Il n'y a en fait aucun rapport entre l'acide stéarique circulant dans nos artères – c'est celui-là qui est dangereux – et celui qui est dans notre assiette. Le stéarique du sang provient plus d'une synthèse endogène que de notre alimentation.

Je résume : l'acide stéarique du chocolat est, pour la majorité d'entre nous, peu dangereux car mal absorbé. Ne pas abuser quand même… et les Cloches de Pâques doivent être bien accueillies, ça fait rire les enfants, comme les phoques !

Quant aux **polyphénols** du cacao – catéchine et polymères de caté-chine – qui sont très en vogue actuellement, en partie pour des motifs marketing évidemment, ils auraient des effets protecteurs des artères, selon certains auteurs. Deux observations quand même :
• Inutile de se faire trop d'illusions concernant les polyphénols du chocolat car les procédés de fabrication (l'alcalinisation) en éliminent une grande partie et l'addition de lait – pour faire du chocolat au lait – diminue théoriquement leur biodisponibilité, c'est-à-dire leur absorption digestive. Mais nous manquons de données solides à cet égard contrairement aux effets indiscutables du lait sur les polyphénols du thé. En fait, l'alcalinisa-tion entraîne une perte massive de polyphénols (jusqu'à plus de 60 % du

contenu initial) ; la teneur finale est très variable et dépend de nombreux facteurs (provenance du cacao et mode de fabrication du chocolat) et n'est pas indiquée sur l'emballage du produit commercialisé.

• Ceux qui souffrent de douleurs de l'estomac en relation avec un reflux œsophagien devraient faire attention au chocolat – et d'autant plus qu'il est plus noir – car la théobromine du chocolat noir augmente le reflux.

Finalement, au risque de causer du déplaisir aux grands amateurs de chocolat (y compris à moi-même), je me permettrais la conclusion suivante : mangez un peu de chocolat pour vous faire plaisir – c'est déjà beaucoup – mais n'écoutez pas trop ceux qui encouragent fortement la consommation de chocolat sous prétexte que ce serait tellement bon pour les artères ou le cœur ; au mieux – mais je n'en suis pas sûr – il est neutre ! A consommer à petites doses (allez, va pour un ou deux carrés par jour…) ou à réserver aux jours de fêtes.

PÂTISSERIES ET CONFISERIES

Les Méditerranéens, aussi bien sur les rives nord que sud du bassin, sont des grands amateurs de **pâtisseries**. Et de confiseries. La liste est interminable.

Si les Méditerranéens sont des gourmands et des gourmets, rien ne dit qu'ils abusent de ces bonnes choses. Pour les jours de fête et pour recevoir ses amis et parents, on fait livrer ou on prépare en famille de délicieuses pâtisseries et des confiseries. Mais cela reste réservé à des circonstances exceptionnelles, au moins dans les pratiques traditionnelles. Il faudra rester *traditionnel* !

Ma préférée, c'est le **calisson d'Aix**, une fine pâte de melon confit et d'amandes broyés ensemble et nappée de *glace royale*, une spécialité d'Aix-en-Provence depuis le XVᵉ siècle.

Pour ne pas me faire des ennemis à Montélimar, je citerai aussi le nougat, des amandes, du miel et des épices ; et une autre fameuse confiserie méridionale : les *quatre mendiants* qui représentent les différents ordres religieux ayant fait vœu de pauvreté – noix ou noisettes pour les Augustins, figues sèches pour les Franciscains, amandes pour les Carmes et raisins secs pour les Dominicains.

De **la corne de gazelle** au **makroud** : difficile de résister aux pâtisseries nord-africaines, avec leurs pâtes d'amande, pâtes de datte, graines de sésame, eau de fleur d'oranger, miel… Mais de toutes les pâtisseries rencontrées autour du bassin méditerranéen, celle qui semble la plus représentée et la plus appréciée est probablement le **baklava**, une pâtisserie feuilletée à base de noix, pistaches, amandes, de miel et de beurre.

Ceci dit, les pâtisseries méditerranéennes sont très sucrées et grasses (souvent à l'huile d'olive, parfois avec du beurre), et donc très caloriques ce qui pose problème à une époque de sédentarité croissante : elles doivent être consommées avec modération – jours de fête, les dimanches, ou une fois par semaine pour résumer – et lorsqu'on opère sa sélection, on privilégiera les pâtisseries à base de fruits frais ou secs, noix variées et miel.

La solution est de faire soi-même ses pâtisseries en contrôlant strictement les ingrédients : farine complète, huile d'olive ou de colza comme matières grasses et fruits frais de saison.

MES CONSEILS

• Que nous soyons des *survivants* (cardiaques avérés) ou des *autres*, la consommation de produits sucrés doit être limitée en faisant très attention aux aliments et boissons très riches en mélange de glucose et de fructose.

• Les pâtisseries et confiseries – méditerranéennes ou pas – doivent être réservées aux jours de fête.

• Le **chocolat** peut être consommé même par les *survivants* mais à petites doses : va pour un ou deux carrés par jour... ou bien à réserver aux jours de fêtes ou une fois par semaine !

CHAPITRE 12

SEL, HERBES, ÉPICES ET AROMATES

Pour finir, quelques lignes sur les herbes et aromates méditerranéens. Tout le monde connaît le thym et le laurier, ou le bouquet provençal, pas besoin de long discours. Le sel, par contre, mérite un peu plus par ces temps (octobre 2011) de fortes controverses à son propos.

LE SEL

Trop de sel dans nos aliments ! A part les producteurs de sel, tout le monde est d'accord. **Il faudrait diminuer nos apports en sel !**

Il ne faut cependant pas confondre le problème du sodium, son absorption intestinale, son rôle dans la régulation de la pression artérielle – et dans l'HTA essentielle – et son excrétion urinaire qui peut témoigner de maladies variées et longtemps silencieuses. Je n'ai pas l'ambition ici d'écrire un long chapitre sur la question du sodium, je reste sur le sel dit *de table*, approche nutritionnelle exclusive.

Je ne suis pas certain que le sel soit très important dans les maladies cardiovasculaires en général, ça dépend beaucoup des habitudes alimentaires et du mode de vie. Mais un excès de sel contribue à augmenter la pression artérielle et donc le risque d'AVC hémorragique. Comme on consomme vraiment beaucoup de sel dans nos pays et qu'une diminution modérée ne peut avoir de conséquences négatives, il est logique de diminuer notre consommation. Je n'en attends pas de miracle, mais je fais le pari que ça peut être utile, peut-être très utile voire salvateur, chez certains patients.

Pourquoi est-ce difficile, et même très difficile, de réduire nos apports en sel ?

Il y a des explications culturelles, d'autres très pratiques, et elles sont liées.

HISTOIRE DE SEL

Quand l'Homme a décidé de ne plus être chasseur-cueilleur, donc de se sédentariser, il a renoncé en même temps à se nourrir exclusivement d'aliments frais et il a dû **stocker** et donc **conserver** certains aliments. Le problème c'est que les aliments mal conservés (moisis, décomposés, pourris…) sont très mauvais pour la santé. Ils sont responsables par exemple des diarrhées infectieuses, première cause de mortalité infantile dans toute communauté restée à un mode de vie *archaïque* (sans note péjorative). La découverte de la cuisson a constitué un grand progrès pour l'Homme mais ça ne fut pas suffisant. Progressivement, il a donc développé d'autres techniques de conservation : la fermentation – qui est évidemment réservée à certains types d'aliments – le séchage, le fumage et le salage. Le sel est donc apparu comme un additif providentiel aux premiers hommes *civilisés*, un additif **vital**, pas moins que ça ! **Dans notre imaginaire, le sel est donc une source de vie, voire de survie.**

Il suffit d'y réfléchir un peu, en l'absence de *chaîne du froid*, de nombreux aliments nous sont simplement interdits, à moins d'être salés, ou fumés, séchés et salés. Or, le sel contient du sodium et notre métabolisme du sodium est très compliqué, il est même étonnant que nous mobilisions autant d'énergie pour gérer ce seul minéral. En fait, cela s'explique par le fait que le sodium sert à réguler la masse d'eau que nous contenons et qui nous constitue.

J'ajoute deux points importants concernant le sodium :

• il est très important dans la transmission nerveuse ;

• il n'agit jamais seul, ses actions sont liées à celles d'autres minéraux (comme le **potassium** et le **chlore**) qui participent eux-mêmes à d'autres systèmes régulateurs cruciaux pour notre santé et notre survie : le degré d'acidité du sang et des cellules, et l'activité électrique de certaines cellules, notamment celles du cœur.

Tout ça pour dire que quand, à table, on prend la salière, ça n'est pas anodin : il est préférable de réfléchir avant d'agiter et saupoudrer !

Le sel alimentaire (ou sel de table) est du chlorure de sodium. On a vu qu'il aide à conserver les aliments. Ce fut vital, mais ça l'est beaucoup moins. Aujourd'hui nous disposons d'un ensemble de dispositifs logistiques et domestiques (transport, manutention, stockage) visant à assurer à nos produits alimentaires le mantien de leur salubrité et de leurs qualités gustatives (on parle de la chaîne du froid). Bref, nous n'avons plus besoin du sel pour protéger nos aliments !

ON POURRAIT DONC AUJOURD'HUI CONSIDÉRABLEMENT DIMINUER LA CONSOMMATION DE SEL !

Pourquoi ne le fait-on pas ? En dehors des aspects symboliques discutés dans l'encadré et de la désinformation organisée par les producteurs de sel, y a-t-il d'autres obstacles à la diminution de sa consommation ?

Le sel est important en cuisine et gastronomie car il *donne du goût* aux aliments. Et nous sommes habitués à consommer des aliments salés parce qu'ils sont goûteux. Le meilleur des exemples est sans doute le pain, le pain sans sel n'est vraiment pas bon. En conséquence, les boulangers – et beaucoup d'industriels – hésitent à réduire la quantité de sel de leurs aliments. Pas drôle de voir ses clients filer vers le boulanger d'en face parce que notre pain est moins salé ! Ce raisonnement est valable pour bien d'autres aliments.

En fait, le sel permet de masquer la basse qualité et le caractère insipide de nombreux aliments, notamment ceux du fast-food. Mais c'est une mauvaise excuse pour les aliments *traditionnels* des Méditerranéens qui, justement, sont très goûteux. J'insiste : les aliments produits ou fabriqués selon des règles et procédés *traditionnels* sont goûteux, pas besoin de les sur-saler.

Je résume :

• Il est inutile de saler des aliments savoureux consommés sans préparation.

• Il est sans doute utile de diminuer le sel des aliments industriels et, dans le même élan, il faut augmenter leur qualité gustative. Quelques industriels s'y sont mis. Bravo !

MOINS DE SEL = MANQUE D'IODE ?

Dans nos sociétés, on prévient les **carences en iode** – à l'origine de graves maladies de la thyroïde et de troubles cognitifs à tous les âges – grâce au sel de table qui contient de l'iode. Dans le cadre d'une diète méditerranéenne comportant des apports significatifs en aliments marins, une faible diminution des apports en sel ne peut avoir d'incidence sur les apports en iode. Attention, sel marin ne veut pas forcément dire sel riche en iode, il faut vérifier que le sel de table qu'on achète est réellement enrichi en iode.

J'ai parlé ailleurs des eaux riches en bicarbonate de sodium (page 270), je n'y reviens pas.

Finalement, je pense que les **régimes sans sel** trop drastiques sont contre-productifs, d'autant plus que nous avons quelques évidences que les effets potentiellement nocifs du sel peuvent être en grande partie neutralisés par des apports significatifs en potassium, calcium et magnésium (lire page 136).

HERBES, ÉPICES ET AROMATES

Qu'ils les consomment crus ou cuits, les Méditerranéens accompagnent leur légumes et viandes (ou poissons) de nombreux ingrédients qui non seulement donnent du goût mais aussi apportent des substances qui protègent notre santé. Ces ingrédients varient d'une région à l'autre et leur liste est interminable.

On peut citer **l'oignon et l'ail** en priorité, tout en sachant qu'il y a de nombreuses catégories d'ail et d'oignons qui peuvent être adaptés aux habitudes de chaque famille, aux légumes préparés, et en fonction des saisons.

Toutes les cuisinières, et tous les gastronomes, savent que n'importe quel plat ou préparation insipide peut être considérablement amélioré par la simple addition de quelques oignons rapidement saisis dans une bonne huile d'olive.

D'autant plus si on a rajouté quelques gousses d'ail et quelques **herbes aromatiques** !

L'ail est consommé parfois cru frotté sur du pain, haché dans les vinaigrettes et les farces, pilé pour l'aïoli, pressé en jus d'ail, pour parfumer des feuilles tendres d'épinards ou d'un autre légume, et même *en chemise* dans différents plats cuisinés.

Les oignons sont parfois l'ingrédient principal du met méditerranéen, l'inoubliable **pissaladière niçoise**.

Les **herbes aromatiques** – aussi dénommées fines herbes – fraîches ou séchées, font aussi partie (comme l'ail et l'oignon) des ingrédients d'accompagnement des recettes méditerranéennes et la liste est à nouveau interminable ; chaque région a ses préférences : le thym, l'origan, le romarin, la coriandre, le persil, le basilic et une multitude d'autres. Personnellement, probablement du fait de mon histoire personnelle, l'origan est mon favori !

Les **épices** font aussi partie de la diète méditerranéenne bien qu'elles soient rarement originaires de cette zone géographique mais plutôt d'Extrême-Orient. Mais les peuples méditerranéens ont longtemps servi de zone tampon entre l'Orient et l'Occident et se sont chargés du commerce des épices. Poivre, cannelle, girofle, muscade et aussi des mélanges d'épices dont le plus célèbre chez nous est sans doute le *Ras el Hanout* de nos cousins marocains et utilisé dans le tagine. On trouvera facilement, via Internet, une recette de tagine traditionnel de la fête de l'Aïd el-Kebir (agneau, amandes, miel et cannelle…). Un autre célèbre mélange d'épices mais de l'autre côté de la Méditerranée, en Syrie, est le thym d'Alep (ou *Zahatar*) qui comprend entre autres du cumin, de l'anis, du sésame et de la coriandre, j'en salive rien qu'à l'écrire !

Ces herbes et épices améliorent la qualité gustative des mets mais aussi leur qualité nutritionnelle puisqu'elles contiennent des composés bioactifs qui ont des effets bénéfiques sur notre santé.

Si je devais recommander une seule lecture à propos des épices ce serait le livre de Jean-Marie Pelt (*Les épices* aux éditions le Livre de Poche) qui le termine en livrant quelques recettes, celle concernant les lentilles vertes du Puy méritant sinon d'être testée au moins d'être lue, ce n'est pas le même plaisir mais c'en est un quand même.

LES RÉPONSES À VOS QUESTIONS

QUESTION 1 Qu'est-ce que le paradoxe français ?

Voilà une question qui a fait beaucoup parler et écrire. Je vais essayer de la résumer.

Dans les années 1960-1970, les épidémiologistes anglais étaient très étonnés des chiffres de la mortalité cardiovasculaire en France par rapport à ceux du Royaume-Uni. Les Français fumaient autant que les Anglais, mangeaient plus de graisses animales (beurre, crème, fromages censés augmenter leur cholestérol) et autant de sel (censé augmenter leur pression artérielle). Pourtant le différentiel de mortalité entre les deux populations avoisinait les 40-50 % (inférieur chez les Français). Cette disparité entre des chiffres de cholestérol élevés et une mortalité cardiovasculaire basse aurait dû réveiller quelques esprits critiques : était-ce si paradoxal que ça ?

Ces épidémiologistes, très *british*, traitèrent longtemps ce *French paradox* (paradoxe français) par le mépris prétendant que les chiffres français étaient simplement faux. Le paradoxe en question devint plus difficile à éluder (et expliquer) quand des statisticiens français confirmèrent les chiffres nationaux français de mortalité cardiovasculaire : elle restait nettement inférieure à celle des Anglais.

Comment expliquer ce qui semblait si *paradoxal* ? C'est notre équipe à Lyon (Serge Renaud et moi-même) qui la première a proposé une explication biologique et physiopathologique du paradoxe français dans un article du Lancet en 1992 : les Français faisaient moins de thrombose (de caillot) dans leurs artères coronaires parce qu'ils buvaient du vin, lui-même ayant un effet antiplaquettaire.

Pour les épidémiologistes hautement compétents du Royaume-Uni et de France – qui avaient l'habitude d'expliquer l'infarctus et l'AVC par le cholestérol mais ignoraient totalement ce qu'étaient le vin, son contenu, et le mécanisme de formation du caillot, cette explication mêlant le vin, les plaquettes et la thrombose apparût plutôt incongrue.

Les réactions furent *paradoxales* : les ventes de vin français bondirent de 50 % en quelques semaines aux Etats-Unis où notre théorie fut accueillie avec enthousiasme – probablement surtout par les amateurs de bon vin – tandis que les épidémiologistes anglais, et parisiens de l'INSERM se récrièrent en nous traitant de *pyromanes* et de *farfelus* ! Comment pouvait-on être assez irresponsables pour élaborer des théories qui pourraient encourager la consommation d'alcool ? Selon ces grands penseurs, toutes les vérités – y compris scientifiques – ne sont pas bonnes à dire. Notre théorie était donc irrecevable sur le plan scientifique, parce qu'immorale selon eux… Chaque époque fabrique ses tartuffes !

Pourtant notre théorie suscita – je pèse mes mots – une avalanche de travaux scientifiques dans tous les pays du monde. Travailler sur l'alcool et le vin n'était plus une honte. Une fantastique masse d'informations scientifiques a été accumulée sur l'alcool et le vin au cours des vingt dernières années, sur la base de notre théorie du *French paradox*. Il n'y a pas de plus belle récompenses pour des scientifiques que de voir leurs idées reprises, discutées et finalement confirmées par des centaines d'équipes à travers le monde.

Ceci dit, seul le temps reste le juge suprême dans toutes les controverses scientifiques, et la bonne question reste : notre théorie a-t-elle survécu ? Les contre-théories proposées pour remplacer la nôtre ont-elles dépassé le niveau de la courtoise et furtive citation ?

Réponse : seule notre théorie a survécu !

Pour preuve, dans un numéro récent d'une revue de cardiologie (mai 2011), un sympathique épidémiologiste toulousain de l'INSERM proclame que, grâce à un travail franco-anglais publié en 2011 : « *le French Paradox a enfin été élucidé* ». Je cite : « *A facteurs de risque équivalents, les Français seraient protégés par une consommation régulière et modérée d'alcool.* » Il leur aura donc fallu 18 ans pour confirmer notre théorie, tout en se l'attribuant… sans complexe !

Lorsque ce livre sera dans les librairies, ces mêmes épidémiologistes diront sans doute que je divague un peu. Il leur faudra peut-être 18 ans encore pour admettre que le cholestérol est innocent…

QUESTION 2 **La cuisine méditerranéenne est-elle une cuisine *équilibrée* ?** Probablement, le meilleur mot quand il s'agit de pratique nutritionnelle, c'est celui de *cuisine*.

En milieu diététique, face aux nombreuses interrogations suscitées par la confusion scientiste contemporaine – on entend tout et son contraire – certains professionnels finissent par utiliser des mots passe-partout qui peuvent aussi nous trahir, malgré nous. Je prends l'exemple d'une diète dite *équilibrée*. La meilleure solution, pour manger sain et bon, serait d'adopter une cuisine *équilibrée*. L'expression n'a pas beaucoup de sens et masque une certaine forme d'inculture. Cela voudrait dire qu'on peut manger un peu de tout sans excès et sans restriction abusive.

Désolé, ce n'est pas le bon plan pour se protéger de l'infarctus et de l'AVC. Le bon plan c'est la cuisine méditerranéenne traditionnelle, éventuellement modernisée, et cette façon de manger n'a rien d'équilibrée.

En raisonnant uniquement au niveau **des graisses alimentaires**, et de façon très simplifiée, la cuisine méditerranéenne n'est pas équilibrée, elle est restrictive : les deux seules matières grasses que nous recommandons pour la consommation quotidienne (donc représentant 99 % de la consommation annuelle) sont les huiles d'olive – version cuisine traditionnelle – et de colza pour la version modernisée. Le 1 % qui reste – correspondant aux jours de fêtes ou de fantaisie culinaire – ne compte pas en termes de santé. C'est donc très restrictif !

Et c'est aussi **très déséquilibré** puisque le but – ceci s'adresse aux nutritionnistes – est que les graisses saturées représentent environ 8 % de la ration calorique, les monoinsaturées environ 14 % et les polyinsaturées environ 6 % avec un ratio oméga-6/oméga-3 égal ou inférieur à 3 si possible.

Tout cela est évidemment très loin des fameux 10 % - 10 % - 10 % longtemps préconisés par les sociétés savantes, y compris en France, dans leur combat contre le cholestérol.

Méfiez-vous des nutritionnistes et pseudo-experts qui occupent de façon indécente le terrain médiatique et préconisent des **régimes *équilibrés*** !

QUESTION 3 **Les suppléments en calcium augmentent-ils le risque d'infarctus et d'AVC ?**

Voilà une question importante qui a fait l'objet de quelques polémiques en 2011, sauf en France... Les complémentations en calcium – parfois associés à de la vitamine D – sont utilisées pour essayer de prévenir ou minimiser une maladie des os vieillissants, l'**ostéoporose**. Cette maladie peut parfois se compliquer de fractures douloureuses et invalidantes.

Des investigateurs ont émis des doutes sur l'innocuité cardiovasculaire de ces pratiques.

En effet, certaines études – notamment des méta-analyses combinant plusieurs études – ont montré que le calcium à fortes doses pourrait augmenter le risque de faire des complications cardiovasculaires. Cette augmentation du risque avec des comprimés de calcium n'est pas anodine puisqu'elle pourrait atteindre 30 %. Il semblerait que l'addition de vitamine D au comprimé de calcium ne change rien à l'affaire.

Je résume : sans avoir la moindre garantie que des comprimés de calcium, avec ou sans vitamine D, soient efficaces pour protéger des fractures, ces comprimés semblent augmenter le risque d'infarctus et d'AVC.

Je ne vais pas reproduire les discussions des experts mais simplement citer le commentaire d'une certaine Martine, pleine de bon sens, sur le site Internet **Santé Blog** le 22 avril 2011 : « *Pas étonnant que nos patients soient perdus ! Le calcium contre l'obésité, le cancer du côlon, l'ostéoporose, mais responsable de maladies cardiovasculaires… Et si notre meilleur conseil était de promouvoir une alimentation équilibrée et diversifiée comprenant toutes les familles d'aliments dont les produits laitiers et les fruits et légumes pour notamment leur apport en calcium.* »

Sans le savoir sans doute, Martine recommande la diète méditerranéenne – elle a oublié les sardines à l'huile, les maquereaux en boîte, les amandes, les graines de sésame et autres petits plaisirs de l'existence – mais au moins en partie, elle est sur le bon chemin.

Conclusion : on oublie les comprimés de calcium et on adopte la diète méditerranéenne !

QUESTION 4 **Les acides gras *conjugués* et le risque d'infarctus**

Qu'est-ce que c'est que ces acides gras *conjugués* ? Je vais en profiter pour expliquer un peu les acides gras en général.

Il y a plusieurs familles d'acides gras dans la nature, animale ou végétale.

Un acide gras – définition simplifiée – est une chaîne linéaire d'atomes de carbone comportant une fonction acide à son extrémité. Chaque atome de carbone doit se lier quatre fois à des atomes adjacents pour être stable (saturé). Outre les deux carbones auxquels il est lié dans sa chaîne carbonée, il lui faut deux hydrogènes pour se tenir tranquille. Si des hydrogènes manquent sur deux carbones adjacents, ces deux carbones « s'arrangent entre eux » pour se rassurer (se stabiliser relativement), on dit qu'il y a une *double liaison* entre les carbones.

Cette double liaison est souple (flexible) ce qui peut être un avantage quand on a besoin de plier un acide gras pour le ranger (le stocker) dans le tissu adipeux.

Mais deux doubles liaisons rendent cet acide gras fragile car un oxygène peut avoir la tentation de créer un pont entre deux carbones en prenant la place des deux hydrogènes manquants, c'est le processus d'oxydation des acides gras polyinsaturés : *poly* car il y a au moins deux double liaisons.

Bref, il y a :

• des acides gras saturés : pas de double liaison ;
• des acides gras monoinsaturés : une seule double liaison ;
• des acides gras polyinsaturés : au moins deux doubles liaisons

Quelquefois la double liaison prend un aspect un peu bizarre sous l'effet du processus de synthèse de l'acide gras : la double liaison est mal orientée et devient rigide, on dit que cet acide gras est *trans* par rapport à la configuration normale qui est dite *cis*.

Parfois encore, la double liaison n'est pas isolée comme d'habitude mais accolée à une autre double liaison qui peut être soit cis, soit trans. On dit que cet acide gras est conjugué ! Certains sont devenus célèbres comme le CLA, pour *conjugated linoleic acid*.

Le CLA est donc un *trans* et j'ai assez dit que les *trans* industriels sont déconseillés (lire page 290).

Pourtant, selon certains investigateurs (proches des syndicats des producteurs de lait), le CLA – dont la principale source est le processus de rumination dans les estomacs des animaux ruminants (vaches, brebis et chèvres) – pourrait avoir des propriétés anticancer, antiobésité et anti-infarctus. Ce serait sympa, mais ça fait beaucoup pour être vrai ; et en plus les études rapportant ces effets miraculeux du CLA sont de médiocre qualité.

Cela n'a pas empêché certains enthousiastes de se dépêcher de commercialiser des capsules de CLA pour faire maigrir leurs clients… Comment se débrouiller avec ça ?

C'est facile, il suffit de suivre notre règle habituelle et se poser la question : est-ce que le CLA est inclus dans la diète méditerranéenne traditionnelle ? La réponse est positive puisque le CLA est présent dans le lait et que les Méditerranéens consomment des produits laitiers, plutôt des produits laitiers fermentés, fromage et yaourts.

Conclusion : le CLA dans le contexte d'une diète méditerranéenne ne pose pas de problème. De là à en faire des capsules et à espérer des miracles du seul CLA…

QUESTION 5 Un infarctus avec des coronaires normales, est-ce possible ?

Oui, l'infarctus à coronaires normales ou presque normales, ça existe.

C'est probablement la conséquence d'un caillot obstructif, mais qui a disparu au moment où l'on pratique la coronarographie, ou hélas, l'autopsie, donnant un aspect de *normalité* des artères coronaires.

Il s'agissait d'un caillot suffisamment solide et persistant pour provoquer l'infarctus ou le décès subit du patient mais pas assez pour durer jusqu'au moment de l'examen ; il y a eu autodissolution, phénomène aisément reproductible en cardiologie expérimentale. Résultat : on voit la conséquence de l'obstruction *transitoire* de la coronaire (du tissu cardiaque a été détruit), mais pas l'obstruction elle-même. C'est un classique de la cardiologie clinique.

Quant à l'angine de poitrine avec coronaires normales, ça existe aussi, et ça n'est pas aussi bénin qu'on pourrait le croire. L'absence de plaque d'athérosclérose typique dans nos coronaires ne veut pas dire que les artères soient *fonctionnellement* normales. C'est la dysfonction de l'endothélium de l'artère qui est responsable des symptômes.

J'ai le regret de dire qu'il convient de commencer à s'inquiéter quand on a des coronaires normales ou presque normales après avoir eu suffisamment de symptômes pour inquiéter le cardiologue et motiver une coronarographie. Il faut, dans ce cas, agir comme si on avait déjà des plaques d'athérosclérose dangereuses : arrêt du tabac, réadaptation à l'exercice physique et diète méditerranéenne !

En urgence ; et tout rentrera dans l'ordre !

QUESTION 6 Est-ce qu'une déficience en vitamine D augmente le risque d'infarctus et d'AVC ?

Depuis deux ou trois ans, on a redécouvert la vitamine D, ses multiples propriétés biologiques au niveau de nombreux organes, et la grande fréquence de déficience modérée en vitamine D dans des populations apparemment bien nourries. Ce ne sont plus les petits enfants qui sont rachitiques (gravement déficients en vitamine D), nous avons découvert d'autres populations à risque.

Il y a peu d'aliments contenant de la vitamine D. Ainsi, si notre capacité endogène à produire notre vitamine D à partir du cholestérol est perturbée, il y a peu de chance que nous rétablissions facilement l'équilibre grâce à la nutrition, à moins de suivre scrupuleusement une diète méditerranéenne.

C'est pourquoi certains ont proposé de prescrire des ampoules de vitamine D de façon assez libérale, notamment au moment de l'hiver et dans les populations à risque de déficience.

Outre le fait que la principale activité biologique de cette *étrange hormone-vitamine* soit de favoriser l'absorption intestinale du calcium et du phosphore (pour assurer la solidité des os), la vitamine D est très importante pour les muscles et le système cardiovasculaire.

Avoir de bons muscles est important pour protéger le cœur, je l'ai assez dit. On voit immédiatement que pour un bon cardiologue préventionniste – je vois des sourires narquois se dessiner sur les lèvres de mes lecteurs, mais si, ça existe – la vitamine D est importante.

La question qui se pose dans le cadre de cet ouvrage est donc : une déficience relative en vitamine D augmente-t-elle le risque d'infarctus et d'AVC ? Doit-on identifier et corriger cette déficience ?

Il n'y a pas, à mon avis et pour le moment, d'arguments épidémiologiques forts démontrant qu'une déficience relative en vitamine D favorise l'infarctus ou l'AVC. En fait, la plupart des études sont de médiocre qualité.

Pourtant, intuitivement, j'ai la conviction qu'une déficience en vitamine D peut jouer un rôle important chez certains patients, et les médecins ne sont probablement pas innocents quant à l'induction des déficiences relatives en vitamine D.

En effet, la vitamine D est liposoluble et sa principale source endogène est le cholestérol cutané sous l'effet des ultraviolets (lumière du soleil) qui viennent frapper la peau. Pour être vraiment active, elle doit ensuite être métabolisée au niveau du foie et du rein.

Or, les sujets à risque se voient prescrire des médicaments anticholestérol – qui sont souvent toxiques pour le foie – et, comble de confusion, on donne des doses plus importantes de statines chez les patients avec insuffisance rénale.

Je cite dans la bibliographie quatre études ayant exploré l'association statines-vitamine D. Comme d'habitude avec la recherche d'effets secondaires des statines, les auteurs caricaturent leurs propres données pour éviter d'avoir à affronter la réalité : c'est donc entre les lignes que nous devinons que les statines interfèrent avec le métabolisme de la vitamine D ; en fait elles diminuent sa synthèse et probablement contribuent à augmenter le risque de déficience en vitamine D.

Bien que je n'aie aucun argument supplémentaire pour accuser les statines – et je n'attends pas que les prescripteurs de statines nous aident à résoudre cette question – mon opinion est **qu'il est impossible que ces médicaments n'aient pas un impact sur la vitamine D**. Voilà une raison supplémentaire pour arrêter les statines ! Et comme le montrent les références citées dans la bibliographie, je ne suis pas le seul à le penser.

QUESTION 7 Faut-il abaisser son cholestérol quand on a une insuffisance rénale chronique ?

Cette question importante a déjà été abordée dans mes livres sur le cholestérol et les statines. On pourrait penser qu'elle est réglée puisque deux essais cliniques (AURORA et 4D) ont conclu sans ambigüité qu'il n'était pas utile de donner des médicaments anticholestérol en cas d'insuffisance rénale !

L'idée sous-jacente est que les insuffisants rénaux ont une forte probabilité de développer des complications cardiovasculaires. On ne sait pas très bien pourquoi. Certains ont évidemment accusé le cholestérol bien qu'en moyenne les insuffisants rénaux aient plutôt un cholestérol bas.

Comme on pouvait s'y attendre, l'industrie et ses amis sont repartis à l'assaut car il faut des arguments *scientifiques* pour s'imposer sur le marché des médicaments anticholestérol. C'est l'essai SHARP testant l'association de deux médicaments anticholestérol chez des insuffisants rénaux.

L'association *simvastatine+ézétimibe* – faute de nouveaux concepts, on commercialise des associations de vieux produits avec un nouveau brevet et un prix de vente élevé – manque cruellement d'argument scientifique.

L'insuffisance rénale étant une maladie en progression dans tous les pays du monde, c'est cet angle d'attaque qu'ont choisi Merck (détenteur du brevet) et une unité de recherche d'Oxford pour essayer d'imposer ce *nouveau* médicament.

Malheureusement pour nos compères, les choses ne sont plus comme avant – je veux dire : avant la nouvelle règlementation des essais cliniques imposée à la fin des années 2000. Ils sont *sous surveillance* et ils le savent. Ils sont donc prudents. Comment ont-ils fait pour faire croire que ce *nouveau* médicament était efficace ?

Je ne vais pas rentrer dans les détails, mais quelques mois avant la publication des résultats, les investigateurs d'Oxford vont *candidement* annoncer qu'ils ont changé le critère principal de jugement d'efficacité de l'essai. Le principe de l'essai clinique étant de tester une hypothèse a priori

– c'est-à-dire une hypothèse formulée avant le démarrage de l'essai –, il est évidemment totalement incongru de procéder ainsi. Le sponsor Merck lui-même va se désolidariser des investigateurs d'Oxford.

Et pourtant le journal anglais **Lancet** va quelques mois plus tard publier l'intégralité des résultats de cet essai biaisé intentionnellement. La publication est accompagnée d'éditoriaux louangeurs avec des commentaires du genre : « *nous avons enfin la preuve qu'il faut diminuer le plus possible le cholestérol des insuffisants rénaux !* » et dans le même élan, les essais antérieurs (AURORA et 4D) sont présentés comme techniquement critiquables. On croit rêver !

L'examen attentif des résultats montrent pourtant qu'une diminution de plus de 30 % du *vilain* cholestérol (le LDL) n'a eu aucun effet significatif. En particulier, le nombre de décès par infarctus est exactement le même dans les deux groupes : 90 et 91 ! Les nombres d'infarctus non mortels (un critère de jugement moins solide que le décès) ne sont pas différents non plus : 134 et 159. Il y a un peu plus de décès dans le groupe traité (1142) que dans le groupe placebo (1115). C'est seulement en considérant les interventions de revascularisation – pontages chirurgicaux et angioplasties, qui ne sont pas des complications mais des traitements et qui nécessitent de lever l'aveugle (avec un risque de biais majeur) – que l'on peut apercevoir une différence entre les deux groupes qui soit favorable au traitement. Et cette différence, si on valide ces résultats, est dérisoire puisque les investigateurs décrivent une diminution de 17 % du risque relatif sur une durée de presque 5 ans, quasiment rien quand on traduit ces chiffres en termes de risque absolu ou de **nombre de patients à traiter** pour voir s'esquisser un semblant de bénéfice. Ce maigre bénéfice apparent est probablement attribuable aux biais introduits dans l'essai par les investigateurs.

Je le répète : le seul critère incontestable des essais cliniques en cardiologie est la mortalité. Pourquoi ? Parce que c'est le seul critère qui soit aisément vérifiable par une quelconque autorité de santé. Pourquoi ? Parce qu'il suffit d'avoir la liste des patients inclus dans l'essai puis de vérifier si les patients sont vivants ou morts sur les registres nationaux de décès à une date déterminée. Quelques jours ou semaines de travail, tout au plus. Impossible de jouer avec ce critère d'efficacité !

Pour les complications non mortelles, c'est beaucoup plus difficile puisqu'il faut examiner le dossier médical de chaque patient (presque 10 000 dans SHARP), vérifier la validité des complications rapportées et surtout vérifier qu'aucune complication n'a été oubliée dans le groupe traité avec le *nouveau* médicament. Des mois, voire des années de travail ; et personne ne fait ce travail de vérification dans les essais commerciaux qui, comme on l'a découvert récemment, fourmillent d'erreurs qui sont toujours favorables au produit testé.

Il faut exiger une totale concordance entre les données de mortalité et les complications non mortelles !

Je résume : l'essai SHARP est négatif. Malgré l'introduction d'un biais majeur d'analyse et d'interprétation, SHARP confirme qu'il est inutile de diminuer le cholestérol des patients avec une insuffisance rénale. Pourtant, de nombreux experts et éditorialistes ont conclu l'inverse !

Si j'ai pris la peine d'expliquer un peu l'essai SHARP, ce n'est pas seulement pour apporter une réponse claire et nette à des lecteurs qui se poseraient encore des questions quant à l'utilité de baisser le cholestérol en cas d'insuffisance rénale. C'est surtout pour montrer que nous assistons à une évolution formidable des mentalités vis-à-vis des essais cliniques testant la théorie du cholestérol : si des investigateurs essaient encore et désespérément de défendre des théories bancales, ils sont obligés d'exposer au grand jour leurs lamentables pratiques en espérant malgré tout – à la limite du ridicule – convaincre quelques complices et naïfs.

Reste aux autorités compétentes à enfin prendre leurs responsabilités !

QUESTION 8 Que signifie *être dans une famille qui fait du cholestérol* ?
J'ai déjà parlé des hypercholestérolémies familiales (HF) dans mes précédents livres. Je les séparais en deux groupes : les *bénignes* et les *malignes*.

J'encourage mes lecteurs à relire attentivement les chapitres respectifs quoique ma position ait un peu évolué depuis que je les ai rédigés, surtout parce que les experts de ces questions ont eux-mêmes évolué.

Cette subdivision en HF *bénignes* et *malignes* m'avait été reprochée en 2007-2008 par quelques précaires *spécialistes* sous prétexte que j'étais le seul à la faire.

Etant aujourd'hui en 2011 rejoint par quelques uns des plus grands experts des HF – les sceptiques peuvent consulter la bibliographie – c'est en toute sérénité que je vais en *rajouter une petite couche*, comme disent les peintres en bâtiment.

Nous faisons tous du cholestérol, chaque cellule de notre corps en fait – y compris celles de notre cerveau – et cela pour répondre à nos besoins. En effet, le cholestérol est indispensable à nos cellules et à une physiologie normale de chacun de nos organes. Certaines cellules en ont tellement besoin à certains moments – par exemple pour synthétiser les hormones sexuelles ou les hormones du stress – que leur propre production est insuffisante. Dans ce cas, le foie – l'organe avec la plus grosse capacité de production – envoie du cholestérol à ces cellules demandeuses.

Le cholestérol est transporté du foie vers ces cellules demandeuses par des complexes moléculaires – appelés lipoprotéines – qui transportent bien d'autres choses que le cholestérol, notamment des vitamines, des acides gras, des enzymes variées, des phospholipides ; toutes ces substances sont elles-mêmes actrices des interactions entre les demandes cellulaires et la réponse hépatique. La concentration de cholestérol mesurée dans le plasma reflète donc (très mal) ce système transporteur complexe. Ne voir que le cholestérol dans les lipoprotéines transporteuses est simplement absurde !

Un seul organe est totalement indépendant de ce système de transport et de ces échanges, c'est le cerveau, il se débrouille tout seul.

Ceci dit, le niveau de cholestérol dans le sang – et des autres substances transportées par les lipoprotéines – dépend d'autres facteurs que les besoins des cellules demandeuses en ces substances. Par exemple, nos repas modifient considérablement toutes ces concentrations. Or, nous nous nourrissons plusieurs fois par jour. On peut même dire que nous sommes, pour l'essentiel de notre journée, toujours en train de digérer notre dernier repas. La mesure du cholestérol dans notre sang à jeun le matin n'a qu'un intérêt limité pour comprendre notre physiologie sur 24 heures.

Des facteurs héréditaires (des caractéristiques génétiques) peuvent aussi influencer les concentrations de toutes ces substances transportées par les lipoprotéines.

Si maintenant on se concentre sur le cholestérol, et seulement le cholestérol – ce qui est très restrictif voire naïf pour un physiologiste – les biologistes ont identifié plusieurs gènes qui contribuent de façon importante à la régulation du niveau de cholestérol dans le plasma.

Parfois, ces gènes ont muté – et les protéines pour lesquelles ils codent sont anormales – ce qui perturbe la physiologie des lipides, des lipoprotéines et aussi du cholestérol. Les HF sont ainsi des **maladies des protéines** impliquées dans le métabolisme des lipoprotéines, et le cholestérol n'est finalement qu'un acteur parmi d'autres, probablement passif, voire innocent ! Si des biologistes du siècle dernier en ont fait l'acteur principal, c'est pour des raisons idéologiques et commerciales.

Dans certains cas, les concentrations de lipoprotéines circulantes dans le sang sont très élevées et ces lipoprotéines infiltrent certains organes. On peut ainsi trouver des dépôts lipoprotéiques et lipidiques sous la peau, dans les tendons, dans les yeux, dans le cerveau, sur les parois du cœur, et même sur la surface des grosses artères. Ces dépôts lipidiques contiennent du cholestérol certes, mais aussi toutes les autres substances *de type lipidique* transportées par les lipoprotéines.

Premier message : ces dépôts lipidiques assez extravagants n'ont rien à voir avec les **lésions d'athérosclérose classique** détectées chez la grande majorité de nos patients victimes d'infarctus ou d'AVC.

Deuxième message : les HF sont le résultat d'une altération génétique et ne sont certainement pas dues au fait que dans la famille on fait trop de cholestérol !

En général, c'est sur la base du niveau de cholestérol mesuré à distance des repas et de la notion que les niveaux de cholestérol sont assez systématiquement hauts dans la famille, que les médecins posent le diagnostic d'HF chez un individu.

C'est une définition très insuffisante et les experts en HF n'en sont pas satisfaits. Ils exigent de plus en plus souvent une analyse des gènes potentiellement impliqués de chaque individu suspect, une analyse coûteuse et difficile à interpréter souvent.

Des associations de biologistes aux Etats-Unis (*MEDPED criteria*), au Royaume-Uni (*Simon Broome criteria*) et aux Pays-Bas (*Dutch criteria*) ont développé des algorithmes de diagnostic des HF.

Je ne vais pas rentrer dans les détails de la problématique des HF, qui sont des maladies rares voire très rares, mais les lecteurs ont compris qu'il y a, selon les experts de la théorie du cholestérol, un enchaînement inéluctable d'événements torpides : altération génétique (transmissible de génération en génération) qui entraîne une augmentation du cholestérol qui entraîne l'infarctus ou l'AVC.

Il y a évidemment de nombreux types d'altérations génétiques – qui peuvent être isolées ou associées chez le même individu – et des réponses à ces altérations très variables en termes de cholestérol mesuré dans le sang et aussi de risque d'infarctus et d'AVC.

C'est là que ça devient intéressant pour les médecins et leurs patients.

Les *bons* experts en HF ont en effet élaboré une **nomenclature des HF** en fonction des altérations génétiques identifiées (on dit génotype) et des manifestations cliniques ou biologiques (on dit phénotype).

On peut avoir :

• **des HF sévères** avec réunion de la triade altérations génétiques multiples/très hauts niveaux de cholestérol/dépôts lipidiques tissulaires massifs et disséminés, et parfois infarctus ou AVC ;

• **des HF modérées** avec des altérations génétiques mais une augmentation modérée du cholestérol et des risques d'infarctus ou d'AVC modérés sans dépôts lipidiques extravagants ;

• et enfin **des HF paradoxales** (selon les experts) avec des altérations génétiques et des concentrations très élevées de cholestérol mais sans dépôts lipidiques et sans élévation du risque d'infarctus ou d'AVC ; ou encore des altérations génétiques avec un cholestérol normal mais des dépôts lipidiques importants et un risque élevé d'infarctus ou d'AVC.

On peut aussi avoir des niveaux de cholestérol très élevés sans qu'une altération génétique ait été identifiée et sans augmentation du risque d'infarctus ; et quelques autres cas de figure que je ne vais pas détailler ici.

Les lecteurs attentifs ont déjà compris : aucune relation de causalité ne peut être établie chez les porteurs d'HF entre l'altération génétique et le risque d'infarctus ou entre le niveau de cholestérol et le risque d'infarctus et d'AVC.

Pour expliquer qu'une HF soit maligne – plutôt que paradoxalement bénigne, comme je l'ai expliqué dans mes livres précédents – il faut *autre chose* qu'un cholestérol élevé. Et ce sont ces *autres choses* que j'explique et analyse tout au long de ce livre.

Seuls quelques cas – rarissimes par rapport aux millions de gens qui en France souffrent de maladies cardiovasculaires – peuvent bénéficier de traitements anticholestérol spécialisés pour les HF massives, type plasmaphérèse. Les médicaments anticholestérol ne servent généralement à rien, y compris chez la grande majorité des individus avec HF.

D'ailleurs la seule étude avec tirage au sort – donc techniquement correcte – qui ait testé l'hypothèse que les patients avec HF pourraient bénéficier d'une diminution du cholestérol avec des médicaments a échoué, c'est l'essai ENHANCE. Diminuer le cholestérol chez des individus avec HF ne sert à rien, au moins dans cet essai !

Les lecteurs qui, à la suite de la lecture de ce livre, auraient quelques nouvelles questions pourront me les poser via mon blog [michel.delorgeril. info]. J'essaierai d'y répondre.

CONCLUSION

COMME JE L'AI EXPLIQUÉ TOUT AU LONG DE CE LIVRE, L'INFARCTUS et l'AVC sont le résultat d'un **mode de vie** délétère. Cela peut paraître paradoxal mais la majorité des thérapeutes ne sont pas capables, faute de temps ou d'une culture médicale et physiologique minimale, d'intégrer la problématique d'un individu particulier, notamment son mode de vie alors que **l'essentiel du risque et du pronostic, c'est précisément le mode de vie**.

Un mode de vie protecteur permet de retarder notre vieillissement et de prévenir des maladies qui, tel l'infarctus ou l'AVC, peuvent nous tuer précocement ou nous laisser vivant mais avec de lourds handicaps. Rester pendant des mois ou des années, alité ou dans un fauteuil, avec des paralysies ou une incapacité presque totale de faire le moindre effort physique – parce qu'on a fait un AVC ou parce qu'on a développé une insuffisance cardiaque après un infarctus – et ainsi devenir un poids pour sa famille et ses proches est sans doute le pire qui puisse nous arriver !

Pour se protéger de l'infarctus et de l'AVC, il est illusoire de proposer un programme qui, par définition, est limité dans le temps et par des objectifs précis : moins de kilos, moins de cholestérol, moins de pression artérielle en un, deux ou trois mois... Ce n'est pas « le bon plan ».

Pour se protéger de l'infarctus, de l'AVC ou d'une récidive, il faut envisager une modification définitive de son mode de vie. D'après mon expérience, il est bien rare que des patients qui ont corrigé leur mode de vie de façon adéquate reviennent en arrière, retournent à leur mode de vie antérieur. Ils se sentent tellement mieux qu'ils n'y pensent même pas... Car le mode de vie proposé dans ce livre n'est pas seulement protecteur contre l'infarctus et l'AVC, il rend heureux – moins dépressif, moins fatigué, moins stressé – et permet de se sentir beaucoup mieux car outre une meilleure aptitude à faire des efforts physiques et à travailler (gestes de la vie quotidienne), il permet de redonner du **sens à sa vie**.

Mais d'autres font les choses à moitié : ils diminuent leur consommation de tabac au lieu de la stopper totalement, ils achètent un vélo d'appartement, pleins de bonnes intentions, mais ils ne l'enfourchent qu'une fois par semaine ; ou bien encore ils décident d'adopter une diète méditerranéenne mais ils n'en respectent finalement qu'un seul aspect – par exemple la consommation de vin – et *oublient* les autres.

Certains autres enfin se disent qu'il vaut mieux continuer, par précaution, les médicaments anticholestérol, mais ils s'en trouvent terriblement handicapés pour reprendre une activité physique et se laissent un peu aller sur le plan nutritionnel parce que leur cholestérol est bas et que cela les rassure. Ceux-là vont à l'échec !

Un mode de vie protecteur, c'est un tout ! Il faut le faire le mieux possible dans la mesure de ses moyens, et en prenant de l'âge, il faudra l'adapter à tous les handicaps et *autres petits cadeaux* que la vie nous réserve. On ne fait pas le même type d'exercice physique à 30 ans et à 70 ans, c'est évident.

BIEN CHOISIR SON DIÉTÉTICIEN NUTRITIONNISTE

Changer ses habitudes alimentaires sera pour certains la plus grosse difficulté à surmonter. Il ne faut pas se décourager ! Si vous êtes dans l'urgence ou que vous vous sentez dépassé(e) après avoir lu ce livre (ou à la sortie de l'hôpital), la meilleure solution est de prendre rendez-vous avec un diététicien. Allez à la consultation avec ce livre et exigez d'être initié(e) aux secrets et traditions alimentaires méditerranéens. Quel que soit votre budget, je vous supplie de faire cet investissement sur l'avenir ! Vous ne le regretterez pas car aucun livre de recettes, aussi bien fait soit-il, ne vous apprendra autant qu'un professionnel de la diététique et de la nutrition.

En effet, certains professionnels pourraient penser que la diète méditerranéenne n'est pas ce qu'il y a de mieux pour vous ; ça dépend de l'enseignement qu'ils ont reçu, de leur idéologie, des pressions marketing qu'ils ont subies et aussi de leur région d'origine. D'autres pourraient vouloir se substituer au docteur (à moi en l'occurrence) et vous entraîner sur une piste peu scientifique et potentiellement nuisible : régime anticholestérol, régime amaigrissant, régime antidiabétique...

Vous devez donc avoir parfaitement intégré le contenu de ce livre (surtout la partie 6) afin de pouvoir **contrôler** ce qui vous est enseigné par le diététicien. Si ce livre n'est pas un livre de recettes, il vous permettra de **mieux comprendre** les conseils du professionnel diététicien et de les **adapter** à votre cas personnel.

N'EN VOULEZ PAS À VOTRE MÉDECIN

Qu'on ait survécu à un infarctus ou un AVC, ou que l'on soit en bonne santé et qu'on veuille le rester sans prendre des médicaments, la lecture de ce livre et la prise de conscience qu'elle va entraîner peut engendrer des interrogations, voire un mouvement de défiance vis-à-vis de la médecine contemporaine et des médecins en général.

Ce scepticisme grandissant du public et des patients ne concerne pas que la cardiologie et à ce propos, on peut parler de crise ! J'y vois plusieurs explications.

La première concerne la notion de *service médical optimal*.

On attend effectivement des médecins un *service optimal* et tous les médecins essaient de faire de leur mieux, d'être au top niveau des nouvelles technologies et de suivre pas à pas les *recommandations officielles*.

Mais la majorité d'entre eux sont submergés par un emploi du temps infernal certes mais aussi par une pluie incessante de nouveautés factices. C'est le cas de nombreuses professions – car c'est une caractéristique de l'époque – mais on pourrait espérer que les médecins y échappent. Ce n'est pas le cas. Ils sont sans cesse *manipulés* par des pseudo-experts dont la principale caractéristique est d'être sans aucun scrupule. Nous sommes confrontés à une situation inédite : pour être meilleurs, les médecins ont besoin des nouvelles technologies mais ces dernières sont contaminées de mercantilisme et de propagande mensongère. Les médecins et leurs patients, sont ainsi trop souvent pris en otage avec comme conséquence inéluctable, d'incessantes controverses et une grande confusion ! **Pas une semaine sans un nouveau scandale sanitaire** et ces scandales (voir les *news* médicales aux Etats-Unis) concernent toutes les disciplines, y compris la cancérologie avec des discussions concernant un jour l'utilité de la mammographie, un autre jour celle du PSA pour la détection du cancer de la prostate. Sans parler des vaccinations ! L'affaire du Mediator en France n'est qu'un arbre qui cache une forêt.

Une illustration récente également dans le domaine particulier du diabète et de l'obésité : plusieurs médicaments d'abord présentés comme révolutionnaires (glitazones et endocanabinoïdes, par exemple) ont été brusquement retirés du marché ; leur commercialisation avait été prématurée et les dossiers scientifiques justifiant cette précipitation commerciale étaient d'une incroyable légèreté … Tout avait pourtant été fait dans le respect des règlementations – pas un tampon officiel qui ne manquât – avec l'agrément des agences européenne et française du médicament (ou leurs équivalents) ; et même de généreux remboursements accordés par l'Assurance maladie, ce qui donne une idée du niveau scientifique et éthique de ces agences règlementaires... Comment espérer bénéficier d'un *service médical optimal* dans un tel contexte ?

La deuxième explication vient de la *déprofessionnalisation* du métier de thérapeute, de soignant ou d'expert en santé.

Des épidémiologistes, des statisticiens, des sociologues, des polytechniciens, des biologistes, des biophysiciens, des anthropologues, des bureaucrates et des politiciens, énarques et fonctionnaires viennent sans cesse, non sans une certaine arrogance, expliquer la médecine aux médecins. Certes, aucun métier ne peut pas s'exercer indépendamment du contexte social : la santé est devenue une industrie, en plus d'être une activité commerciale. Mais aussi pour des raisons techniques.

Les médecins font appel aux techniques les plus modernes pour être efficaces : imagerie, robotisation chirurgicale et miniaturisation des outils thérapeutiques en sont un des aspects, la chimie du vivant en est un autre. Les façons de prévenir les altérations de notre santé et de notre bien-être – c'est le point central de ce livre dédié à la prévention – sont ainsi l'objet d'une modernisation incessante et souvent artificielle. Aucun médecin ne peut couvrir ces ensembles de connaissances en permanente évolution. Des interactions professionnelles et règlementaires sont donc indispensables pour aider les médecins à être au meilleur niveau technique possible.

Pourtant, aucune de ces avancées technologiques n'embrasse l'aspect éthique du soin donné aux personnes souffrantes. En bref, seul le médecin a prêté le serment de se dévouer aux personnes malades, le fameux serment d'Hippocrate. On peut en rire, ou le trouver dépassé – et il l'est quelque peu en effet – mais il reste une référence simple face au mercantilisme et à l'invasion technologique contemporains. La médecine est le plus beau des services à la personne et seuls les médecins, grâce à leur formation et à leur expérience, sont aptes à exercer cette sorte d'apostolat. Aucun polytechnicien, énarque ou biologiste ne peut se substituer au médecin dans sa relation aux personnes souffrantes. Technologie et règlementation, oui mais d'abord et avant tout, **éthique médicale** ! Comment espérer une éthique médicale optimale dans un contexte de marchandisation outrancière et de déprofessionnalisation du métier de soignant ?

En conséquence de ces deux phénomènes sociétaux – *déprofessionnalisation* et *absence d'un service optimal* – un mouvement de *défiance généralisée* à l'égard de la médecine moderne se développe actuellement dans nos sociétés surmédicalisées.

Il s'agit en fait d'un brutal mouvement en arrière du public – et de plus en plus de médecins eux-mêmes – vis-à-vis de la **médecine scientifique**. Là est le centre de la crise actuelle et ce pourrait être gravement préjudiciable à la protection de notre santé.

Ce n'est pas un phénomène social exclusivement lié à la médecine. Le sociologue allemand Ulrich Beck (auteur de *La Société du risque*, éditions Flammarion) dit simplement – pas seulement à propos des techniques médicales – que c'est le *mythe du progrès* qui s'effondre. Le mathématicien John Ioannidis écrit de son côté que *presque tout ce que l'on entend sur les progrès de la médecine est faux* et il faut reconnaître que les illustrations de son propos sont impressionnantes ! Ceux qui ont lu mes livres précédents sur les médicaments anticholestérol et la pseudoscience qui y est associée savent à quoi s'en tenir !

Des sociologues américains ont publié (dans l'*American Journal of Public Health* de janvier 2011) un article où ils démontrent ce qu'ils appellent *the inverse benefit law*. En simplifiant, plus la publicité accompagnant la mise sur le marché d'un nouveau traitement est intense et plus on doit s'attendre à ce que le ratio bénéfices/risques soit faible. D'ailleurs, ce puissant mouvement de scepticisme et de défiance s'est également introduit dans les grandes revues de médecine, notamment celles de l'*American Medical Association* – quelque chose comme un Conseil de l'Ordre aux Etats-Unis – et aussi en Europe ; par exemple dans le *British Medical Journal* qui d'ailleurs alterne le meilleur (diffusion des thèses de Ioannidis) et le pire avec un soutien inconditionnel à des chercheurs complices de la propagande pharmaceutique.

UN MOUVEMENT DE DÉFIANCE QUI S'ANNONCE EN FRANCE

Il est important de comprendre ce mouvement de défiance car il s'annonce en France comme une suite inéluctable de l'affaire du Mediator.

Trois thèmes se développent, tumultueusement, outre-Atlantique ; leurs vagues finiront par atteindre nos rivages, autant s'y préparer ; je les cite en anglais et les explique en français. Par ordre d'apparition :
1• Le concept de « *Less is more* » ou comment moins de médecine et de médicaments peut entraîner une meilleure santé !

Un des exemples cités est celui de la prescription immodérée (doses fortes et sur de longues périodes) de médicaments antiacides du type IPP (inhibiteurs de la pompe à protons) pour calmer des douleurs de l'estomac, y compris les plus banales. Hélas, ces médicaments sont à l'origine de complications et effets secondaires bien plus ennuyeux que les douleurs et embarras gastriques que de simples conseils de mode de vie soulageraient efficacement. J'énumère : fractures osseuses, infections à *Clostridium*, diarrhées, pneumonies et complications cardiovasculaires (infarctus et AVC) !

Cela ne veut pas dire évidemment que tous les médicaments sont inutiles ; seulement que nous vivons une période d'abus et de caricatures de la médecine !

2• Le concept de « *Pseudodisease* » ou comment on invente des maladies qui n'existent pas, des pseudo-maladies. Parmi les exemples cités, les diagnostics abusifs de diabète, d'obésité et d'hypertension artérielle. Il est fascinant de voir comment les chiffres considérés comme décisifs pour les diagnostics ont régulièrement diminué au cours des années jusqu'à la définition d'*hypertension à pression normale*. Et aussi d'*obésité à poids normal*. Cela rappelle le Docteur Knock clamant que *tout homme bien-portant est un malade qui s'ignore…*

Les psychiatres – et l'industrie des médicaments psychotropes – ne sont pas les derniers à exploiter cette veine, comme disent les chercheurs de minerais précieux. Sait-on que désormais la timidité est une maladie ?

Cela ne veut pas dire que tous les diagnostics sont frelatés ; seulement que nous vivons une période d'abus et de caricatures !

3• Le concept de « *Medical reversal* » qui désigne le fait d'obtenir des nouvelles données scientifiques, en principe plus solides que les précédentes, conduisant ensuite à des pratiques médicales totalement opposées aux précédentes – c'est le sens de *reversal* ici. Un bon exemple est celui des IPP cité précédemment.

POURQUOI TANT D'ABUS ET DE CARICATURES ?

Pourquoi ces complicités entre recherche médicale, pratiques cliniques et intérêts commerciaux ?

Et finalement, pourquoi si peu d'éthique ?

Un seul chiffre, celui délivré en mai 2011 dans un article de l'Agence Reuters écrit par Ben Hirschler : chaque année, les principaux industriels du médicament consacrent des milliards de dollars pour influencer les prescripteurs… Mais, plus que cette influence sournoise sur les prescripteurs, le principal problème vient de l'expertise *scientifique*. Pourquoi ?

Parce que pour pouvoir influencer un prescripteur influent – un faiseur d'opinions – il faut lui fournir un argumentaire scientifique. Quel que soit son degré de vénalité ou de naïveté, il lui faut toujours de quoi étayer son influence, sa bonne parole auprès de ses confrères. Chacun des *influencés* doit pouvoir ensuite, grâce aux judicieux conseils du faiseur d'opinion, lui-aussi justifier ses prescriptions, ne serait-ce qu'auprès de ses collègues généralistes. Et ainsi va le navire de l'expertise, et ses douteux capitaines : à la chaîne désormais se fabrique la fausse expertise scientifique qui justifie les nouvelles prescriptions miraculeuses !

Ceci dit, on a vu – avec la ténébreuse affaire du Mediator – que pouvaient persister en France une médecine archaïque avec des millions de prescriptions dépourvues de tout argumentaire scientifique, et longtemps sans réaction aucune des autorités...

Bref, le but de la recherche médicale – d'obédience commerciale – est d'apporter une documentation scientifique crédible aux faiseurs d'opinion, qui sont aussi en général des autorités nationales ou internationales, membres de toutes sortes de comités et conseils dits *scientifiques*, et prétendument au-dessus de tout soupçon.

Les scientifiques et médecins indépendants de l'industrie sont devenus très sceptiques vis-à-vis de cette *expertise* scientifique.

L'année 2011 a été riche de dénonciations de la *fausse expertise* médicale et scientifique : « *lies, damned lies, and medical science* » (en français : *mensonges, maudits mensonges et sciences médicales*) fut le titre d'un célèbre article à propos d'un entretien avec un expert dans l'art de déjouer les *bricolages statistiques* auxquels se livrent les experts travaillant pour l'industrie pharmaceutique, et que j'ai moi-même dénoncés à propos du plus grand essai clinique ayant jamais testé un médicament anticholestérol : l'essai JUPITER, conduit par le plus respecté des investigateurs de l'université Harvard aux Etats-Unis. Dans l'édition de janvier 2011 de la revue *The Cochrane Library*, Carl Heneghan parle ironiquement d'une *considérable incertitude* à propos des traitements anticholestérol. Et, pour m'en tenir à trois exemples, l'éditorialiste Ray Moynihan écrivait sur le site Internet du *British Medical Journal* qu'il était devenu impossible de trouver un domaine de la médecine qui ne soit pas contaminé par des données frelatées servant à justifier des prescriptions abusives : « *It is time to rebuild the evidence-base ; what evidence can we trust ?* » (*Il est temps de reconstruire la recherche médicale ; à qui, en quoi faire confiance ?*)

Et c'est peut-être cela le plus grave de l'affaire. Non seulement nos patients sont malheureux d'être en souffrance, mais leurs médecins eux-mêmes ne savent plus à quel saint se vouer.

Après tant d'années de propagande mensongère, comment faire admettre à des patients et leurs médecins que les médicaments qui diminuent le glucose ou le cholestérol n'ont aucun effet bénéfique sur leur santé cardiovasculaire et leur espérance de vie ?

Que faire pour corriger et inverser ces tendances désastreuses ?

Une solution : élever le niveau de connaissance et de conscience du public, et aussi des médecins, et tel était le but de ce livre !

Merci, cher lecteur, de m'avoir suivi jusqu'à cette conclusion.

BIBLIOGRAPHIE

AVANT-PROPOS

http://www-timc.imag.fr/IMG/pdf/Acute_coronary_syndromes.pdf

http://www-timc.imag.fr/IMG/pdf/Cardiovascular_prevention.pdf

http://www-timc.imag.fr/IMG/pdf/Antioxydants_and_cardio_vascular_diseases.pdf

http://www-timc.imag.fr/IMG/pdf/Nutrition_and_heart_desease.pdf

Deux livres récents fort bien illustrés et décrivant des recettes proches de la cuisine méditerranéenne peuvent être consultés pour se donner des idées :

• l'un en anglais, celui de CONNER MIDDELMANN-WHINEY : *Zest for life, The Mediterranean anti-cancer Diet* (Honeybourne Publishing, 2011) ;

• l'autre en français, celui de GENEVIÈVE MOREAU ET OLIVIER COUDRON : *Mangez, votre santé va changer* (éditions Racine, 2011).

PARTIE 1

Chapitre 3 Les preuves que le mode de vie est crucial

DE LORGERIL M, BOISSONNAT P, DUREAU G, ET AL. *Low-dose aspirin and accelerated coronary disease in heart transplant recipients.* J Heart Transplant. 1990;9(4):449-50.

DE LORGERIL M, DUREAU G, BOISSONNAT P, ET AL. *Increased platelet aggregation after heart transplantation: influence of aspirin.* J Heart Lung Transplant. 1991 Aug;10(4):600-3

CHANCERELLE Y, DE LORGERIL M, VIRET R, ET AL. *Increased lipid peroxidation in cyclosporin-treated heart transplant recipients.* Am J Cardiol. 1991 Sep;68(8):813-6.

BOISSONNAT P, GARÉ JP , DE LORGERIL M, ET AL. *Evaluation of non invasive methods for the diagnosis of atherosclerosis of the graft after orthotopic cardiac transplantation.* Arch Mal Coeur Vaiss. 1992;85:1285-90.

DE LORGERIL M, DUREAU G, BOISSONNAT P, ET AL. *Platelet function and composition in heart transplant recipients compared with nontransplanted coronary patients.* Arterioscler Thromb. 1992;12:222-30.

DE LORGERIL M, LOIRE R, GUIDOLLET J, ET AL. *Accelerated coronary artery disease after heart transplantation: the role of enhanced platelet aggregation and thrombosis.* J Intern Med. 1993 Apr;233(4):343-50.

DE LORGERIL M, RICHARD MJ, ARNAUD J, ET AL. *Lipid peroxides and antioxidant defenses in accelerated transplantation-associated coronary arteriosclerosis.* Am Heart J. 1993 Apr;125(4):974-80.

DE LORGERIL M, BOISSONNAT P, DUREAU G, ET AL. *Evaluation of ticlopidine, a novel inhibitor of platelet aggregation, in heart transplant recipients.* Transplantation. 1993 May;55(5):1195-6.

BORDET JC, DE LORGERIL M, DURBIN S, ET AL. *Systemic but not renal production of prostacyclin is highly reduced in cyclosporin-treated heart transplant recipients.* Am J Cardiol. 1993 Aug 15;72(5):486-7.

SALEN P, DE LORGERIL M, BOISSONNAT P, ET AL. *Effects of a French Mediterranean diet on heart transplant recipients with hypercholesterolemia.* Am J Cardiol. 1994 Apr 15;73(11):825-7.

DE LORGERIL M, RICHARD MJ, ARNAUD J, ET AL. *Increased production of reactive oxygen species in pharmacologically-immunosuppressed patients.* Chem Biol Interact. 1994 Jun;91(2-3):159-64.

DE LORGERIL M, BOISSONNAT P, MAMELLE N, ET AL. *Platelet aggregation and HDL cholesterol are predictive of acute coronary events in heart transplant recipients.* Circulation. 1994 Jun;89(6):2590-4.

BOISSONNAT P, SALEN P, FERRERA R, DUREAU G, DE LORGERIL M. *The long-term effects of the lipid-lowering agent fenofibrate in hyperlipidemic heart transplant recipients.* Transplantation. 1994 27;58(2):245-7.

DE LORGERIL M, BOISSONNAT P, SALEN P, ET AL. *The beneficial effect of dietary antioxidant supplementation on platelet aggregation and cyclosporine treatment in heart transplant recipients.* Transplantation. 1994;58:193-5.

DE LORGERIL M. *Oxidative stress and lipid-protein peroxidation after cardiac transplantation. New hypotheses for explaining pathogenesis of accelerated forms of ischemic heart disease.* Arch Mal Coeur Vaiss. 1994 Nov;87(11):1467-73.

FERRERA R, FORRAT R, MARCSEK P, DE LORGERIL M, DUREAU G. *Importance of initial coronary artery flow after heart procurement to assess heart viability before transplantation.* Circulation. 1995;91:257-61.

VOIGLIO E, DESSEIGNE P, DE LORGERIL M, TABIB A. *Echocardiography is not a good way of monitoring cardiac grafts after abdominal heterotopic transplantation in the rat.* Transplant Proc. 1995;27(2):1690.

BOISSONNAT P, MORLET D, LOIRE R, DUREAU G, DE LORGERIL M. *Value of coronary angiography in the diagnosis of coronary artery disease of the transplanted heart. Coronary angiography and arteriosclerosis of the graft.* Arch Mal Coeur Vaiss. 1995;88:1007-11.

FORRAT R, FERRERA R, BOISSONNAT P, ADELEINE P, DUREAU G, NINET J, DE LORGERIL M. *High prevalence of thromoembolic complications in heart transplant recipients. Which preventive strategy?* Transplantation. 1996 Mar 15;61(5):757-62.

DE LORGERIL M, BOISSONNAT P, SALEN P, MONJAUD I, DUREAU G. *Fenofibrate, probucol, and other lipid-lowering treatments in heart transplant recipients.* J Heart Lung Transplant. 1996 May;15(5):539-40.

BOISSONNAT P, DE LORGERIL M, PERROUX V, ET AL. *A drug interaction study between ticlopidine and cyclosporin in heart transplant recipients.* Eur J Clin Pharmacol. 1997;53(1):39-45.

DE LORGERIL M, BORDET JC , SALEN P, ET AL. *Ticlopidine increases nitric oxide generation in heart-transplant recipients: a possible novel property of ticlopidine.* J Cardiovasc Pharmacol. 1998;32(2):225-30.

Chapitre 4 Les formidables découvertes de l'Etude de Lyon

WATZLAVICK P. *Le langage du changement. Eléments de communication thérapeutique.* Editions du Seuil, 1980.

RENAUD S, DE LORGERIL M. *Dietary lipids and their relation to ischaemic heart disease: from epidemiology to prevention.* J Intern Med Suppl. 1989;731:39-46.

DE LORGERIL M, RENAUD S, MAMELLE N, SALEN P, MARTIN JL , MONJAUD I, GUIDOLLET J, TOUBOUL P, DELAYE J. *Mediterranean alpha-linolenic acid-rich diet in secondary prevention of coronary heart disease.* Lancet. 1994 Jun 11;343(8911):1454-9. Erratum in: Lancet 1995 Mar 18;345(8951):738.

RENAUD S, DE LORGERIL M, DELAYE J, GUIDOLLET J, JACQUARD F, MAMELLE N, MARTIN JL , MONJAUD I, SALEN P, TOUBOUL P. *Cretan Mediterranean diet for prevention of coronary heart disease.* Am J Clin Nutr. 1995 Jun;61(6 Suppl):1360S-1367S.

SEBB AG L, FORRAT R, CANET E, RENAUD S, DELAYE J, DE LORGERIL M. *Effects of dietary supplementation with alpha-tocopherol on myocardial infarct size and ventricular arrhythmias in a dog model of ischemia-reperfusion.* J Am Coll Cardiol. 1994 Nov 15;24(6):1580-5.

DE LORGERIL M, SALEN P, MARTIN JL , MAMELLE N, MONJAUD I, TOUBOUL P, DELAYE J. *Effect of a mediterranean type of diet on the rate of cardiovascular complications in patients with coronary artery disease. Insights into the cardioprotective effect of certain nutriments.* J Am Coll Cardiol. 1996 Nov 1;28(5):1103-8.

DE LORGERIL M, SALEN P, MONJAUD I, DELAYE J. *The 'diet heart' hypothesis in secondary prevention of coronary heart disease.* Eur Heart J. 1997 Jan;18(1):13-8.

DE LORGERIL M, SALEN P, CAILLAT-VALLET E, HANAUER MT , MAMELLE N. *Control of bias in dietary trial to prevent coronary recurrences: The Lyon Diet Heart Study.* Eur J Clin Nutr. 1997;51:116-22.

DE LORGERIL M, SALEN P, MARTIN JL , MONJAUD I, BOUCHER P, MAMELLE N. *Mediterranean dietary pattern in a randomized trial: prolonged survival and possible reduced cancer rate.* Arch Intern Med. 1998 Jun 8;158(11):1181-7.

DE LORGERIL M. *Mediterranean diet in the prevention of coronary heart disease.* Nutrition. 1998 Jan;14(1):55-7.

DE LORGERIL M, SALEN P, MARTIN JL , MONJAUD I, DELAYE J, MAMELLE N. *Mediterranean diet, traditional risk factors, and the rate of cardiovascular complications after myocardial infarction: final report of the Lyon Diet Heart Study.* Circulation. 1999 Feb 16;99(6):779-85.

DE LORGERIL M, SALEN P *Diet as preventive medicine in cardiology.* Curr Opin Cardiol. 2000 Sep;15(5):364-70.

DE LORGERIL M, SALEN P, PAILLARD F. *Diet and medication for heart protection in secondary prevention of coronary heart disease.* New concepts. Nutr Metab Cardiovasc Dis. 2000 Aug;10(4):216-22.

DE LORGERIL M, SALEN P. *Modified Cretan Mediterranean diet in the prevention of coronary heart disease and cancer.* World Rev Nutr Diet. 2000;87:1-23.

DE LORGERIL M, SALEN P. *Mediterranean type of diet for the prevention of coronary heart disease. A global perspective from the seven countries study to the most recent dietary trials.* Int J Vitam Nutr Res. 2001 May;71(3):166-72.

DE LORGERIL M, SALEN P. *Dietary prevention of coronary heart disease: the Lyon diet heart study and after.* World Rev Nutr Diet. 2005;95:103-14.

DE LORGERIL M, SALEN P. *The Mediterranean diet in secondary prevention of coronary heart disease.* Clin Invest Med. 2006 Jun;29(3):154-8.

DE LORGERIL M, SALEN P. *The Mediterranean-style diet for the prevention of cardiovascular diseases.* Public Health Nutr. 2006 Feb;9(1A):118-23.

DE LORGERIL M, SALEN P. *Modified cretan Mediterranean diet in the prevention of coronary heart disease and cancer: An update.* World Rev Nutr Diet. 2007;97:1-32.

DE LORGERIL M, SALEN P. *Mediterranean diet and n-3 fatty acids in the prevention and treatment of cardiovascular disease.* J Cardiovasc Med (Hagerstown). 2007 Sep;8 Suppl 1:S38-41.

DE LORGERIL M, SALEN P. *The Mediterranean diet: rationale and evidence for its benefit.* Curr Atheroscler Rep. 2008 Dec;10(6):518-22.

DI GIUSEPPE R, ET AL. *European Collaborative Group of the IMMIDIET Project. Alcohol consumption and n-3 polyunsaturated fatty acids in healthy men and women from 3 European populations.* Am J Clin Nutr. 2009 Jan;89(1):354-62.

Chapitre 5 La nutrition au secours des insuffisants cardiaques

VEDRINNE C, SEBB AG L, ARVIEUX C, CANNET E, FORRAT R, HADOUR G, FERRERA R, GUIDOLLET J, LEHOT JJ , DE LORGERIL M. *Effect of trimetazidine on postischemic regional myocardial stunning in the halothane-anesthetized dog.* J Cardiovasc Pharmacol. 1996 Oct;28(4):500-6.

DE LORGERIL M. *Dietary arginine and the prevention of cardiovascular diseases.* Cardiovasc Res. 1998 Mar;37(3):560-3.

FORRAT R, DE LORGERIL M, HADOUR G, SEBB AG L, DELAYE J, FERRERA R. *Effect of chronic oral supplementation with alpha-tocopherol on myocardial stunning in the dog.* J Cardiovasc Pharmacol. 1997 Apr;29(4):457-62.

FORRAT R, DE LORGERIL M, HADOUR G, SEBB AG L, DELAYE J, FERRERA R. *Effect of chronic severe diabetes on myocardial stunning in the dog.* J Mol Cell Cardiol. 1998 Sep;30(9):1889-95.

HADOUR G, FERRERA R, SEBB AG L, FORRAT R, DELAYE J, DE LORGERIL M. *Improved myocardial tolerance to ischaemia in the diabetic rabbit.* J Mol Cell Cardiol. 1998 Sep;30(9):1869-75.

DE LORGERIL M, SALEN P. *Selenium and antioxidant defenses as major mediators in the development of chronic heart failure.* Heart Fail Rev. 2006 Mar;11(1):13-7.

DE LORGERIL M, SALEN P, DEFAYE P. *Importance of nutrition in chronic heart failure patients.* Eur Heart J. 2005 Nov;26(21):2215-7.

TANGUY S, MOREL S, BERTHONNECHE C, TOUFEKTSIAN MC , DE LORGERIL M, ET AL. *Preischemic selenium status as a major determinant of myocardial infarct size in vivo in rats.* Antioxid Redox Signal. 2004 Aug;6(4):792-6.

DE LORGERIL M, SALEN P, ACCOMINOTTI M, CADAU M, STEGHENS JP , BOUCHER F, DE LEIRIS J. *Dietary and blood antioxidants in patients with chronic heart failure. Insights into the potential importance of selenium in heart failure.* Eur J Heart Fail. 2001 Dec;3(6):661-9.

DE LORGERIL M, SALEN P. *Selenium and chronic heart failure.* Circulation. 2000 Feb 8;101(5):E74.

PFISTER R, ET AL. *Plasma vitamin C predicts incident heart failure in EPIC (European Prospective Investigation into Cancer and Nutrition).* The Norfolk Study. Am Heart J 2011;162:246-53.

PARTIE 2

Chapitre 1 Les complications de l'infarctus

{Ne figurent ici que des références importantes, à mon sens, et vraiment utiles pour un lecteur curieux qui voudrait faire une recherche personnelle sans trop perdre de temps au départ}

HEIDENREICH PA, ET AL. *Overview of randomized trials of antiarrhythmic drugs and devices for the prevention of sudden cardiac death.* Am Heart J. 2002 Sep;144(3):422-30.

HILLEMAN DE, BAUMAN AL. *Role of antiarrhythmic therapy in patients at risk for sudden cardiac death: an evidence-based review.* Pharmacotherapy. 2001;21(5):556-75.

KILLIP T. *Arrhythmias in myocardial infarction.* Med Clin North Am. 1976 Mar;60(2):233-44.

LIBERTHSON RR, ET AL. *Pathophysiologic observations in prehospital ventricular fibrillation and sudden cardiac death.* Circulation. 1974;49(5):790-8.

BIGGER JT JR, ET AL. *Ventricular arrhythmias in ischemic heart disease: mechanism, prevalence, significance, and management.* Prog Cardiovasc Dis. 1977;19(4):255-300.

MONTGOMERY BJ. *Antiarrhythmic agents may cause sudden death; drug testing urged.* JAMA. 1979;241(17):1771.

LOWN B. *Sudden cardiac death: the major challenge confronting contemporary cardiology.* Am J Cardiol. 1979;43(2):313-28.

[NO AUTHORS LISTED] *A randomized trial of propranolol in patients with acute myocardial infarction. I. Mortality results.* JAMA. 1982;247(12):1707-14.

HEGER JJ, PRYSTOWSKY EN, ZIPES DP. *Clinical efficacy of amiodarone in treatment of recurrent ventricular tachycardia and ventricular fibrillation.* Am Heart J. 1983 Oct;106(4 Pt 2):887-94.

BIGGER JT JR. *Patients with malignant or potentially malignant ventricular arrhythmias: opportunities and limitations of drug therapy in prevention of sudden death.* J Am Coll Cardiol. 1985;5(6 Suppl):23B-26B.

BUSS J, NEUSS H, BILGIN Y, SCHLEPPER M. *Malignant ventricular tachyarrhythmias in association with propafenone treatment.* Eur Heart J. 1985;6(5):424-8.

[NO AUTHORS LISTED] *Preliminary report: effect of encainide and flecainide on mortality in a randomized trial of arrhythmia suppression after myocardial infarction. The Cardiac Arrhythmia Suppression Trial (CAST) Investigators.* N Engl J Med. 1989;321(6):406-12

ABDUKEYUM GG, OWEN AJ, MCLENNAN PL. *Dietary (n-3) long-chain polyunsaturated fatty acids inhibit ischemia and reperfusion arrhythmias and infarction in rat heart not enhanced by ischemic preconditioning.* J Nutr. 2008 Oct;138(10):1902-9.

TAGGART P, YELLON DM. *Preconditioning and arrhythmias.* Circulation. 2002;106:2999-3001.

FERDINANDY P, SCHULZ R, BAXTER GF. *Interaction of cardiovascular risk factors with myocardial ischemia/reperfusion injury, preconditioning, and postconditioning.* Pharmacol Rev. 2007 Dec;59(4):418-58. Epub 2007 Nov 29.

PARRATT JR, ET AL. *Protection by preconditioning and cardiac pacing against ventricular arrhythmias resulting from ischemia and reperfusion.* Ann N Y Acad Sci. 1996;793:98-107.

MURRY CE, JENNINGS RB, REIMER KA. *New insights into potential mechanisms of ischemic preconditioning.* Circulation. 1991 Jul;84(1):442-5.

MARINACCIO L, ET AL. *Effect of low doses of alcohol on the warm-up phenomenon in patients with stable angina pectoris.* Am J Cardiol. 2008 Jul 15;102(2):146-9.

COLLINS MA, ET AL. *Alcohol in moderation, cardioprotection, and neuroprotection: epidemiological considerations and mechanistic studies.* Alcohol Clin Exp Res. 2009 Feb;33(2):206-19.

DE LORGERIL M, ET AL. *Resveratrol and non-ethanolic components of wine in experimental cardiology.* Nutr Metab Cardiovasc Dis. 2003 Apr;13(2):100-3.

ZEGHICHI-HAMRI S, DE LORGERIL M, ET AL. *Protective effect of dietary n-3 polyunsaturated fatty acids on myocardial resistance to ischemia-reperfusion injury in rats.* Nutr Res. 2010;30(12):849-57.

TOUFEKTSIAN MC, DE LORGERIL M, ET AL. *Chronic dietary intake of plant-derived anthocyanins protects the rat heart against ischemia-reperfusion injury.* J Nutr. 2008 Apr;138(4):747-52.

SHINMURA K, TAMAKI K, BOLLI R. *Impact of 6-mo caloric restriction on myocardial ischemic tolerance: possible involvement of nitric oxide-dependent increase in nuclear Sirt1.* Am J Physiol Heart Circ Physiol. 2008 Dec;295(6):H2348-55.

SCARABELLI TM. *Targeting STAT1 by myricetin and delphinidin provides efficient protection of the heart from ischemia/reperfusion-induced injury.* FEBS Lett. 2009;583:531-41.

AKHLAGHI M, BANDY B. *Mechanisms of flavonoid protection against myocardial ischemia-reperfusion injury.* J Mol Cell Cardiol. 2009;46(3):309-17.

Chapitre 3 Comment une artère se bouche : la thrombose

DE PERGOLA G, DE MITRIO V, SCIARAFFIA M, ET AL. *Lower androgenicity is associated with higher plasma levels of prothrombotic factors irrespective of age, obesity, body fat distribution, and related metabolic parameters in men.* Metabolism. 1997 Nov; 46(11):1287-93.

CUGNO M, CASTELLI R, MARI D, ET AL. *Inflammatory and prothrombotic parameters in normotensive non-diabetic obese women: effect of weight loss obtained by gastric banding.* Intern Emerg Med. 2011 Jan 20.

BHATT DL. *What makes platelets angry: diabetes, fibrinogen, obesity, and impaired response to anti-platelet therapy?* J Am Coll Cardiol. 2008 Sep 23; 52(13):1060-1.

DE LUCA G, ET AL; NOVARA ATHEROSCLEROSIS STUDY GROUP (NAS). *High fibrinogen level is an independent predictor of presence and extent of coronary artery disease among Italian population.* J Thromb Thrombolysis. 2010 Nov 16.

THOMPSON SG, KIENAST J, PYKE SD, HAVERKATE F, VAN DE LOO JC. *Hemostatic factors and the risk of myocardial infarction or sudden death in patients with angina pectoris. European Concerted Action on Thrombosis and Disabilities Angina Pectoris Study Group.* N Engl J Med. 1995 Mar 9; 332(10):635-41.

JUHAN-VAGUE I, ET AL. *Fibrinolytic factors and the risk of myocardial infarction or sudden death in patients with angina pectoris. ECAT Study Group. European Concerted Action on Thrombosis and Disabilities.* Circulation. 1996 Nov 1; 94(9):2057-63.

WIMAN B, ET AL. *Plasma levels of tissue plasminogen activator/plasminogen activator inhibitor-1 complex and von Willebrand factor are significant risk markers for recurrent myocardial infarction in the Stockholm Heart Epidemiology Program (SHEEP) study.* Arterioscler Thromb Vasc Biol. 2000 Aug; 20(8):2019-23.

CHUANG SY, ET AL. *Fibrinogen independently predicts the development of ischemic stroke in a Taiwanese population: CVDFACTS study.* Stroke. 2009;40(5):1578-84.

PANAGIOTAKOS DB, ET AL; *AIRGENE Study Group. Mediterranean diet and inflammatory response in myocardial infarction survivors.* Int J Epidemiol. 2009 Jun;38(3):856-66.

KANNEL WB, D'AGOSTINO RB, WILSON PW, BELANGER AJ, GAGNON DR. *Diabetes, fibrinogen, and risk of cardiovascular disease: the Framingham experience.* Am Heart J. 1990;120(3):672-6.

KANNEL WB. *Update on fibrinogen as a cardiovascular risk factor.* Ann Epidemiol. 1992;2(4):457-66.

GANDA OP, ARKIN CF. *Hyperfibrinogenemia. An important risk factor for vascular complications in diabetes.* Diabetes Care. 1992 Oct;15(10):1245-50.

MILLS NL, ET AL. *Diesel exhaust inhalation causes vascular dysfunction and impaired endogenous fibrinolysis.* Circulation. 2005 Dec 20;112(25):3930-6.

TÖRNQVIST H, ET AL. *Persistent endothelial dysfunction in humans after diesel exhaust inhalation.* Am J Respir Crit Care Med. 2007 Aug 15; 176(4):395-400.

MILLS NL, ET AL. *Ischemic and thrombotic effects of dilute diesel-exhaust inhalation in men with coronary heart disease.* N Engl J Med. 2007 Sep 13; 357(11):1075-82.

LANGRISH JP. *Contribution of endothelin 1 to the vascular effects of diesel exhaust inhalation in humans.* Hypertension. 2009 Oct; 54(4):910-5.

KOSCHINSKY ML. *Lipoprotein(a) and atherosclerosis: new perspectives on the mechanism of action of an enigmatic lipoprotein.* Curr Atheroscler Rep. 2005 Sep; 7(5):389-95.

WOMACK CJ, ET AL. *Exercise-induced changes in coagulation and fibrinolysis in healthy populations and patients with cardiovascular disease.* Sports Med. 2003;33(11):795-807.

DI FRANCESCOMARINO S, ET AL. *The effect of physical exercise on endothelial function.* Sports Med. 2009;39(10):797-812.

Chapitre 4 Comment une artère se rétrécit, l'exemple de l'athérosclérose

DUGUID JB. *Thrombosis as a factor in the pathogenesis of coronary atherosclerosis.* J Pathol Bacteriol. 1946 Apr;58:207-12.

DUGUID JB. *Mural thrombosis in arteries.* Br Med Bull. 1955;11(1):36-8.

SCHWARTZ CJ, ET AL. *Thrombosis and the development of atherosclerosis: Rokitansky revisited.* Semin Thromb Hemost. 1988 Apr;14(2):189-95.

BAGOT CN, ARYA R. *Virchow and his triad: a question of attribution.* Br J Haematol. 2008 Oct;143(2):180-90.

BENDITT EP. *The origin of atherosclerosis.* Sci Am. 1977;236(2):74-85.

MURRY CE, GIPAYA CT, BARTOSEK T, BENDITT EP, SCHWARTZ SM. *Monoclonality of smooth muscle cells in human atherosclerosis.* Am J Pathol. 1997;151(3):697-705.

SCHWARTZ SM, MAJESKY MW, MURRY CE. *The intima: development and monoclonal responses to injury.* Atherosclerosis. 1995 Dec;118 Suppl:S125-40.

O'BRIEN ER, ET AL. *Replication in restenotic atherectomy tissue.* Atherosclerosis. 2000;152(1):117-26.

ROSS R. *Cell biology of atherosclerosis.* Annu Rev Physiol. 1995;57:791-804.

ROSS R. *The pathogenesis of atherosclerosis--an update.* N Engl J Med. 1986 Feb 20;314(8):488-500.

ROSS R, GLOMSET J, HARKER L. *Response to injury and atherogenesis.* Am J Pathol. 1977;86(3):675-84.

KOLODGIE FD, GOLD HK, BURKE AP, VIRMANI R, ET AL. *Intraplaque hemorrhage and progression of coronary atheroma.* N Engl J Med. 2003 Dec 11;349(24):2316-25.

VIRMANI R, KOLODGIE FD, BURKE AP, ET AL. *Atherosclerotic plaque progression and vulnerability to rupture: angiogenesis as a source of intraplaque hemorrhage.* Arterioscler Thromb Vasc Biol. 2005 Oct;25(10):2054-61. Epub 2005 Jul 21.

SUK DANIK J, ET AL. *Lipoprotein(a), measured with an assay independent of apolipoprotein(a) isoform size, and risk of future cardiovascular events among initially healthy women.* JAMA. 2006 Sep 20;296(11):1363-70.

CLARKE R, ET AL; *PROCARDIS Consortium. Genetic variants associated with Lp(a) lipoprotein level and coronary disease.* N Engl J Med. 2009 Dec 24;361(26):2518-28.

OPSTAD TB, PETTERSEN AA, WEISS T, ARNESEN H, SELJEFLOT I. *Gender differences of polymorphisms in the TF and TFPI genes, as related to phenotypes in patients with coronary heart disease and type-2 diabetes.* Thromb J. 2010 May 5;8:7.

CHEN YJ, ET AL. *Adiponectin inhibits tissue factor expression and enhances tissue factor pathway inhibitor expression in human endothelial cells.* Thromb Haemost. 2008 Aug; 100(2):291-300.

KADOWAKI T, ET AL. *Adiponectin and adiponectin receptors* Endocr Rev. 2005; 26(3):439-51.

BUENO AA, ET AL. *Effects of different fatty acids and dietary lipids on adiponectin gene expression in 3T3-L1 cells and C57BL/6J mice adipose tissue.* Pflugers Arch. 2008 Jan;455(4):701-9.

FLACHS P, ET AL. *Polyunsaturated fatty acids of marine origin induce adiponectin in mice fed a high-fat diet.* Diabetologia. 2006 Feb;49(2):394-7.

BANGA A, UNAL R, ET AL. *Adiponectin translation is increased by the PPARgamma agonists pioglitazone and omega-3 fatty acids.* Am J Physiol Endocrinol Metab. 2009 Mar; 296(3):E480-9.

PISCHON T, ET AL. *Plasma adiponectin levels and risk of myocardial infarction in men.* JAMA. 2004 Apr 14;291(14):1730-7.

Chapitre 5 Les accidents vasculaires cérébraux

SHIBER JR, ET AL. *Stroke registry: hemorrhagic vs ischemic strokes.* Am J Emerg Med. 2010;28(3):331-3.

ADAMS HP JR, ET AL *American Heart Association; American Stroke Association Stroke Council; etc.* Stroke. 2007 May;38(5):1655-711.

BROTT TG, ET AL; *CREST Investigators. Stenting versus endarterectomy for treatment of carotid-artery stenosis.* N Engl J Med. 2010 Jul 1;363(1):11-23.

LASTILLA M. *Lacunar infarct.* Clin Exp Hypertens. 2006 Apr-May;28(3-4):205-15.

NAH HW, KANG DW, KWON SU, KIM JS. *Diversity of single small subcortical infarctions according to infarct location and parent artery disease: analysis of indicators for small vessel disease and atherosclerosis.* Stroke. 2010 Dec;41(12):2822-7.

PICO F, ET AL. *Association of small-vessel disease with dilatative arteriopathy of the brain: neuropathologic evidence.* Stroke. 2007 Apr;38(4):1197-202.

LAMMIE GA, BRANNAN F, SLATTERY J, WARLOW C. *Nonhypertensive cerebral small-vessel disease.* An autopsy study. Stroke. 1997 Nov;28(11):2222-9.

PROSPECTIVE STUDIES COLLABORATION. *Cholesterol, diastolic blood pressure, and stroke: 13,000 strokes in 450,000 people in 45 prospective cohorts.* Lancet. 1995;346(8991-8992):1647-53.

SHINTON R, BEEVERS G. *Meta-analysis of relation between cigarette smoking and stroke.* BMJ. 1989 25;298:789-94.

WARDLAW JM, MURRAY V, BERGE E, DEL ZOPPO GJ. *Thrombolysis for acute ischaemic stroke.* Cochrane Database Syst Rev. 2009 Oct 7;(4):CD000213.

STEGMAYR B, ASPLUND K. *Diabetes as a risk factor for stroke. A population perspective.* Diabetologia. 1995 Sep;38(9):1061-8.

COLLINS R, ET AL. *Blood pressure, stroke, and coronary heart disease. Part 2, Short-term reductions in blood pressure: overview of randomised drug trials in their epidemiological context.* Lancet. 1990 Apr 7;335(8693):827-38.

MAS JL, ET AL. *Patent Foramen Ovale and Atrial Septal Aneurysm Study Group. Recurrent cerebrovascular events associated with patent foramen ovale, atrial septal aneurysm, or both.* N Engl J Med. 2001 Dec 13;345(24):1740-6.

GIROUD M, ET AL. *Risk factors for primary cerebral hemorrhage: a population-based study--the Stroke Registry of Dijon.* Neuroepidemiology. 1995;14(1):20-6.

BOTTO N, SPADONI I, GIUSTI S, AIT-ALI L, SICARI R, ANDREASSI MG. *Prothrombotic mutations as risk factors for cryptogenic ischemic cerebrovascular events in young subjects with patent foramen ovale.* Stroke. 2007 Jul;38(7):2070-3.

PEZZINI A, ET AL. *Inherited thrombophilic disorders in young adults with ischemic stroke and patent foramen ovale.* Stroke. 2003 Jan; 34(1):28-33.

NATIONAL INSTITUTE OF NEUROLOGICAL DISORDERS AND STROKE rt-PA STROKE STUDY GROUP. *Tissue plasminogen activator for acute ischemic stroke. The National Institute of Neurological Disorders and Stroke rt-PA Stroke Study Group.* N Engl J Med. 1995;333(24):1581-7.

HACKE W, ET AL; *ECASS Investigators. Thrombolysis with alteplase 3 to 4.5 hours after acute ischemic stroke.* N Engl J Med. 2008;359(13):1317-29.

WITT BJ, ET AL. *The incidence of stroke after myocardial infarction: a meta-analysis.* Am J Med. 2006;119(4):354.e1-9.

KASNER SE, GROTTA JC. *Emergency identification and treatment of acute ischemic stroke.* Ann Emerg Med. 1997;30(5):642-53.

LEIRA EC, ET AL. *Can we predict early recurrence in acute stroke?.* Cerebrovasc Dis. 2004;18(2):139-44.

WARDLAW JM, ET AL. *Early signs of brain infarction at CT: observer reliability and outcome after thrombolytic treatment--systematic review.* Radiology. 2005;235(2):444-53.

THE NINDS rt-PA STROKE STUDY GROUP. *Tissue plasminogen activator for acute ischemic stroke. The National Institute of Neurological Disorders and Stroke rt-PA Stroke Study Group.* N Engl J Med. 1995;333(24):1581-7.

von Kummer R, et al. *Acute stroke: usefulness of early CT findings before thrombolytic therapy.* Radiology. 1997;205(2):327-33.

Wintermark M, et al. *Prognostic accuracy of cerebral blood flow measurement by perfusion computed tomography, at the time of emergency room admission, in acute stroke patients.* Ann Neurol. 2002;51(4):417-32.

Verro P, et al. CT *angiography in acute ischemic stroke: preliminary results.* Stroke. 2002;33(1):276-8.

Lee LJ, et al. *Impact on stroke subtype diagnosis of early diffusion-weighted magnetic resonance imaging and magnetic resonance angiography.* Stroke. 2000;31(5):1081-9.

Lees KR, et al. *Time to treatment with intravenous alteplase and outcome in stroke: an updated pooled analysis of ECASS, ATLANTIS, NINDS, and EPITHET trials.* Lancet. 2010;375:1695-703.

Macleod MR, et al. *Results of a multicentre, randomised controlled trial of intra-arterial urokinase in the treatment of acute posterior circulation ischaemic stroke.* Cerebrovasc Dis. 2005;20(1):12-7.

Gobin YP, et al. *MERCI 1: a phase 1 study of Mechanical Embolus Removal in Cerebral Ischemia.* Stroke. Dec 2004;35(12):2848-54.

Smith WS, , et al. *Safety and efficacy of mechanical embolectomy in acute ischemic stroke: results of the MERCI trial.* Stroke. 2005;36(7):1432-8.

Furlan A, et al. *Intra-arterial prourokinase for acute ischemic stroke. The PROACT II study: a randomized controlled trial. Prolyse in Acute Cerebral Thromboembolism.* JAMA. 1999;282(21):2003-11.

Berlis A, et al. *Mechanical thrombolysis in acute ischemic stroke with endovascular photoacoustic recanalization.* Stroke. 2004;35(5):1112-6.

Dengler R, et al. *Early treatment with aspirin plus extended-release dipyridamole for transient ischaemic attack or ischaemic stroke within 24 h of symptom onset (EARLY trial): a randomised, open-label, blinded-endpoint trial.* Lancet Neurol. 2010;9(2):159-66.

Milionis HJ, et al. *Statin therapy after first stroke reduces 10-year stroke recurrence and improves survival.* Neurology. 2009;72(21):1816-22.

Bronner LL, et al. *Primary prevention of stroke.* N Engl J Med. 1995;333:1392-400.

Brott T, Bogousslavsky J. *Treatment of acute ischemic stroke.* N Engl J Med. Sep 7 2000;343(10):710-22.

Gubitz G, Sandercock P, Counsell C. *Anticoagulants for acute ischaemic stroke.* Cochrane Database Syst Rev. 2004;CD000024.

Kase CS, Wolf PA, Chodosh EH, et al. *Prevalence of silent stroke in patients presenting with initial stroke: the Framingham Study.* Stroke. 1989;20(7):850-2.

LEWANDOWSKI C, BARSAN W. *Treatment of acute ischemic stroke.* Ann Emerg Med. 2001;37(2):202-16.

PARNETTI L, ET AL. *Mild hyperhomocysteinemia is a risk-factor in all etiological subtypes of stroke.* Neurol Sci. 2004;25(1):13-7.

RIBO M, ET AL. *Safety and efficacy of intravenous tissue plasminogen activator stroke treatment in the 3- to 6-hour window using multimodal transcranial Doppler/MRI selection protocol.* Stroke. Mar 2005;36(3):602-6.

TOMSON J, LIP GY. *Blood pressure changes in acute haemorrhagic stroke.* Blood Press Monit. Aug 2005;10(4):197-9.

WECHSLER LR, ROBERTS R, FURLAN AJ, ET AL. *Factors influencing outcome and treatment effect in PROACT II.* Stroke. May 2003;34(5):1224-9.

WILTERDINK JL, ET AL. *Effect of prior aspirin use on stroke severity in the trial of Org 10172 in acute stroke treatment (TOAST).* Stroke. Dec 1 2001;32(12):2836-40.

AMARENCO P, ET AL; *Stroke Prevention by Aggressive Reduction in Cholesterol Levels (SPARCL) Investigators. High-dose atorvastatin after stroke or transient ischemic attack.* N Engl J Med. 2006;355(6):549-59.

PARTIE 3

Chapitre 1 L'hérédité

POLEDNE R, ET AL. *Why we are not able to find the coronary heart disease gene - apoE as an example.* Folia Biol (Praha). 2010;56(5):218-22.

ALVIM RO, ET AL. *APOE polymorphism is associated with lipid profile, but not with arterial stiffness in the general population.* Lipids Health Dis. 2010 Nov 8;9:128.

ANTHOPOULOS PG, ET AL. *Apolipoprotein E polymorphisms and type 2 diabetes: a meta-analysis of 30 studies including 5423 cases and 8197 controls.* Mol Genet Metab. 2010 ;100(3):283-91.

MONTAGUE CT, FAROOQI IS, WHITEHEAD JP, ET AL. *Congenital leptin deficiency is associated with severe early-onset obesity in humans.* Nature. 1997;387(6636):903-8.

FAROOQI IS, WANGENSTEEN T, COLLINS S ET AL. *Clinical and molecular genetic spectrum of congenital deficiency of the leptin receptor.* New Eng J Med, 2007;356:237-247.

ANWAY MD, CUPP AS, UZUMCU M, SKINNER MK. *Epigenetic transgenerational actions of endocrine disruptors and male fertility.* Science. 2005;308(5727):1466-9. Erratum in: Science. 2010 May 7;328(5979):690.

NENSETER MS, ET AL. *Lipoprotein(a) levels in coronary heart disease-susceptible and -resistant patients with familial hypercholesterolemia.* Atherosclerosis. 2011 Mar 2.

Chapitre 2 Hommes et femmes sont-ils égaux devant l'infarctus ?

VACCARINO V, ET AL. *Ischaemic heart disease in women: are there sex differences in pathophysiology and risk factors? Position Paper from the Working Group on Coronary Pathophysiology and Microcirculation of the European Society of Cardiology.* Cardiovasc Res. 2011;0(2011):cvq394v2-cvq394.

HULLEY S, ET AL. *Randomized trial of estrogen plus progestin for secondary prevention of coronary heart disease in postmenopausal women.* JAMA 1998;280:605-613.

GRADY D, ET AL. *Cardiovascular disease outcomes during 6.8 years of hormone therapy: Heart and Estrogen/progestin Replacement Study follow-up (HERS II).* JAMA 2002;288:49-57.

ROSSOUW JE, ET AL. *Risks and benefits of estrogen plus progestin in healthy postmenopausal women: principal results From the Women's Health Initiative randomized controlled trial.* JAMA 2002;288:321-333.

WITTSTEIN IS, ET AL. *Neurohumoral features of myocardial stunning due to sudden emotional stress.* N Engl J Med 2005;352:539-548.

LOW CA, ET AL. *Psychosocial Factors in the Development of Heart Disease in Women: Current Research and Future Directions.* Psychosom. Med. 2010;72(9):842-854.

Chapitre 4 La consommation de tabac et autres substances addictives

DE LORGERIL M, ET AL. *Acute influence of cigarette smoke in platelets, catecholamines and neurophysins in the normal conditions of daily life.* Eur Heart J. 1985;6:1063-8.

DE LORGERIL M, REINHARZ A. *Possible role of vasopressin in ischemic accidents related to tobacco consumption.* Arch Mal Coeur Vaiss. 1984;77:71-5.

HALL W. *Adverse health effects of non-medical cannabis use.* Lancet. 2009;374:1383-91.

LIPPI G, ET AL. *Cocaine in acute myocardial infarction.* Adv Clin Chem. 2010;51:53-70.

PHILLIPS K, ET AL. *Cocaine cardiotoxicity: a review of the pathophysiology, pathology, and treatment options.* Am J Cardiovasc Drugs. 2009;9(3):177-96.

KLONER RA, ET AL. *The effects of acute and chronic cocaine use on the heart.* Circulation. 1992;85(2):407-19.

Chapitre 5 Le diabète

ACCORD STUDY GROUP. *Effects of medical therapies on retinopathy progression in type 2 diabetes.* N Engl J Med. 2010 Jul 15;363(3):233-44.

JOHNSON JA, BOWKER SL. *Intensive glycaemic control and cancer risk in type 2 diabetes: a meta-analysis of major trials.* Diabetologia. 2011;54:25-31.

ISMAIL-BEIGI F, ET AL. *Effect of intensive treatment of hyperglycaemia on microvascular outcomes in type 2 diabetes: an analysis of the ACCORD randomised trial.* Lancet. 2010 Aug 7;376(9739):419-30.

ACCORD STUDY GROUP. *Effects of combination lipid therapy in type 2 diabetes mellitus.* N Engl J Med. 2010 Apr 29;362(17):1563-74.

ACCORD STUDY GROUP. *Effects of intensive blood-pressure control in type 2 diabetes mellitus.* N Engl J Med. 2010 Apr 29;362(17):1575-85.

ADVANCE COLLABORATIVE GROUP. *Intensive blood glucose control and vascular outcomes in patients with type 2 diabetes.* N Engl J Med. 2008 Jun 12;358(24):2560-72.

DUCKWORTH W, ET AL. *Glucose control and vascular complications in veterans with type 2 diabetes.* N Engl J Med. 2009 Jan 8;360(2):129-39.

DORMANDY JA, ET AL. *Secondary prevention of macrovascular events in patients with type 2 diabetes in the PROactive Study (PROspective pioglitAzone Clinical Trial In macroVascular Events): a randomised controlled trial.* Lancet. 2005 Oct 8;366(9493):1279-89.

HOME PD, ET AL. *Rosiglitazone evaluated for cardiovascular outcomes in oral agent combination therapy for type 2 diabetes (RECORD): a multicentre, randomised, open-label trial.* Lancet. 2009 Jun 20;373(9681):2125-35.

YUSUF S. *Unresolved issues in the management of hypertension.* Hypertension. 2010;55:832-4.

STAESSEN JA, ET AL. *Placebo-controlled trials of blood pressure-lowering therapies for primary prevention of dementia.* Hypertension. 2011 Feb;57(2):e6-7.

STAESSEN JA, RICHART T, WANG Z, THIJS L. *Implications of recently published trials of blood pressure-lowering drugs in hypertensive or high-risk patients.* Hypertension. 2010 Apr;55(4):819-31.

SCHEEN AJ. *Prevention of type 2 diabetes mellitus through inhibition of the Renin-Angiotensin system.* Drugs. 2004;64(22):2537-65.

TUOMILEHTO J, ET AL. *Prevention of type 2 diabetes mellitus by changes in lifestyle among subjects with impaired glucose tolerance.* N Engl J Med. 2001;344:1343–50.

SALAS-SALVADÓ J, ET AL. *Reduction in the incidence of type 2 diabetes with the Mediterranean diet: results of the PREDIMED-Reus nutrition intervention randomized trial.* Diabetes Care. 2011 Jan;34(1):14-9.

PAN XR, ET AL. *Effects of diet and exercise in preventing NIDDM in people with impaired glucose tolerance. The Da Qing IGT and Diabetes Study.* Diabetes Care 1997;20:537–44.

KOSAKA K, ET AL. *Prevention of type 2 diabetes by lifestyle intervention: a Japanese trial in IGT males.* Diabetes Res Clin Pract 2005;67:152–162.

RAMACHANDRAN A, ET AL. *Indian Diabetes Prevention Programme (IDPP). The Indian Diabetes Prevention Programme shows that lifestyle modification and metformin prevent type 2 diabetes in Asian Indian subjects with impaired glucose tolerance (IDPP-1).* Diabetologia 2006;49:289–97.

ESPOSITO K, ET AL. *Effects of a Mediterranean-style diet on the need for antihyperglycemic drug therapy in patients with newly diagnosed type 2 diabetes: a randomized trial.* Ann Intern Med 2009;151:306–314.

ESTRUCH R, ET AL. *PREDIMED Study Investigators. Effects of a Mediterranean-style diet on cardiovascular risk factors: a randomized trial.* Ann Intern Med 2006;145:1–11.

SOFI F, ET AL. *Adherence to Mediterranean diet and health status: meta-analysis.* BMJ 2008;11:337:a1344.

OROZCO LJ, ET AL. *Exercise or exercise and diet for preventing type 2 diabetes mellitus.* Cochrane Database Syst Rev. 2008 Jul 16;(3):CD003054.

BERR C, ET AL. *Olive oil and cognition: results from the three-city study.* Dement Geriatr Cogn Disord. 2009;28(4):357-64.

LETENNEUR L, ET AL. *Flavonoid intake and cognitive decline over a 10-year period.* Am J Epidemiol. 2007;165(12):1364–1371.

FÉART C, ET AL. *Adherence to a Mediterranean diet and plasma fatty acids: data from the Bordeaux sample of the Three-City study.* Br J Nutr. 2011 Feb 8:1-10.

Chapitre 6 L'hypertension artérielle

CUSPIDI C, ET AL. *Prevalence and correlates of advanced retinopathy in a large selected hypertensive population. The Evaluation of Target Organ Damage in Hypertension (ETODH) study.* Blood Press. 2005;14(1):25-31.

GRUNWALD JE, ET AL. *Prevalence of ocular fundus pathology in patients with chronic kidney disease.* Clin J Am Soc Nephrol. 2010 May;5(5):867-73.

CUSPIDI C, ET AL. *Retinal microvascular changes and target organ damage in untreated essential hypertensives.* J Hypertens. 2004 Nov;22(11):2095-102.

KOKKINOS PF, ET AL. *Effects of regular exercise on blood pressure and left ventricular hypertrophy in African-American men with severe hypertension.* N Engl J Med. 1995;333:1462–7.

STOLARZ-SKRZYPEK K, ET AL. *Fatal and nonfatal outcomes, incidence of hypertension and BP changes in relation to urinary sodium excretion.* JAMA 2011;305:1777-85.

EKINCI EI, ET AL. *Dietary salt intake and mortality in patients with type 2 diabetes.* Diabetes care 2011;34:703-9.

TAYLOR RS, ET AL. *Reduced dietary salt for the prevention of cardiovascular disease: a meta-analysis of randomized controlled trials (Cochrane review).* Am J Hypertens. 2011 Aug;24(8):843-53.

BLUMENTHAL JA ET AL. *Effects of the Dietary Approaches to Stop Hypertension Diet Alone and in Combination With Exercise and Caloric Restriction on Insulin Sensitivity and Lipids.* Hypertension 2010;55:1199-1205.

SMITH PJ ET AL. *Effects of the Dietary Approaches to Stop Hypertension Diet, Exercise, and Caloric Restriction on Neurocognition in Overweight Adults With High Blood Pressure.* Hypertension 2010;55:1331-1338.

BLUMENTHAL JA, ET AL. *Effects of the DASH diet alone and in combination with exercise and weight loss on blood pressure and cardiovascular biomarkers in men and women with high blood pressure: the ENCORE study.* Arch Intern Med. 2010 Jan 25;170(2):126-35.

SACKS FM, ET AL, *DASH-Sodium Collaborative Research Group. Effects on blood pressure of reduced dietary sodium and the Dietary Approaches to Stop Hypertension (DASH) diet.* N Engl J Med. 2001;344(1):3-10.

APPEL LJ, ET AL, *DASH Collaborative Research Group. A clinical trial of the effects of dietary patterns on blood pressure.* N Engl J Med. 1997;336(16):1117-1124.

HARSHA DW, ET AL, *DASH Collaborative Research Group. Dietary Approaches to Stop Hypertension: a summary of study results.* J Am Diet Assoc. 1999;99(8 suppl):S35-S39.

HOFFMAN BM, ET AL. *Exercise and Pharmacotherapy in Patients with major depression: One-Year Follow-Up of the SMILE Study.* Psychosom Med. 2011 Feb;73(2):127-33.

KILANDER L, ET AL. *Hypertension is related to cognitive impairment: a 20-year follow-up of 999 men.* Hypertension. 1998; 31: 780–786.

MANCIA G, ET AL. *Reappraisal of European guidelines on hypertension management : a European Society of Hypertension Task Force document.* Journal of Hypertension. 2009 ;27(11):2121-2158.

LAUNER LJ, ET AL. *Midlife blood pressure and dementia: the Honolulu-Asia Aging Study.* Neurobiol Aging. 2000; 21: 49–55.

SINGH-MANOUX A, MARMOT M. *High blood pressure was associated with cognitive function in middle-age in the Whitehall II Study.* J Clin Epidemiol. 2005; 58: 1308–1315.

WALDSTEIN SR, ET AL. *Diagnosis of hypertension and high blood pressure levels negatively affect cognitive function in older adults.* Ann Behav Med. 2005; 29: 174–180.

McGUINNESS B, ET AL. *Systematic review: blood pressure lowering in patients without prior cerebrovascular disease for prevention of cognitive impairment and dementia.* J Neurol Neurosurg Psychiatry. 2008; 79: 4–5.

ANGEVAREN M, ET AL. *Physical activity and enhanced fitness to improve cognitive function in older people without known cognitive impairment.* Cochrane Database Syst Rev. 2008; (3): CD005381.

LAUTENSCHLAGER NT, ET AL. *Effect of physical activity on cognitive function in older adults at risk for Alzheimer disease: a randomized trial.* JAMA. 2008; 300: 1027–1037.

SCARMEAS N, ET AL. *Physical activity, diet, and risk of alzheimer disease.* JAMA. 2009; 302: 627–637.

ELIAS F, GOODELL L. *Diet and Exercise: Blood Pressure and Cognition: To Protect and Serve.* Hypertension 2010;55: 1296-1298.

FEART C, ET AL. *Adherence to a Mediterranean diet, cognitive decline, and risk of dementia.* JAMA. 2009; 302: 638–648.

WHELTON PK, ET AL. *Effects of oral potassium on blood pressure. Meta-analysis of randomized controlled clinical trials.* JAMA. 1997;277(20):1624-32.

JALAL DI, ET AL. *Increased fructose associates with elevated blood pressure.* J Am Soc Nephrol. 2010;21:1543-9.

KARANJA N, ET AL. *The DASH diet for high blood pressure: from clinical trial to dinner table.* Cleve Clin J Med. 2004 Sep;71(9):745-53.

CHEN L, ET AL. *Reducing consumption of sugar-sweetened beverages is associated with reduced blood pressure: a prospective study among United States adults.* Circulation. 2010;121:2398-406.

LIN PH. *Dietary intervention for blood pressure control: a call for action!* Am J Clin Nutr. 2009 Mar;89(3):734-5.

WHELTON SP, ET AL. *Effect of aerobic exercise on blood pressure: a meta-analysis of randomized, controlled trials.* Ann Intern Med. 2002;136(7):493-503.

BLAIR SN, ET AL. *Physical fitness and incidence of hypertension in healthy normotensive men and women.* JAMA. 1984;252(4):487–490

Chapitre 8 Le surpoids et l'obésité

CALLE EE, ET AL. *Body-mass index and mortality in a prospective cohort of U.S. adults.* N Engl J Med. 1999 Oct 7;341(15):1097-105.

ADAMS KF, ET AL. *Overweight, obesity, and mortality in a large prospective cohort of persons 50 to 71 years old.* N Engl J Med. 2006;355(8):763-78.

CALLE EE, ET AL. *Overweight, obesity, and mortality from cancer in a prospectively studied cohort of U.S. adults.* N Engl J Med. 2003;348(17):1625-38.

BIANCHINI F, ET AL. *Overweight, obesity, and cancer risk.* Lancet Oncol. 2002;3:565-74.

BERGSTRÖM A, ET AL. *Overweight as an avoidable cause of cancer in Europe.* Int J Cancer. 2001;91:421-30.

KEY TJ, ET AL. *Overnutrition: consequences and solutions. Obesity and cancer risk.* Proc Nutr Soc. 2010;69:86-90.

RENEHAN AG, ET AL. *Interpreting the epidemiological evidence linking obesity and cancer.* Eur J Cancer. 2010;46:2581-92.

ADAMS TD, ET AL. *Long-term mortality after gastric bypass surgery.* N Engl J Med. 2007;357:753-61.

Chapitre 9 La sédentarité

KOKKINOS P ET AL. *Physical Inactivity and Mortality Risk.* Cardiol Res Pract. 2011; 2011: 924945

CHURCH TS, LAMONTE MJ, BARLOW CE, BLAIR SN. *Cardiorespiratory fitness and body mass index as predictors of cardiovascular disease mortality among men with diabetes.* Archives of Internal Medicine. 2005;165(18):2114–2120.

KOKKINOS P, MYERS J, FASELIS C, ET AL. *Exercise capacity and mortality in older men: a 20-year follow-up study.* Circulation. 2010;122(8):790–797.

HANSEN D, ET AL. *Continuous low- to moderate-intensity exercise training is as effective as mode-rate- to high-intensity exercise training at lowering blood HbA(1c) in obese type 2 diabetes patients.* Diabetologia. 2009 Sep;52(9):1789-97.

LIRA VA, ET AL. *PGC-1alpha regulation by exercise training and its influences on muscle function and insulin sensitivity.* Am J Physiol Endocrinol Metab. 2010 Aug;299(2):E145-61.

WEINHEIMER EM, ET AL. *A systematic review of the separate and combined effects of energy restriction and exercise on fat-free mass in middle-aged and older adults: implications for sarcopenic obesity.* Nutr Rev. 2010 Jul;68(7):375-88.

TAYLOR R, ET AL., *Exercise-based rehabilitation for patients with coronary heart disease: systematic review and meta-analysis of randomized controlled trials,* Am J Med 2004; 116:682–692.

CLARK A, ET AL. *Meta-analysis: secondary prevention programs for patients with coronary artery disease.* Ann Intern Med 2005;143:659–72.

SUAYA JA, ET AL. *Cardiac rehabilitation and survival in older coronary patients.* J Am Coll Cardiol. 2009;54:25-33.

MOZAFFARIAN D, ET AL. *Physical activity and incidence of atrial fibrillation in older adults: the cardiovascular health study.* Circulation. 2008;118:800-7.

BILLMAN GE. *Cardiac autonomic neural remodeling and susceptibility to sudden cardiac death: effect of endurance exercise training.* Am J Physiol Heart Circ Physiol 2009; 297(4): H1171-H1193.

MONT R, ELOSUA R, BRUGADA J. *Endurance sport practice as a risk factor for atrial fibrillation and atrial flutter.* Europace 2009;11:11-17.

Chapitre 10 Le contexte professionnel ou familial

ORTH-GOMER K, ET AL. *Marital stress worsens prognosis in women with coronary heart disease.* JAMA 2000;284:3008-3014.

REES K, ET AL. *Psychological interventions for coronary heart disease.* Cochrane Database Syst Rev 2004:CD002902.

ROZANSKI A, ET AL. *The epidemiology, pathophysiology, and management of psychosocial risk factors in cardiac practice: the emerging field of behavioral cardiology.* J Am Coll Cardiol 2005;45:637-651.

Chapitre 11 Infarctus et AVC, maladies psychosomatiques ?

RUO B, ET AL. *Depressive symptoms and health-related quality of life: the Heart and Soul Study.* JAMA 2003;290:215-221.

WHANG W, ET AL. *Depression and risk of sudden cardiac death and coronary heart disease in women: results from the Nurses' Health Study.* J Am Coll Cardiol 2009;53:950-958.

KATON WJ, ET AL. *The Pathways Study: a randomized trial of collaborative care in patients with diabetes and depression.* Arch Gen Psychiatry. 2004 Oct;61(10):1042-9.

VERDEL BM, ET AL. *Use of serotonergic drugs and the risk of bleeding.* Clin Pharmacol Ther. 2011 Jan;89(1):89-96.

SCHEEN AJ. *Cardiovascular risk-benefit profile of sibutramine.* Am J Cardiovasc Drugs. 2010;10:321-34.

JAMES WP, ET AL. *Effect of sibutramine on cardiovascular outcomes in overweight and obese subjects.* N Engl J Med. 2010;363:905-17.

WHANG W, ET AL. *Depression and risk of sudden cardiac death and coronary heart disease in women: results from the Nurses' Health Study.* J Am Coll Cardiol 2009; 53:950–958.

SMOLLER JW, ET AL. *Antidepressant use and risk of incident cardiovascular morbidity and mortality among postmenopausal women in the Women's Health Initiative study.* Arch Intern Med 2009; 169:2128–2139.

DAVIDSON KW, ET AL. *Depression and cardiovascular disease: selected findings, controversies, and clinical implications from 2009.* Cleve Clin J Med. 2010 Jul;77 Suppl 3:S20-6.

SÁNCHEZ-VILLEGAS A, ET AL. *Dietary fat intake and the risk of depression: the SUN Project.* PLoS One. 2011 Jan 26;6(1):e16268.

APPLETON KM, ET AL. *Updated systematic review and meta-analysis of the effects of n-3 long-chain polyunsaturated fatty acids on depressed mood.* Am J Clin Nutr 2010 ;91: 757–770.

FREEMAN MP. *Nutrition and Psychiatry.* Am J Psychiatry 2010;167: 244–247.

VINOD K ET AL. *Role of the endocannabinoid system in depression and suicide.* Trends Pharmacol. Sci. 2006 ;27:539–45.

DEMAR JC JR. ET AL. *One generation of n-3 polyunsaturated fatty acid deprivation increases depression and aggression test scores in rats.* J. Lipid Res. 2006 ;47:172–80.

RAPOPORT SI, ET AL. *Brain metabolism of nutritionally essential polyunsaturated fatty acids depends on both the diet and the liver.* Prostaglandins Leukot. Essent. Fatty Acids 2007 ;77:251–61.

LAFOURCADE M, ET AL. *Nutritional omega-3 deficiency abolishes endocannabinoid-mediated neuronal functions.* Nat Neurosci. 2011;14:345-50.

SÁNCHEZ-VILLEGAS A, ET AL. *Association of the Mediterranean dietary pattern with the incidence of depression: the Seguimiento Universidad de Navarra/University of Navarra follow-up (SUN) cohort.* Arch Gen Psychiatry. 2009 Oct;66(10):1090-8.

SÁNCHEZ-VILLEGAS A, ET AL. *Mediterranean diet and depression.* Public Health Nutr. 2006;9:1104-9.

Chapitre 12 La pollution de l'air

NAWROT TS, ET AL. *Public health importance of triggers of myocardial infarction: a comparative risk assessment.* Lancet. 2011;377:732-40.

SILVERMAN RA, ET AL. *Association of ambient fine particles with out-of-hospital cardiac arrests in New York City.* Am J Epidemiol. 2010 Oct 15;172(8):917-23.

RUIDAVETS JB, ET AL. *Ozone air pollution is associated with acute myocardial infarction.* Circulation. 2005;111:563-9.

HENROTIN JB, ET AL. *Short-term effects of ozone air pollution on ischaemic stroke occurrence: a case-crossover analysis from a 10-year population-based study in Dijon, France.* Occup Environ Med. 2007;64:439-45.

HENROTIN JB, ET AL. *Evidence of the role of short-term exposure to ozone on ischaemic cerebral and cardiac events: the Dijon Vascular Project (DIVA).* Heart. 2010;96:1990-6.

GAN WQ, ET AL. *Changes in residential proximity to road traffic and the risk of death from coronary heart disease.* Epidemiology. 2010;21(5):642-9.

BROOK RD, ET AL ; *American Heart Association Council on Epidemiology and Prevention, Council on the Kidney in Cardiovascular Disease, and Council on Nutrition, Physical Activity and Metabolism. Particulate matter air pollution and cardiovascular disease: An update to the scientific statement from the American Heart Association.* Circulation. 2010;121:2331-78.

ANDRE L, ET AL. *Carbon monoxide pollution promotes cardiac remodeling and ventricular arrhythmia in healthy rats.* Am J Respir Crit Care Med. 2010;181(6):587-95.

MEYER G, ET AL. *Simulated urban carbon monoxide air pollution exacerbates rat heart ischemia-reperfusion injury.* Am J Physiol Heart Circ Physiol. 2010;298(5):H1445-53.

SUN Q, ET AL. *Cardiovascular effects of ambient particulate air pollution exposure.* Circulation. 2010;121:2755-65.

POPE CA 3RD. *The expanding role of air pollution in cardiovascular disease: does air pollution contribute to risk of deep vein thrombosis?* Circulation. 2009;119:3050-2.

Chapitre 13 L'infection chronique

GUAN XR, ET AL. *Respiratory syncytial virus infection and risk of acute myocardial infarction.* Am J Med Sci. 2010 Nov;340(5):356-9.

PADILLA AS, ET AL. *Early changes in inflammatory and pro-thrombotic biomarkers in patients initiating antiretroviral therapy with abacavir or tenofovir.* BMC Infect Dis. 2011 Feb 4;11:40.

LANG S, ET AL. *Impact of individual antiretroviral drugs on the risk of myocardial infarction in human immunodeficiency virus-infected patients: a case-control study nested within the French Hospital Database on HIV ANRS cohort C04.* Arch Intern Med. 2010 Jul 26;170(14):1228-38.

PARTIE 4

Chapitre 1 Les médicaments anticaillot

GAJOS G, ET AL. *Effects of polyunsaturated omega-3 fatty acids on responsiveness to dual antiplatelet therapy in patients undergoing percutaneous coronary intervention: the OMEGA-PCI (OMEGA-3 fatty acids after pci to modify responsiveness to dual antiplatelet therapy) study.* J Am Coll Cardiol. 2010;55:1671-8.

LEV EI, ET AL. *Treatment of aspirin-resistant patients with omega-3 fatty acids versus aspirin dose escalation.* J Am Coll Cardiol. 2010;55:114-21.

SCHULMAN S, ET AL. *Dabigatran versus warfarin in the treatment of acute venous thromboembolism.* N Engl J Med. 2009;361:2342-52.

CONNOLLY SJ, ET AL; RE-LY *Steering Committee and Investigators. Dabigatran versus warfarin in patients with atrial fibrillation.* N Engl J Med. 2009;361:1139-51.

NAGARAKANTI R, ET AL. *Dabigatran versus warfarin in patients with atrial fibrillation: an analysis of patients undergoing cardioversion.* Circulation. 2011;123(2):131-6.

CONNOLLY SJ, ET AL; *AVERROES Steering Committee and Investigators. Apixaban in patients with atrial fibrillation.* N Engl J Med. 2011;364:806-17.

DE JONG PT, ET AL. *Associations between Aspirin Use and Aging Macula Disorder: The European Eye Study.* Ophtalmology 2011, September issue.

Chapitre 2 Les médicaments antihypertenseurs

SIPAHI I, ET AL. *Angiotensin-receptor blockade and risk of cancer: meta-analysis of randomised controlled trials.* The Lancet Oncolology 2010;11(7), 627-36.

THE ONTARGET INVESTIGATORS. *Telmisartan, ramipril or both in patients at high risk for cardiovascular events.* N Engl J Med. 2008;358:1547–1559.

YUSUF S, ET AL.*Telmisartan to prevent recurrent stroke and cardiovascular events.* N Engl J Med. 2008;359(12):1225-37.

TELMISARTAN RANDOMISED ASSESSMENT *Study in ACE iNtolerant subjects with cardiovascular Disease (TRANSCEND) Investigators. Effects of the angiotensin-receptor blocker telmisartan on cardiovascular events in high-risk patients intolerant to angiotensin-converting enzyme inhibitors: a randomised controlled trial.* Lancet. 2008;372:1174-83.

Chapitre 3 Les médicaments antiangineux

KONES R. *Recent advances in the management of chronic stable angina II. Anti-ischemic therapy, options for refractory angina, risk factor reduction, and revascularization.* Vasc Health Risk Manag. 2010;6:749-74.

O'ROURKE ST. *Antianginal actions of beta-adrenoceptor antagonists.* Am J Pharm Educ. 2007;71(5):95.

DEEDWANIA PC, ET AL. *Trials and tribulations associated with angina and traditional therapeutic approaches.* Clin Cardiol. 2007;30(2 Suppl 1):I16-24.

FOX K. *Selective and specific I(f) inhibition: new perspectives for the treatment of stable angina.* Expert Opin Pharmacother. 2006;7:1211-20.

FOX K, FORD I, STEG PG, ET AL. *Ivabradine for patients with stable coronary artery disease and left-ventricular systolic dysfunction (BEAUTIFUL): a randomised, double-blind, placebo-controlled trial.* Lancet. 2008;372:807-16.

Chapitre 4 Les médicaments antiarythmiques

DOBREV D, NATTEL S. *New antiarrhythmic drugs for treatment of atrial fibrillation.* Lancet. 2010;375:1212-23.

PREVENIR L'INFARCTUS ET L'ACCIDENT VASCULAIRE CÉRÉBRAL

Lavergne T, et al. *Closed-chest atrioventricular junction ablation by high-frequency energy trans-catheter desiccation.* Lancet. 1986;2:858-9.

Charlemagne A, et al. *Epidemiology of atrial fibrillation in France: Extrapolation of international epidemiological data to France and analysis of French hospitalization data.* Arch Cardiovasc Dis. 2011;104 :115-24.

Danchin N, et al. *Impact of early statin therapy on development of atrial fibrillation at the acute stage of infarction: data from the FAST-MI register.* Heart. 2010;96:1809-14.

Le Heuzey JY. *Management of atrial fibrillation, what to know on old and new antiarrhythmics.* Ann Cardiol Angeiol (Paris). 2010;59 Suppl 1:S24-7.

Wann LS, et al; ACCF/AHA/HRS. *2011 ACCF/AHA/HRS focused update on the management of patients with atrial fibrillation (Updating the 2006 Guideline): a report of the American College of Cardiology Foundation/American Heart Association Task Force on Practice Guidelines.* J Am Coll Cardiol. 2011;57:223-42.

Le Heuzey JY. *Dronedarone: from buzz to reality.* Arch Cardiovasc Dis. 2010;103:427-9.

Køber L, et al. *Increased mortality after dronedarone therapy for severe heart failure.* N Engl J Med. 2008;358:2678-87.

Hohnloser SH, et al. *Effect of dronedarone on cardiovascular events in atrial fibrillation.* N Engl J Med. 2009;360:668-78.

Hart RG, et al. *Antithrombotic therapy to prevent stroke in patients with atrial fibrillation: a meta-analysis.* Ann Intern Med. 1999;131:492-501.

CAST investigators. *Preliminary report: effect of encainide and flecainide on mortality in a randomized trial of arrhythmia suppression after myocardial infarction. The Cardiac Arrhythmia Suppression Trial (CAST) Investigators.* N Engl J Med. 1989;321:406-12.

CAST investigators. *Effect of the antiarrhythmic agent moricizine on survival after myocardial infarction. The Cardiac Arrhythmia Suppression Trial II Investigators.* N Engl J Med. 1992.327:227-33.

Chapitre 5 Les médicaments anticholestérol

De Lorgeril M. *Dites à votre médecin que le cholestérol est innocent.* Thierry Souccar Editions, 2007.

De Lorgeril M. *Cholestérol, mensonges et propagande.* Thierry Souccar Editions, 2008.

Chan AW, Hróbjartsson A, Haahr MT, Gøtzsche PC, Altman DG. *Empirical evidence for selective reporting of outcomes in randomized trials: comparison of protocols to published articles.* JAMA 2004;291:2457-65.

Ross JS, Mulvey GK, Hines EM, Nissen SE, Krumholz HM. *Trial publication after registration in ClinicalTrials.Gov: a cross-sectional analysis.* PLoS Med 2009;6:e1000144.

Rising K, Bacchetti P, Bero L. *Reporting bias in drug trials submitted to the Food and Drug Administration: review of publication and presentation.* PLoS Med 2008;5:e217.

Hugues S. *Rofecoxib (Vioxx) withdrawn because of cardiovascular side effects.* http://www.medscape.com/viewarticle/537940. Accessed September 30, 2004.

Topol EJ. *Failing the Public health – Rofecoxib, Merck, and the FDA.* N Engl J Med 2004;315:1707-9.

Fontanarosa PB, et al. *Postmarketing surveillance – Lack of vigilance, lack of trust.* JAMA 2004;292:2647-50.

Ross JS, et al. *Guest authorship and ghostwriting in publications related to rofecoxib: a case study of industry documents from rofecoxib litigation.* JAMA 2008;299:1800-12.

Psaty BM, Kronmal RA. *Reporting mortality findings in trials of Rofecoxib for Alzheimer disease or cognitive impairment. A case study based on documents from Rofecoxib litigation.* JAMA 2008;299:1813-7.

Landefeld CS, Steiman MA. *The Neurontin legacy. Marketing through misinformation and manipulation.* N Engl J Med 2009;360:103-6.

Mitka M. *Controversies surround heart drug study. Questions about Vytorin and trial sponsors' conduct.* JAMA 2008;299:885-7.

Greenland P, Lloyd-Jones D. *Critical lessons from ENHANCE trial.* JAMA 2008;299:953-5.

Kjekshus J, et al. *Rosuvastatin in older patients with systolic heart failure.* N Engl J Med 2007;357:2248-61.

Gissi-HF Investigators. *Effect of rosuvastatin in patients with chronic heart failure (the GISSI-HF trial): a randomized, double-blind, placebo-controlled trial.* Lancet 2008;372:1231-9.

Fellström BC, et al for the AURORA study group. *Rosuvastatin and cardiovascular events in patients undergoing hemodialysis.* N Engl J Med 2009;360:1395-407.

de Lorgeril M, et al. *Lipid-lowering drugs and homocysteine.* Lancet 1999;353:209-10.

de Lorgeril M, et al. *Lipid-lowering drugs and essential omega-6 and omega-3 fatty acids in patients with coronary heart disease.* Nutr Metab Cardiovasc Dis 2005;15:36-41.

de Lorgeril M, Salen P. *Cholesterol lowering and mortality : time for a new paradigm?* Nutr Metab Cardiovasc Dis 2006;16:387-390.

BASSLER D, ET AL. *Stopping randomized trials early for benefit and estimation of treatment effects: systematic review and meta-regression analysis.* JAMA 2010;303:1180-7.

MONTORI VM, ET AL. *Randomized trials stopped early for benefit: a systematic review.* JAMA 2005;294:2203-9.

CHAN A-W. *Bias, spin, and misreporting: time for full access to trial protocols and results.* PLoS Medicine 2008;5(11):e230.doi:10.1371/journal.pmed.0050230.

RIDKER PM, ET AL; *JUPITER Study Group. Rosuvastatin to prevent vascular events in men and women with elevated C-reactive protein.* N Engl J Med. 2008;359:2195-207.

RIDKER PM, ET AL; *JUPITER Trial Study Group. Reduction in C-reactive protein and LDL cholesterol and cardiovascular event rates after initiation of rosuvastatin: a prospective study of the JUPITER trial.* Lancet. 2009;373:1175-82.

DE LORGERIL M, ET AL. *Cholesterol-lowering, cardiovascular diseases, and the rosuvastatin-JUPITER controversy. A critical reappraisal.* Arch Intern Med 2010;170:1032-6.

RIDKER PM, GLYNN RJ. *The JUPITER Trial: responding to the critics.* Am J Cardiol. 2010;106:1351-6.

KEECH A, ET AL. *Effects of long-term fenofibrate therapy on cardiovascular events in 9795 people with type 2 diabetes mellitus (the FIELD study): randomised controlled trial.* Lancet 2005;366:1849-61.

THE ACCORD STUDY GROUP. *Effect of combination lipid therapy in type 2 diabetes mellitus.* N Engl J Med 2010;362:1563-74.

Chapitre 7 Le pontage coronarien, l'angioplastie et le *stent*

TAYLOR JC, ET AL. *Alpha-adrenergic and neuropeptide Y Y1 receptor control of collateral circuit conductance: influence of exercise training.* J Physiol. 2008;586:5983-98.

YANG HT, ET AL.*Prior exercise training produces NO-dependent increases in collateral blood flow after acute arterial occlusion.* Am J Physiol Heart Circ Physiol. 2002;282(1):H301-10.

YANG HT, ET AL. *Training increases collateral-dependent muscle blood flow in aged rats.* Am J Physiol Heart Circ Physiol. 1995b;268:H1174–H1180.

STEWART KJ, ET AL. *Exercise training for claudication.* New Eng J Med. 2002;347:1941–1951.

PRIOR BM, ET AL. *Time course of changes in collateral blood flow and isolated vessels size and gene expression after femoral artery occlusion in rats.* Am J Physiol Heart Circ Physiol. 2004;287:H2434–H2447.

MCDERMOTT MM, ET AL. *Physical performance in peripheral arterial disease: a slower rate of decline in patients who walk more.* Ann Intern Med. 2006;144:10–20.

LUNDGREN F, ET AL. *Intermittent claudication – surgical reconstruction or physical training? A prospective randomized trial of treatment efficiency.* Ann Surg. 1989;209:346–355.

LLOYD PG, ET AL. *Arteriogenesis and angiogenesis in rat ischemic hindlimb: role of nitric oxide.* Am J Physiol Heart Circ Physiol. 2001;281:H2528–H2538.

YAN J, TIE G, ET AL. *Recovery from hind limb ischemia is less effective in type 2 than in type 1 diabetic mice: roles of endothelial nitric oxide synthase and endothelial progenitor cells.* J Vasc Surg. 2009;50:1412-22.

MILANI RV, ET AL. *The role of exercise training in peripheral arterial disease.* Vasc Med. 2007;12:351-8.

HARAM PM, ET AL. *Time-course of endothelial adaptation following acute and regular exercise.* Eur J Cardiovasc Prev Rehabil. 2006;13:585-91.

LINKE A, ERBS S, HAMBRECHT R. *Exercise and the coronary circulation-alterations and adaptations in coronary artery disease.* Prog Cardiovasc Dis. 2006;48:270-84.

KATRITSIS DG, IOANNIDIS JP. *Percutaneous coronary intervention versus conservative therapy in nonacute coronary artery disease: a meta-analysis.* Circulation. 2005;111:2906-12.

BROOKS MM, ET AL. *Clinical implications of the BARI 2D and COURAGE trials: overview.* Coron Artery Dis. 2010 Nov;21(7):383-5.

WEINTRAUB WS, ET AL; COURAGE TRIAL RESEARCH GROUP. *Effect of PCI on quality of life in patients with stable coronary disease.* N Engl J Med. 2008;359:677-87.

BODEN WE, ET AL; COURAGE TRIAL RESEARCH GROUP. *Optimal medical therapy with or without PCI for stable coronary disease.* N Engl J Med. 2007;356:1503-16.

BARI 2D STUDY GROUP. *A randomized trial of therapies for type 2 diabetes and coronary artery disease.* N Engl J Med. 2009;360:2503-15.

HAMBRECHT R, ET AL. *Percutaneous coronary angioplasty compared with exercise training in patients with stable coronary artery disease: a randomized trial.* Circulation. 2004;109:1371-8.

TONGERS J, ET AL. *Role of endothelial progenitor cells during ischemia-induced vasculogenesis and collateral formation.* Microvasc Res. 2010;79:200-6.

HUANG PH, ET AL. *Moderate intake of red wine improves ischemia-induced neovascularization in diabetic mice--roles of endothelial progenitor cells and nitric oxide.* Atherosclerosis. 2010;212:426-35.

HAMED S, ET AL. *Red wine consumption improves in vitro migration of endothelial progenitor cells in young, healthy individuals.* Am J Clin Nutr. 2010;92:161-9.

BOYD WD, ET AL. *Current status and future directions in computer-enhanced video- and robotic-assisted coronary bypass surgery.* Semin Thorac Cardiovasc Surg. 2002;14:101-9.

SELLKE FW, ET AL. *Current state of surgical myocardial revascularization.* Circ J. 2010;74:1031.

SHROYER AL, ET AL; *Veterans Affairs Randomized On/Off Bypass (ROOBY) Study Group. On-pump versus off-pump coronary-artery bypass surgery.* N Engl J Med. 2009;361:1827-37

GRUENTZIG AR, MEIER B. *Percutaneous transluminal coronary angioplasty. The first five years and the future.* Int J Cardiol. 1983;2(3-4):319-23.

SIGWART U, ET AL. *Intravascular stents to prevent occlusion and restenosis after transluminal angioplasty.* N Engl J Med. 1987;316:701-6.

MORICE MC, ET AL; RAVEL STUDY GROUP. *A randomized comparison of a sirolimus-eluting stent with a standard stent for coronary revascularization.* N Engl J Med. 2002 Jun 6;346(23):1773-80.

ROSSINI R, ET AL. *Prevalence, predictors, and long-term prognosis of premature discontinuation of oral antiplatelet therapy after drug eluting stent implantation.* Am J Cardiol. 2011;107:186-94.

COHEN DJ, ET AL. *Quality of life after PCI with drug-eluting stents or coronary-artery bypass surgery.* N Engl J Med. 2011;364:1016-26.

LEON MB, ET AL. *A clinical trial comparing three antithrombotic-drug regimens after coronary-artery stenting. Stent Anticoagulation Restenosis Study Investigators.* N Engl J Med. 1998;339:1665-71.

BERTRAND ME, ET AL. *Double-blind study of the safety of clopidogrel with and without a loading dose in combination with aspirin compared with ticlopidine in combination with aspirin after coronary stenting : the clopidogrel aspirin stent international cooperative study (CLASSICS).* Circulation. 2000;102:624-9.

MONTALESCOT G, ET AL. *Prasugrel compared with clopidogrel in patients undergoing percutaneous coronary intervention for ST-elevation myocardial infarction (TRITON-TIMI 38): double-blind, randomised controlled trial.* Lancet. 2009;373:723-31.

WIVIOTT SD, ET AL. *Intensive oral antiplatelet therapy for reduction of ischaemic events including stent thrombosis in patients with acute coronary syndromes treated with percutaneous coronary intervention and stenting in the TRITON-TIMI 38 trial: a subanalysis of a randomised trial.* Lancet. 2008;371:1353-63.

SEREBRUANY VL. *Paradoxical excess mortality in the PLATO trial should be independently verified.* Thromb Haemost. 2011 Mar 8;105.

CHRISTERSSON C, ET AL. *Treatment with an oral direct thrombin inhibitor decreases platelet activity but increases markers of inflammation in patients with myocardial infarction.* J Intern Med. 2011 Jan 22.

WALLENTIN L, ET AL. PLATO INVESTIGATORS. *Ticagrelor versus clopidogrel in patients with acute coronary syndromes.* N Engl J Med. 2009;361:1045-57.

Chapitre 8 Les *pacemakers* et les défibrillateurs implantés

Moss AJ, ET AL. *Improved survival with an implanted defibrillator in patients with coronary disease at high risk for ventricular arrhythmia. Multicenter Automatic Defibrillator Implantation Trial Investigators.* N Engl J Med. 1996;335:1933-40.

A *comparison of antiarrhythmic-drug therapy with implantable defibrillators in patients resuscitated from near-fatal ventricular arrhythmias. The Antiarrhythmics versus Implantable Defibrillators (AVID) Investigators.* N Engl J Med. 1997;337:1576-83.

Moss AJ, ET AL; *Multicenter Automatic Defibrillator Implantation Trial II Investigators. Prophylactic implantation of a defibrillator in patients with myocardial infarction and reduced ejection fraction.* N Engl J Med. 2002 Mar 21;346(12):877-83.

HOHNLOSER SH, ET AL; DINAMIT INVESTIGATORS. *Prophylactic use of an implantable cardioverter-defibrillator after acute myocardial infarction.* N Engl J Med. 2004;351:2481-8.

BARDY GH, ET AL; *Sudden Cardiac Death in Heart Failure Trial (SCD-HeFT) Investigators. Amiodarone or an implantable cardioverter-defibrillator for congestive heart failure.* N Engl J Med. 2005 Jan 20;352(3):225-37.

BRISTOW MR, ET AL. *Cardiac-resynchronization therapy with or without an implantable defibrillator in advanced chronic heart failure.* N Engl J Med. 2004;350:2140-50.

PARTIE 5

Chapitre 1 L'exercice physique

DANAEI G, ET AL. *The preventable causes of death in the United States: comparative risk assessment of dietary, lifestyle, and metabolic risk factors.* PLoS Med. 2009;6(4):e1000058.

O'DONOVAN G, ET AL. *The ABC of Physical Activity for Health: a consensus statement from the British Association of Sport and Exercise Sciences.* J Sports Sci. 2010;28:573-91.

HASKELL WL, ET AL. *Physical activity and public health: updated recommendation for adults from the American College of Sports Medicine and the American Heart Association.* Circulation. 2007;116:1081-93.

KING DE, ET AL. *Turning back the clock: adopting a healthy lifestyle in middle age.* Am J Med. 2007;120:598-603.

MA Q. *Beneficial effects of moderate voluntary physical exercise and its biological mechanisms on brain health.* Neurosci Bull. 2008; 24:265-70.

ROLLAND Y, ET AL. *Physical activity and Alzheimer's disease: from prevention to therapeutic perspectives.* J Am Med Dir Assoc. 2008; 9:390-405.

KUKIELKA M, ET AL. *Endurance exercise training reduces cardiac sodium/calcium exchanger expression in animals susceptible to ventricular fibrillation.* Front Physiol. 2011 Feb 14;2:3.

BILLMAN GE. *Effect of endurance exercise training on heart rate onset and heart rate recovery responses to submaximal exercise in animals susceptible to ventricular fibrillation.* J Appl Physiol. 2007;102:231-40.

BILLMAN GE, ET AL. *Endurance exercise training attenuates cardiac beta2-adrenoceptor responsiveness and prevents ventricular fibrillation in animals susceptible to sudden death.* Am J Physiol Heart Circ Physiol. 2006;290:H2590-9.

BILLMAN GE. *Cardiac autonomic neural remodeling and susceptibility to sudden cardiac death: effect of endurance exercise training.* Am J Physiol Heart Circ Physiol. 2009;297:H1171-93.

ALBERT CM, ET AL. *Triggering of sudden death from cardiac causes by vigorous exertion.* N Engl J Med. 2000;343:1355–1361.

Chapitre 2 Une vie sexuelle épanouie

MULLER JE, ET AL. *Triggering myocardial infarction by sexual activity. Low absolute risk and prevention by regular physical exertion. Determinants of Myocardial Infarction Onset Study Investigators.* JAMA. 1996;275:1405–1409.

SCHUMANN AR, *Rossini S. Sacred Sexuality in Ancient Egypt: The Erotic Secrets of the Forbidden Papyri.* Inner Traditions, 2001.

CHANG J. *The Tao of Love and Sex.* Plume, 1977.

MCNEIL JM. *Ancient Love Making Secrets The Journey Toward Immortality.* www.sexforhealth. net

DAVEY SMITH G, ET AL. *Sex and death: are they related? Findings from the Caerphilly Cohort Study.* BMJ. 1997;315:1641–1644.

EBRAHIM S, ET AL. *Sexual intercourse and risk of ischaemic stroke and coronary heart disease: the Caerphilly study.* J Epidemiol Community Health. 2002; 56: 99-102.

GRAGASIN FS, ET AL. *The neurovascular mechanism of clitoral erection: nitric oxide and cGMP-stimulated activation of BKCa channels.* FASEB J. 2004;18:1382-91.

Chapitre 3 Apprendre à mieux gérer son stress

BROTMAN DJ. *The cardiovascular toll of stress.* Lancet 2007;370 :1089-2007.

SALMON P. *Effects of physical exercise on anxiety, depression, and sensitivity to stress: A unifying theory.* Clinical Psychology Review 2001;21:33-61.

HOLMES D. *Effects of aerobic exercise training and relaxation training on cardiovascular activity during psychological stress.* Journal of Psychosomatic Research 1988;32:469-474.

KLONER RA. *Comparison of total and cardiovascular death rates in the same city during a losing versus winning super bowl championship.* Am J Cardiol. 2009;103:1647-50.

ZIEGLER MG. *Psychological Stress and the Autonomic Nervous System. Primer on the Autonomic Nervous System* (Second Edition), 2004, Pages 189-190.

LEOR J, ET AL. *Sudden cardiac death triggered by an earthquake.* N Engl J Med. 1996;334:413-9.

STALNIKOWICZ R. *Acute psychosocial stress and cardiovascular events.* Am J Emerg Med. 2002; 20:488-91.

KLONER RA. *Population-based analysis of the effect of the Northridge Earthquake on cardiac death in Los Angeles County, California.* J Am Coll Cardiol. 1997;30 :1174-80.

LEEKA J. *Sporting events affect spectators' cardiovascular mortality: it is not just a game.* Am J Med. 2010;123:972-7.

GALIUTO L, ET AL. *Reversible coronary microvascular dysfunction: a common pathogenetic mechanism in Apical Ballooning or Tako-Tsubo Syndrome,* Eur Heart J 2010;31:1319-1327.

MELAMED S, ET AL. *Burnout and risk of cardiovascular disease: Evidence, possible causal paths, and promising research directions.* Psych Bull. 2006;132:327-53.

APPELS A. *Burnout as a risk factor for coronary heart disease.* Behav Med. 1991;17:53-9.

SMEETS T. *Autonomic and hypothalamic-pituitary-adrenal stress resilience: Impact of cardiac vagal tone.* Biol Psychol. 2010;84:290-5.

FEDER E. *Psychobiology and molecular genetics of resilience.* Nature Reviews Neuroscience 2009;10:446–457.

TACHÉ Y. *From Hans Selye's discovery of biological stress to the identification of corticotropin-releasing factor signaling pathways: implication in stress-related functional bowel diseases.* Ann N Y Acad Sci. 2008;1148:29-41.

PETTICREW MP. *The «father of stress» meets «big tobacco»: Hans Selye and the tobacco industry.* Am J Public Health. 2011;101:411-8.

SELYE H. *Syndrome produced by nocuous agents.* Nature 1936;138:32.

GUILLEMIN R. *Humoral hypothalamic control of anterior pituitary: a study with combined tissue cultures.* Endocrinology.1955;57:599.

VINSON GP. *The adrenal cortex and life.* Mol Cell Endocrinol. 2009;300:2-6.

CAMPÉON A. *Workplace's evolution and mental burn-out in the agricultural sector.* Sante Publique. 2008;20:S109-19.

DI IORIO B. *Burn-out in the dialysis unit.* J Nephrol. 2008;21 Suppl 13:S158-62.

Chapitre 4 Les médecines alternatives

DAVIES WR. *Mindful meditation: healing burnout in critical care nursing.* Holist Nurs Pract. 2008;22:32-6.

MCCRATY R, ET AL. *The impact of a new emotional self-management program on stress, emotions, heart rate variability, DHEA and cortisol.* Integr Physiol Behav Sci. 1998;33:151-70.

WILLCOX DG, WILLCOX BJ, SUZUKI M. *The Okinawa program.* Three rivers press. New York 2001.

ARAKAWA M, ET AL. *Comparative study on sleep health and lifestyle of the elderly in the urban areas and suburbs of Okinawa.* Psychiatry Clin Neurosci. 2002;56:245-6.

COHEN KS. *The Way of Qigong: The Art and Science of Chinese Energy Healing.* Random House of Canada, 1999.

PRAMANIK T, ET AL. *Immediate effect of a slow pace breathing exercise Bhramari pranayama on blood pressure and heart rate.* Nepal Med Coll J. 2010;12:154-7.

COUDRON L. *Le yoga. Bien vivre ses émotions.* Odile Jacob éditions, 2006.

JAYASINGHE SR. *Yoga in cardiac health.* Eur J Cardiovasc Prev Rehabil. 2004;11:369-75.

WU S,ET AL. *Comparing the treatment effectiveness of body acupuncture and auricular acupuncture in preoperative anxiety treatment.* J Res Med Sci. 2011;16:39-42.

CHEUK DK. *Acupuncture for insomnia.* Cochrane Database Syst Rev. 2007; (3):CD005472.

JACOBSON E. *Progressive relaxation.* Chicago: University of Chicago Press, 1938.

BERNARDI L, ET AL. *Effect of Rosary prayer and yoga mantras on autonomic cardiovascular rhythms: comparative study.* BMJ. 2001;323:1446-9.

DEWELL A, ET AL. *Relationship of dietary protein and soy isoflavones to serum IGF-1 and IGF binding proteins in the Prostate Cancer Lifestyle Trial.* Nutr Cancer. 2007;58:35-42.

DAUBENMIER JJ, ET AL. *Lifestyle and health-related quality of life of men with prostate cancer managed with active surveillance.* Urology. 2006;67:125-30.

ORNISH D, ET AL. *Intensive lifestyle changes may affect the progression of prostate cancer.* J Urol. 2005;174:1065-9.

ORNISH D, ET AL. *Effects of stress management training and dietary changes in treating ischemic heart disease.* JAMA 1983,249:54-59.

SALEN P, DE LORGERIL M. *The Okinawa diet. A modern view of an ancestral lifestyle.* World Rev Nutr Diet. 2011;102:114-123.

Chapitre 6 Les programmes de réadaptation cardiaque

GULLIKSSON M, ET AL. *Randomized controlled trial of cognitive behavioral therapy vs standard treatment to prevent recurrent cardiovascular events in patients with coronary heart disease: Secondary Prevention in Uppsala Primary Health Care project (SUPRIM).* Arch Intern Med. 2011;171:134-40.

BERKMAN LF, ET AL. *Effects of treating depression and low perceived social support on clinical events after myocardial infarction: the Enhancing Recovery in Coronary Heart Disease Patients (ENRICHD) Randomized Trial.* JAMA. 2003;289:3106-16.

POUWER F, ET AL. *Limited effect of screening for depression with written feedback in outpatients with diabetes mellitus: a randomised controlled trial.* Diabetologia. 2011;54:741-8.

A la source du taiji quan - Transmission de l'école Chen, par Wang Xian et Alain Caudine, Éd. Guy Trédaniel, 2005.

Le Taichi facile, par Paul Crompton, traduction Serge Mairet, Budo éditions, 2004.

YEH GY, ET AL. *Tai Chi exercice in patients with chronic heart failure.* Arch Intern Med 2011;171:750-7.

PARTIE 6

Chapitre 2 Que boire ? Comment boire ?

AZOULAY A, ET AL. *Comparison of the mineral content of tap water and bottled waters.* J Gen Intern Med. 2001;16:168-75.

GARZON P. *Variation in the mineral content of commercially available bottled waters: implications for health and disease.* Am J Med. 1998;105:125-30.

PETRACCIA L, ET AL. *Water, mineral waters and health.* Clin Nutr. 2006;25:377-85.

SIENER R, ET AL. *Influence of a mineral water rich in calcium, magnesium and bicarbonate on urine composition and the risk of calcium oxalate crystallization.* Eur J Clin Nutr. 2004;58:270-6.

GORSKI T, ET AL. *Use of NSAIDs in athletes: prevalence, level of awareness and reasons for use.* Br J Sports Med 2011;45:85-90.

MICHENOT F, ET AL. *Adverse drug reactions in patients older than 70 years during the heat wave occurred in France in 2003: a study of the French Pharmacovigilance database.* Pharmacoepidemiol Drug Saf 2006;15:735-40.

RABHI PIERRE. *Vers la Sobriété Heureuse,* Actes Sud, 2010.

DE LORGERIL M, SALEN P. *Alcool, vin et santé.* Editions Alpen , 2008.

KURIYAMA S, ET AL. *Green tea consumption and mortality due to cardiovascular disease, cancer, and all causes in japan. The Ohsaki Study.* JAMA. 2006;296:1255-1265.

WANG ZM, ET AL. *Black and green tea consumption and the risk of coronary artery disease: a meta-analysis.* Am J Clin Nutr. 2011;93:506-15.

LARSSON SC, ET AL. *Coffee and tea consumption and risk of stroke subtypes in male smokers.* Stroke. 2008;39:1681-7.

LUCAS M, ET AL. *Coffee, caffeine, and risk of depression among women.* Arch Intern Med 2011;171:1571-8.

LARSSON SC, ET AL. *Coffee consumption and risk of stroke in women.* Stroke. 2011;42:908-12.

Chapitre 3 Le lait et les produits laitiers

LORENZEN JK. *Dairy calcium intake modifies responsiveness of fat metabolism and blood lipids to a high-fat diet.* Br J Nutr. 2011 ;31:1-10.

CHRISTENSEN R, ET AL. *Effect of calcium from dairy and dietary supplements on faecal fat excretion: a meta-analysis of randomized controlled trials.* Obes Rev. 2009;10:475-86.

LARSSON SC, ET AL. *Dairy foods and risk of stroke.* Epidemiology. 2009;20:355-60.

Chapitre 4 Les matières grasses méditerranéennes et les autres graisses

FFERRARI R, ET AL. *Alteration of sterols and steryl esters in vegetable oils during industrial refining.* J Agric Food Chem 1997;45:4753–7.

GLADINE C, ET AL. *Preservation of micronutrients during rapeseed oil refining: a tool to optimize the health value of edible vegetable oils? Rationale and design of the Optim'Oils randomized clinical trial.* Contemp Clin Trials. 2011;32:233-9.

BENDSEN NT, ET AL. *Consumption of industrial and ruminant trans fatty acids and risk of coronary heart disease: a systematic review and meta-analysis of cohort studies.* Eur J Clin Nutr. 2011 Mar 23.

ASTRUP A, ET AL. *The role of reducing intakes of saturated fat in prevention of cardiovascular disease: where does the evidence stand in 2010?* Am J Clin Nutr. 2011;93:684-8.

OSTMAN E, ET AL. *Vinegar supplementation lowers glucose and insulin responses and increases satiety after a bread meal in healthy subjects.* Eur J Clin Nutr 2005;59:983-8.

JOHNSTON CS. *Vinegar improves insulin sensitivity to a high-carbohydrate meal in subjects with insulin resistance or type 2 diabetes.* Diabetes Care 2004;27:281-2

REMIG V, ET AL. *Trans fats in America: a review of their use, consumption, health implications, and regulation.* J Am Diet Assoc. 2010;110:585-92.

ECKEL RH, ET AL. *Understanding the complexity of trans fatty acid reduction in the American diet: American Heart Association Trans Fat Conference 2006: report of the Trans Fat Conference Planning Group.* Circulation. 2007;115:2231-46.

MOZAFFARIAN D, ET AL. *Trans fatty acids and cardiovascular disease.* N Engl J Med. 2006;354:1601-13.

Chapitre 5 Les viandes et les œufs

MICHA R, ET AL. *Red and processed meat consumption and risk of incident coronary heart disease, stroke, and diabetes mellitus: a systematic review and meta-analysis.* Circulation. 2010;121:2271-83.

BRYAN NS. *Letter by Bryan Regarding Article, "Red and Processed Meat Consumption and Risk of Incident Coronary Heart Disease, Stroke, and Diabetes Mellitus: A Systematic Review and Meta-Analysis".* Circulation 2011;123:e16-e16.

SINHA R, ET AL. *Meat intake and mortality: a prospective study of over half a million people.* Arch Intern Med. 2009;169:562-71.

FREEDMAN ND, ET AL. *Association of meat and fat intake with liver disease and hepatocellular carcinoma in the NIH-AARP cohort.* J Natl Cancer Inst. 2010;102:1354-65.

LARSSON SC, ET AL. *Red meat consumption and risk of stroke in Swedish women.* Stroke. 2011;42:324-9.

MÄNNISTÖ S, ET AL. *High processed meat consumption is a risk factor of type 2 diabetes in the Alpha-Tocopherol, Beta-Carotene Cancer Prevention study.* Br J Nutr. 2010;103:1817-22.

SUGIMURA T, ET AL. *Heterocyclic amines: Mutagens/carcinogens produced during cooking of meat and fish.* Cancer Sci. 2004;95:290-9.

KOUTROS S, ET AL. *Meat and meat mutagens and risk of prostate cancer in the Agricultural Health Study.* Cancer Epidemiol Biomarkers Prev. 2008;17:80-7.

CROSS AJ, ET AL. *A prospective study of red and processed meat intake in relation to cancer risk.* PLoS Med. 2007 Dec;4(12):e325.

BOUCHER P, DE LORGERIL M, SALEN P, ET AL. *Effect of dietary cholesterol on low density lipoprotein-receptor, 3-hydroxy-3-methylglutaryl-CoA reductase, and low density lipoprotein receptor-related protein mRNA expression in healthy humans.* Lipids. 1998;33:1177-86.

ZAZPE I, ET AL. *Egg consumption and risk of cardiovascular disease in the SUN Project.* Eur J Clin Nutr. 2011 Mar 23.

HU FB, ET AL. *A prospective study of egg consumption and risk of cardiovascular disease in men and women.* JAMA. 1999;281:1387-94.

QURESHI AI, ET AL. *Regular egg consumption does not increase the risk of stroke and cardiovascular diseases.* Med Sci Monit. 2007;13:CR1-8.

WEILL PIERRE. *Mon assiette, ma santé, ma planète.* Edition Plon, 2010.

Chapitre 6 Les produits de la mer et de la pêche

DAVIGLUS ML, ET AL. *Fish consumption and the 30-year risk of fatal myocardial infarction.* N Engl J Med 1997;336:1046–53.

ALBERT CM, ET AL. *Fish consumption and risk of sudden cardiac death.* JAMA 1998;279:23–8.

KROMHOUT D, ET AL. *The inverse relation between fish consumption and 20-year mortality from coronary heart disease.* N Engl J Med 1985;312:1205–9.

BURR ML, ET AL. *Effects of changes in fat, fish, and fibre intakes on death and myocardial reinfarction: diet and reinfarction trial (DART).* Lancet 1989;2:757–61.

GRUPPO ITALIANO PER LO STUDIO DELLA SOPRAVVIVENZA NELL'INFARTO MIOCARDICO. *Dietary supplementation with n-3 polyunsaturated fatty acids and vitamin E after myocardial infarction: results of the GISSI-Prevenzione trial.* Lancet 1999;354:447–55.

MOZAFFARIAN D, ET AL. *Mercury exposure and risk of cardiovascular disease in two U.S. cohorts.* N Engl J Med. 2011;364:1116-25.

WANG MP. *Fish consumption and mortality in Hong Kong Chinese--the LIMOR study.* Ann Epidemiol. 2011;21:164-9.

SHEN J, ET AL. *Dietary factors and incident atrial fibrillation: the Framingham Heart Study.* Am J Clin Nutr. 2011;9:261-6.

SUN Q, ET AL. *Blood concentrations of individual long-chain n-3 fatty acids and risk of nonfatal myocardial infarction.* Am J Clin Nutr. 2008;88:216-23.

BRESLOW JL. *n-3 fatty acids and cardiovascular disease.* Am J Clin Nutr. 2006;83(6 Suppl):1477S-1482S.

LARSSON SC, ET AL. *Fish consumption and risk of stroke in Swedish women.* Am J Clin Nutr. 2011;93:487-93.

LEVITAN EB, ET AL. *Fatty fish, marine omega-3 fatty acids and incidence of heart failure.* Eur J Clin Nutr. 2010;64:587-94.

YUAN JM, ET AL. *Fish and shellfish consumption in relation to death from myocardial infarction among men in Shanghai, China.* Am J Epidemiol. 2001;154:809-16.

Chapitre 7 Les céréales et les produits céréaliers

HE M, ET AL. *Whole-grain, cereal fiber, bran, and germ intake and the risks of all-cause and cardiovascular disease-specific mortality among women with type 2 diabetes mellitus.* Circulation. 2010;121:2162-8.

LIU S, ET AL. *Is intake of breakfast cereals related to total and cause-specific mortality in men?* Am J Clin Nutr. 2003;77:594-9.

DE MUNTER JS, ET AL. *Whole grain, bran, and germ intake and risk of type 2 diabetes: a prospective cohort study and systematic review.* PLoS Med. 2007; 4(8):e261.

HARRIS KA. *Effects of whole grains on coronary heart disease risk.* Curr Atheroscler Rep. 2010;12:368-76.

WEILL P. *Mon assiette, ma santé, ma planète.* Editions Plon, 2010.

TIGHE P, ET AL. *Effect of increased consumption of whole-grain foods on blood pressure and other cardiovascular risk markers in healthy middle-aged persons: a randomized controlled trial.* Am J Clin Nutr. 2010;92:733-40.

PINS JJ, ET AL. *Do whole-grain oat cereals reduce the need for antihypertensive medications and improve blood pressure control?* J Fam Pract. 2002;51:353-9.

ESHAK ES, ET AL. *Dietary fiber intake is associated with reduced risk of mortality from cardiovascular disease among Japanese men and women.* J Nutr. 2010;140:1445-53.

BAZZANO LA, ET AL. *Dietary fiber intake and reduced risk of coronary heart disease in US men and women: the National Health and Nutrition Examination Survey I Epidemiologic Follow-up Study.* Arch Intern Med. 2003;163:1897-904.

Chapitre 8 Les légumes

HUNG HC, ET AL. *Fruit and vegetable intake and risk of major chronic disease.* J Natl Cancer Inst. 2004;96:1577-84.

DAUCHET L, ET AL. *Fruit and vegetable consumption and risk of coronary heart disease: a meta-analysis of cohort studies.* J Nutr. 2006;136:2588-93.

HE FJ, ET AL. *Fruit and vegetable consumption and stroke: meta-analysis of cohort studies.* Lancet. 2006;367:320-6.

JOSHIPURA KJ, ET AL. *Fruit and vegetable intake in relation to risk of ischemic stroke.* JAMA. 1999;282:1233-9.

JOSHIPURA KJ, ET AL. *The effect of fruit and vegetable intake on risk for coronary heart disease.* Ann Intern Med. 2001;134:1106-14.

CROWE FLET AL; EUROPEAN PROSPECTIVE INVESTIGATION INTO CANCER AND NUTRITION (EPIC)-HEART STUDY COLLABORATORS. *Fruit and vegetable intake and mortality from ischaemic heart disease: results from the European Prospective Investigation into Cancer and Nutrition (EPIC)-Heart study.* Eur Heart J. 2011;32:1235-43.

Chapitre 9 Les légumineuses

PATISAUL HB. *The pros and cons of phytoestrogens.* Front Neuroendocrinol. 2010;31:400-19.

CANO A, ET AL. *Isoflavones and cardiovascular disease.* Maturitas. 2010;67:219-26.

NAGARAJAN S. *Mechanisms of antiatherosclerotic functions of soy-based diets.* J Nutr Biochem. 2010;21:255-60.

BAZZANO LA, ET AL. *Non-soy legume consumption lowers cholesterol levels: a meta-analysis of randomized controlled trials.* Nutr Metab Cardiovasc Dis. 2011;21:94-103.

L.H. KUSHI, ET AL. *Cereals, legumes, and chronic disease risk reduction: evidence from epidemiologic studies.* Am J Clin Nutr 1999 ;70:451S–458.

L.A. BAZZANO, ET AL. *Legume consumption and risk of coronary heart disease in US men and women: NHANES I epidemiologic follow-up study*, Arch Intern Med 2001;161:2573–2578.

BERNSTEIN ET AL. *Major Dietary Protein Sources and Risk of Coronary Heart Disease in Women.* Circulation 2010;122:876-883.

AKBARALY TN, ET AL. *Alternative Healthy Eating Index and mortality over 18 y of follow-up: results from the Whitehall II cohort.* Am J Clin Nutr. 2011 May 25.

HARRISS LR, ET AL. *Dietary patterns and cardiovascular mortality in the Melbourne Collaborative Cohort Study.* Am J Clin Nutr. 2007;86:221-9.

Chapitre 10 Les fruits frais, fruits secs et fruits à coque

GRIEP LO, ET AL. *Raw and processed fruit and vegetable consumption and 10-year stroke in a population-based cohort study in the Netherlands.* Eur J Clin Nutr. 2011 Mar 23.

EICHHOLZER M, ET AL. *The role of folate, antioxidant vitamins and other constituents in fruit and vegetables in the prevention of cardiovascular disease: the epidemiological evidence.* Int J Vitam Nutr Res 2001;71:5–17.

FLOOD-OBBAGY JE. *The effect of fruit in different forms on energy intake and satiety at a meal.* Appetite 2009;52:416–422.

GÄRTNER C, ET AL. *Lycopene is more bioavailable from tomato paste than from fresh tomatoes.* Am J Clin Nutr 1997;66,116–122.

BENDINELLI B, ET AL. *Fruit, vegetables, and olive oil and risk of coronary heart disease in Italian women: the EPICOR Study.* Am J Clin Nutr. 2011;93:275-83.

FUNG TT, ET AL. *The Mediterranean and Dietary Approaches to Stop Hypertension (DASH) diets and colorectal cancer.* Am J Clin Nutr. 2010;92:1429-35.

FRASER GE, ET AL. *A possible protective effect of nut consumption on risk of coronary heart disease. The Adventist Health Study.* Arch Intern Med 1992;152:1416–24.

DE LORGERIL M. *Dietary arginine and the prevention of cardiovascular diseases.* Cardiovasc Res. 1998;37:560-3.

DE LORGERIL M, ET AL. *Potential use of nuts for the prevention and treatment of coronary heart disease: from natural to functional foods.* Nutr Metab Cardiovasc Dis. 2001;11:362-71.

Chapitre 11 Les autres aliments sucrés

CROZIER ET AL. *Cacao seeds are a "Super Fruit": A comparative analysis of various fruit powders and products.* Chemistry Central Journal 2011,5:5.

FRAGA CG, ET AL. *Cocoa flavanols: effects on vascular nitric oxide and blood pressure.* J Clin Biochem Nutr. 2011;48:63-7.

BALZER J, ET AL. *Sustained benefits in vascular function through flavanol-containing cocoa in medicated diabetic patients a double-masked, randomized, controlled trial.* J Am Coll Cardiol. 2008;51(22):2141-9.

NEILSON EG. *The fructose nation.* J Am Soc Nephrol 2007;18:2619–2621.

BRAY GA, ET AL. *Consumption of high-fructose corn syrup in beverages may play a role in the epidemic of obesity.* Am J Clin Nutr 2004;79:537–543.

JALAL DI, ET AL. *Increased fructose associates with elevated blood pressure.* J Am Soc Nephrol 2010;21:1543–1549.

NGUYEN S, ET AL. *Sugar-sweetened beverages, serum uric acid, and blood pressure in adolescents.* J Pediatr 2009;154:807–813.

NAKAYAMA T, ET AL. *Dietary fructose causes tubulointerstitial injury in the normal rat kidney.* Am J Physiol Renal Physiol 2010;298: F712–F720.

BOUCHARD-THOMASSIN AA, ET AL. *A high-fructose diet worsens eccentric left ventricular hypertrophy in experimental volume overload.* Am J Physiol Heart Circ Physiol. 2011;300:H125-34.

STEPHAN BC, ET AL. *Increased fructose intake as a risk factor for dementia.* Gerontol A Biol Sci Med Sci. 2010;65:809-14.

LES RÉPONSES A VOS QUESTIONS

Question 1

RENAUD S, DE LORGERIL M. *Wine, alcohol, platelets, and the French paradox for coronary heart disease.* Lancet. 1992 Jun 20;339(8808):1523-6.

DE LORGERIL M, SALEN P, ET AL. *Mediterranean diet and the French paradox: two distinct biogeographic concepts for one consolidated scientific theory on the role of nutrition in coronary heart disease.* Cardiovasc Res. 2002 Jun;54(3):503-15.

DE LORGERIL M, SALEN P. *Wine ethanol, platelets, and Mediterranean diet.* Lancet. 1999 Mar 27;353(9158):1067.

DE LORGERIL M, SALEN P, ET AL. *Effect of wine ethanol on serum iron and ferritin levels in patients with coronary heart disease.* Nutr Metab Cardiovasc Dis. 2001 Jun;11(3):176-80.

DE LORGERIL M, SALEN P, ET AL. *Wine drinking and risks of cardiovascular complications after recent acute myocardial infarction.* Circulation. 2002 Sep 17;106(12):1465-9.

DE LORGERIL M, SALEN P, GUIRAUD A, ET AL. *Resveratrol and non-ethanolic components of wine in experimental cardiology.* Nutr Metab Cardiovasc Dis. 2003 Apr;13(2):100-3.

GRØNBAEK M, DI CASTELNUOVO A, IACOVIELLO L, DE LORGERIL M, SALEN P. *Wine, alcohol and cardiovascular risk: open issue.* J Thromb Haemost. 2004 Nov;2(11):2041-8.

GUIRAUD A, DE LORGERIL M, ET AL. *Cardioprotective effect of chronic low dose ethanol drinking: insights into the concept of ethanol preconditioning.* J Mol Cell Cardiol. 2004;36(4):561-6.

DE LORGERIL M, SALEN P. *Is alcohol anti-inflammatory in the context of coronary heart disease?* Heart. 2004 Apr;90(4):355-7.

DE LORGERIL M, SALEN P, ET AL. *Is moderate drinking as effective as cholesterol lowering in reducing mortality in high-risk coronary patients?* Eur Heart J. 2008 Jan;29(1):4-6.

GUIRAUD A, DE LORGERIL M, ET AL. *Interactions of ethanol drinking with n-3 fatty acids in rats: potential consequences for the cardiovascular system.* Br J Nutr. 2008 Dec;100(6):1237-44.

DE LORGERIL M, SALEN P, MARTIN JL. *Interactions of wine drinking with omega-3 fatty acids in patients with coronary heart disease: a fish-like effect of moderate wine drinking.* Am Heart J. 2008 Jan;155(1):175-81.

LATELLA MC, DI CASTELNUOVO A, DE LORGERIL M, ET AL. *Genetic variation of alcohol dehydrogenase type 1C (ADH1C), alcohol consumption, and metabolic cardiovascular risk factors: results from the IMMIDIET study.* Atherosclerosis. 2009 Nov;207(1):284-90.

DI GIUSEPPE R, DE LORGERIL M, SALEN P, ET AL; *European Collaborative Group of the IMMIDIET Project. Alcohol consumption and n-3 polyunsaturated fatty acids in healthy men and women from 3 European populations.* Am J Clin Nutr. 2009 Jan;89(1):354-62.

Question 6

SUN Q, ET AL. VITAMIN D *intake and risk of cardiovascular disease in US men and women.* Am J Clin Nutr. 2011;94:534-42.

BELL DS. *Resolution of statin-induced myalgias by correcting vitamin D deficiency.* South Med J. 2010;103(7):690-2.

AHMED W, ET AL. *Low serum 25 (OH) vitamin D levels (<32 ng/mL) are associated with reversible myositis-myalgia in statin-treated patients.* Transl Res. 2009;153(1):11-6.

GUPTA A, ET AL. *The relationship of vitamin D deficiency to statin myopathy.* Atherosclerosis. 2011;215(1):23-9.

GOLDSTEIN MR, ET AL. *Rosuvastatin and vitamin D: might there be hypovitaminosis D on JUPITER?* Int J Cardiol. 2010;145(3):556-7.

Question 7

BAIGENT C, ET AL; *SHARP Investigators. The effects of lowering LDL cholesterol with simvastatin plus ezetimibe in patients with chronic kidney disease (Study of Heart and Renal Protection): a randomised placebo-controlled trial.* Lancet. 2011;377:2181-92.

KALAITZIDIS RG, ELISAF MS. *The Role of Statins in Chronic Kidney Disease.* Am J Nephrol. 2011;34:195-202.

Question 8

FAHED AC, NEMER GM. *Familial hypercholesterolemia: the lipids or the genes?* Nutr Metab (Lond). 2011;8:23.

FAHED AC, ET AL. *Homozygous familial hypercholesterolemia in Lebanon: a genotype/phenotype correlation.* Mol Genet Metab. 2011;102:181-8.

MARDUEL M, ET AL. *Molecular spectrum of autosomal dominant hypercholesterolemia in France.* Hum Mutat. 2010;31:E1811-24.

ABIFADEL M, ET AL. *Strategies for proprotein convertase subtilisin kexin 9 modulation: a perspective on recent patents.* Expert Opin Ther Pat. 2010;20:1547-71.

LIEM M, ET AL. *Magnetic resonance imaging of Achilles tendon xanthomas in familial hypercholesterolemia.* Skeletal Radiol. 1992;21 :453-457

FAHEY J, ET AL. *Xanthoma of the Achilles tendon.* Bone Joint Surg Am. 1973;55:1197-1211.

CONCLUSION

RICHARDSON WS, DETSKY AS. *Users' guides to the medical literature. VII. How to use a clinical decision analysis. B. What are the results and will they help me in caring for my patients? Evidence Based Medicine Working Group.* JAMA. 1995;273:1610-3.

MONTORI VM, ET AL. *Users' guide to detecting misleading claims in clinical research reports.* BMJ. 2004;329:1093-6.

PATEL MR, ET AL. *Low diagnostic yield of elective coronary angiography.* N Engl J Med. 2010;362:886-95.

GRADY D, REDBERG RF. *Less is more: how less health care can result in better health.* Arch Intern Med. 2010;170:749-50.

LAUER MS. *Pseudodisease, the next great epidemic in coronary atherosclerosis.* Arch Intern Med. May 23, 2011.

HEMMINGSEN B, ET AL. *No clear benefit for thight blood glucose control in type 2 Diabetes.* Cochrane database of Systematic Reviews. August 1, 2011.

LEE A, ET AL; *EBM Teaching Scripts Working Group. Tips for teachers of evidence-based medicine: making sense of decision analysis using a decision tree.* J Gen Intern Med. 2009;24:642-8.

INDEX